オリバー・ツイスト（上）

チャールズ・ディケンズ
北川悌二＝訳

角川文庫 14099

OLIVER TWIST
by Charles Dickens

目次

第一章

オリバー・ツイストの生まれた場所とその出産事情について

さまざまの事情からその名はあげず、架空の名もつけずにおくが、ある町の公共施設には、大なり小なりたいていの町に古くから伝わる共通な施設がある。すなわち、教区救貧院である。そして、この救貧院で、ある日、この章の巻頭にその名をかかげられた人物が生まれたが、その出生日について、ここでわざわざそれを示すのは、やめることにしよう。とにかく、この話のいまの段階では、読者にとって、それが重要なものとは、思えないからである。

教区の医者の手で、嘆きと苦しみのこの世に生みだされてからずっとながいこと、この子が名前をもつようになるまで成長するかどうかは、大いに疑問を投げかけられていたことだったが、もし子供が死ねば、こうした伝記は、おそらく書かれなかったであろう。また、書かれたにしても、それは二ページにもならないもの、いかなる時代や国の文学にも存在しないほどの簡潔で忠実な伝記という、このうえなく貴重な価値をもつものになっただろう。

救貧院で生まれた事実そのものが、人間の身にふりかかる最大の幸福、うらやむべきことと主張する気は、さらさらないが、この話の場合には、これは、オリバー・ツイストにとって、ねがってもない最高のことだった。事実、オリバーに呼吸をさせる困難な仕事――これは面倒な習慣で、楽に生きるには不可欠なことだが――があり、しばらくのあいだ、毛くずを入れた小さな布団の上で、あえぎながら、この世とあの世のあいだを不安定に往き来し、あやうくあの世ゆきをするところだった。さて、この短い時間に、オリバーが気のつくお祖母《ばあ》さん、案じてくれる叔母《おば》さん、経験のある看護婦、深い知識をたくわえた医者に見守られていたら、彼がまもなく死亡したであろうことは、まちがいのないこと、疑問の余地のないことだった。しかしながら、そばにいるものといえば、ただビールをふだんよりもっとひっかけて酔眼朦朧《もうろう》とした救貧院のお婆さんと、こうした仕事をうけおいでやっている教区の医者だけだったので、オリバーと生命力は、自分の力だけで、この生死の闘いを戦いぬいた。その結果、少しもがいたあとで、オリバーは呼吸をはじめ、くしゃみをし、三分と十五秒よりもっとずっとながいあいだ、言葉という好都合な道具をもたない坊やの赤ん坊に期待しうるかぎりの大きな泣きわめき声をたてて、その教区に新しい負担を増やしたという事実を、救貧院の住民に知らせた。

オリバーの肺臓がこの自由で適切な活動の最初の証《あか》しを立てたとき、鉄の寝台の上に無造作にかけられたつぎはぎだらけの掛け布団がかすかな音をたて、若い女の青ざめた顔が枕から弱々しく上げられ、かすれた声で「死ぬ前に赤ちゃんの顔を見せて」とうつろにいっていた。

医者は暖炉に顔を向けて座り、手のひらを炉にかざしたり、こすったりしていたが、この若い女がこういったとき、彼は立ちあがって、その枕もとにゆき、こうした場合には予想もできない親切さをこめて、こういった。

「ああ、死のことを口にするなんて、まだ早すぎるよ」

「まあ、かわいそうに、とんでもないことよ」いかにも満足気に隅で飲んでいた緑のびんを急いでポケットにしまいこみながら、看護婦は口をはさんだ。「かわいそうに、わたしくらいの長生きをし、十三人子供を生み、生き残ったのは二人だけ、しかも、その生き残りは、わたしといっしょに救貧院のお世話になるといったことになったら、そんな大さわぎはしなくなるよ。かわいそうに！　ねえ、いい子だから、母さんになることがどんなことか、ちょっと考えてごらん」

母親になることのよろこびを伝えたこの慰めの言葉が、相応な効果をあげなかったことは、明らかだった。患者は頭をふり、両手を子供のほうにのばした。

医者は、赤ん坊を彼女の腕にだかせた。母親は冷たい、青ざめた唇を夢中で赤ん坊の額におしつけ、その顔をなで、あたりを狂ったようにながめまわし、身をふるわせ、最期にがっくりとして――死んでしまった。医者と看護婦は彼女の胸、手、こめかみをこすってやったが、血は永遠にとまったままだった。彼らは希望や慰めについて語ったが、それは、ずっとながいこと、彼女には無縁のものになっていたのだった。

「なんとかいう小母《おば》さん、万事休すだね！」医者はとうとういった。

「ああ、かわいそうに、そうなりましたね！」緑のびんのコルク栓をひろいながら、看護婦はいった。これは、赤ん坊をだきあげようとして、彼女がかがんだとき、枕のところからころがり落ちたものだった。「かわいそうに！」

「看護婦さん、子供が泣いても、呼びにくる必要はないよ」念入りに手袋をはめながら、医者はいった。「うるさく泣きそうだが、そうなったら、少しかゆをやりなさい」彼は帽子をかぶり、扉のほうにゆきながら、寝台のところで立ちどまって、いいそえた。「きれいな女だったが、どこからやってきたんだろう？」

「民生委員の監督さんの命令で、昨日の晩、ここに連れてこられたんです」老女はこたえた。「道で倒れてるとこを見つけられてね。そうとうながい道中をしたんでしょうね、靴がズタズタに切れてましたもんね。だけど、どこからきたんか、どこにゆこうとしてたんかは、だれにもわかっちゃいませんよ」

医者は死体の上にかがみこみ、左手をあげた。「いつもおきまりの話さ」頭をふって彼はいった。「結婚指輪はないね。ああ、おやすみ！」

医者は夕食をしに立ち去った。そして看護婦は、もう一度、緑のびんから一杯ひっかけて、暖炉の前の低い椅子に腰をおろし、赤ん坊に着物を着せはじめた。

幼いオリバー・ツイストは、着物の力を示すじつにぴったりの例だった！　いままで彼のからだをくるんでいた毛布の姿では、彼は、貴族の子供とも乞食の子供ともいえるものだった。この赤ん坊を知らぬどんな傲慢《ごうまん》な人でも、それがどんな社会的地位に属するものか、決めかねたことだろう。だが、着古されて黄色に変色した古いキャラコの服につつまれると、彼は階級章をつけられ、世の中で打ちのめされ――みなに軽蔑《けいべつ》され、だれにもあわれみをかけてもらえない、その本来の地位――教区の世話になる子供――救貧院の孤児になりさがっていた。

オリバーはたくましい泣き声をたてた。教区委員と民生委員の監督の慈悲にゆだねられた孤児の身分を知ったら、彼はきっともっと大声で泣き叫んだことだろう。

第二章

オリバー・ツイストの成長、教育、食事について

それからの八ヶ月か十ヶ月のあいだ、オリバーは計画的な詐欺と瞞着《まんちゃく》の犠牲になっていた。彼は人工栄養で育てられた。孤児の貧困欠食状態は、救貧院当局から教区当局に正しく報告された。オリバー・ツイストが必要としている慰めと栄養を与えうる立場にある女性がこの救貧院にいるかどうかを、教区当局は威儀を正して救貧院当局に諮問《しもん》した。救貧院当局はかしこまって、そうした人物のいないむねを応答した。そこで教区当局は堂々と、情け深く、つぎのとおりに決定した。すなわち、オリバーを「幼児預かり所」に出せ、言葉をかえていえば、約三マイルはなれた救貧院支部送りにせよということだった。そこでは、二、三十人の救貧救助法未成年違反者たちが、年配の女性の親代わりの監督の下で、食事や衣料の過当配給に迷惑するということもなく、一日中床をころげまわっていた。この女性は子供一人あたり週七ペンス半というお金目当てで、この罪人たちを引き受けていたのである。週に七ペンス半の金額は、子供には十分な食費で、七ペンス半の金では十分ものが買え——満腹させて、苦しくさせるに十分だった。しかし、この初老の女性は賢明

な、経験を積んだ女性で、子供にはなにがよいかを心得ていた。それに、どうしたら自分自身に都合よくなるかも、じつによく心得ていた。そこで、彼女は週ごとの費用の大部分を自分の用に当て、教区救貧院に割り当てられた額の上前をはね、どんなに深いどん底にも、それを上まわる深さのどん底があることを発見し、自分がじつに偉大な経験派哲学者であることを証明したのだった。

馬は食べさせずともりっぱに生きてゆけると主張し、馬の食料を一日藁《わら》一本にまできりつめ、馬が快適な空気という食料をはじめて支給される二十四時間前に死んでしまわなかったら、元気で活発な食料ぬきの馬をたしかにつくりだすところまで、その理論をみごとに証明した、これに似たべつの経験派哲学者の話は、だれでも知っている。オリバー・ツイストがその保護の下にゆだねられた女性の経験派哲学者にとって不幸なことに、同様の結果が、いつもこの女性の計画の実行にともなって起こっていた。というのも、子供がこの上なく粗末な食料のこのうえなくわずかな分量でなんとか暮らせるようになったとたんに、意地悪くも、子供は十人中八人半まで、栄養不足と寒気で病気になり、注意ふゆきとどきで暖炉の中に落ち、偶然のことで窒息しかかるといった事件が起きた。こうしたとき、どのような場合でも、かわいそうな子供はふつうあの世ゆきになり、そこで、この世では会ったこともない父親のもとに連れてゆかれるのだった。

ときおり、寝台を片づけるときにその存在を忘れられ、入浴のさいに、不注意にも火傷《やけど》を負わされて死亡した救貧院の子供にたいして、ふだんにないほど興味深い検視がおこなわれるとき――後者の事件は、入浴といったことは幼児預かり所でめったにないことなので、まずまず起きはしない事件だったのだが――陪審官が厄介な質問をしてやろうとか、教区民が反抗的に抗議書に署名することがよく起こった。しかし、こうした出しゃばった態度は、医者の証明や教区吏員の証言でたちまち抑えられた。医者はいつも死体を解剖し、中にはなにもない（たしかにそのとおりだっただろうが）ことを証明、教区吏員は、教区が希望することはなににせよ、かならず誓って証言し、非常に献身的なところを示した。そのうえ、委員会は周期的に幼児預かり所を巡察することになっていて、いつもその日の前に教区吏員を派遣して、巡察がおこなわれることを知らせていた。委員会の連中が出向いてゆくときには、子供たちは見たところ小ぎれいでさっぱりとした恰好《かっこう》をしていた。これ以上、なにが望めよう！

この幼児預かり所の制度から優れて並はずれた、ゆたかな収穫を期待しても、それは無理なねがいというものである。オリバー・ツイストが九回目の誕生日を迎えたとき、彼は背丈の低い、胴まわりはっきりと細い、顔の青白い瘦《や》せた子供になっていた。しかし、天性というか、遺伝というか、りっぱなたくましい精神がオリバーの胸に植えつけられていた。そうした精神は、施設のとぼしい食事のおかげで、そのからだの中で広がる余地を十分にもっていたのである。そして、彼が九歳の誕生日を迎えることができたのも、おそらくこの事情によるものだったのだろう。それはともあれ、今日は彼の九歳の誕生日だった。彼はこの誕生日を地下の石炭庫の中で他の二人の優秀な若い紳士たちとともに迎えたのだが、彼らは、オリバーといっしょにしこたまたたきのめされたあとで、横着にも空腹を訴えた罪で、ここに閉じこめられていたのだった。そしてちょうどそのとき、この家の善良なるマン夫人は、庭の小門を開けようとしている教区吏員バンブル氏の出現に、思わずぎょっとした。

「まあ！　バンブルさん、あなたでしたの？」すごいうれしさをよそおって、窓から頭を出しながら、マン夫人はいった。「(スーザン、オリバーとあの二人のガキを二階に連れてゆき、すぐ手足を洗ってやっとくれ)。これは、これは！　バンブルさん、お会いできて、なんと、とてもうれしいことですよ」

さて、バンブル氏は太った、短気な男で、この好意をこめた挨拶《あいさつ》に真心こめた言葉でこたえず、小門をひどくゆさぶり、ついで、教区吏員の足以外からはとても出るとは思えぬ猛烈な一蹴《ひとけ》りをその小門に与えた。

「まあ、まあ、大変」マン夫人は飛びだしていって、いった——三人の少年は、もうこのとき、二階にうつされていた——「大変だわ！　だいじな子供を預かってるこの身、門の錠を内側からかけていたのを忘れるなんて！　さあ、おはいりください。どうか、バンブルさん、おはいりください」

この迎え入れの言葉は、教区吏員の心をやわらげるお辞儀をともなって呼びかけられたが、それは、この教区吏員の心を静めるものではなかった。

「教区の職員が教区の孤児に関する仕事でここにやってきたとき、その職員を庭の小門で待たせておくなんて、それは丁重で適切な接待法といえますかな?」ステッキをつかみながら、バンブル氏はたずねた。「マン夫人、ご存じかな? あんたは、いわば、教区から委嘱と俸給を受けてる身分なんですぞ」

「すみませんでした、バンブルさん、あなたをとても好きになってる一人か二人のかわいい子供たちに、おいでになったのはあなただ、といってたとこなんです」ひどくおそれいった態度で、マン夫人はこたえた。

バンブル氏は、自分の権力と貫禄をたいしたものに思っている人物だった。彼はその両方を示し、主張したので、その不機嫌はなおってきた。

「そう、そう、マン夫人」彼は前より静かな調子でこたえた。「そうかもしれませんな、そうかも。マン夫人、家に案内してください。とにかく仕事で来て、伝えねばならんことがありますからな」

マン夫人は煉瓦《れんが》敷きの小さな客間に教区吏員を招じ入れ、その座席をしつらえ、世話好きにも、その三角帽とステッキを彼の前のテーブルの上においた。バンブル氏は一歩きしてかいた汗を額からぬぐい、三角帽を満悦気にながめ、にっこりとした。そう、たしかににっこりとした。教区吏員とて、やはり人間であり、バンブル氏はにっこりしたのである。「これから申しあげることで、どうか気を悪くなさらないでくださいまし」魅力満点のやさしさをこめて、マン夫人はいった。「ねえ、ながい道中をなさったのですもの、ほんとうに。さあ、バンブルさん、ほんのちょっと一杯、なさいません？」

「いや、だめ、だめ」威厳はあるがおだやかな態度で右手をふりながら、バンブル氏はいった。

「召しあがってもいいでしょう」相手の拒否の語調とそれにともなう身ぶりを観察したマン夫人は応じた。「ほんのちょっと一杯、冷たい水を少しとお砂糖をそえて」

バンブル氏は咳《せき》ばらいをした。

「さあ、ほんのちょっと一杯」説きつけるようにして、マン夫人はいった。

「それは、なんですな？」教区吏員はたずねた。

「まあ、家にちょっととっておかなければならないものなんです、子供たちの具合がよくないとき、そのお薬に入れるもんでしてね、バンブルさん」隅の戸棚を開き、びんとコップをとりだして、マン夫人はこたえた。「これはお酒のジンです。嘘は申しませんわ、バンブルさん。これはジンですことよ」

「マン夫人、あんたは子供たちに薬をやるんですかね」水とジンのまぜ具合をおもしろそうに目で追いながら、バンブルはたずねた。

「ええ、それは、もちろんですよ、高いもんですけどね」マン夫人はこたえた。「目の前で子供たちが苦しむのを、見てはいられませんもの、ほんと」

「そうですな」いかにもといったふうにバンブル氏はいった。「そう、マン夫人、きみには見てるなんてできませんな、人情のある人だから」（ここで彼女はコップを彼の前においた）「マン夫人、いずれ近く機《おり》を見て、このことを委員会に報告してあげましょう」（彼はコップを手もとに引きよせた）「きみの心は、マン夫人、母親のようなもんですな」（彼は水で割ったジンをかきまわした）「わしは――わしはよろこんできみの健康を祝って乾杯しますぞ、マン夫人」こういって、彼はコップの半分をグイと飲み乾《ほ》した。

「さて、仕事の話になるが」革の紙入れをとりだしながら、教区吏員はいった。「オリバー・ツイストといい加減な名をつけられた子供は、今日で満九歳になるわけですな」

「おや、そうですか！」エプロンの端で左目をこすりながら、マン夫人は口をはさんだ。

「前には十ポンドの賞金、あとではそれが二十ポンドに増額されたにもかかわらず、また教区のほうでも、最高の、途方もないともいえる努力をしたにもかかわらず」バンブルはいった。「彼の父親が何者か、母親の財産、姓名、身分はいかなるものかがわかっておらんのだ」

マン夫人はびっくりして、両手をあげたが、ちょっと考えてから、いいそえた。「でも、あの子がともかく名をもってるのは、どうしたことなんでしょう？」

教区吏員は大得意で身をそらせて、いった。「わしがそれを考えだしたのさ」

「バンブルさん、あんたがですって！」

「ああ、そうですぞ、マン夫人。われわれは子供たちをＡＢＣの順に名をつけててね。前のがＳで、スワブルと名をつけてやったよ。この子はＴで――ツイストと名をつけたのさ。このつぎのやつはアンウィン、そのつぎはヴィルキンズになるよ。わしはＡＢＣの最後まで名を用意してあってね、Ｚまでゆけば、元にもどして、ぜんぶくりかえすわけさ」

「まあ、あんたは学者だことねえ！」マン夫人はいった。

「うん、うん」そのお世辞にはっきりと満足しながら、教区吏員はいった。「そうかもしれんな。うん、マン夫人、そうかもしれん」彼は水割りのジンを飲み終え、いいそえた。「オリバーはここに入れておくには大きくなりすぎたんで、委員会は彼を救貧院に呼びもどすことにしたんだ。わし自身がこうしてやってきたのは、彼をそこに連れてゆくため。だから、すぐ彼をここに連れてきてください」

「すぐに連れてきますよ」それをしようと部屋を出ながら、マン夫人はいった。オリバーは、このときまでに一洗いで落とせるかぎり顔や手にこびりついた垢《あか》を落とされ、この慈悲深い女保護者によって、部屋に連れられてきた。

「オリバー、このかたにお辞儀をするのよ」マン夫人は命じた。

オリバーはお辞儀をしたが、それは半分は椅子に座った教区吏員に、半分はテーブルの上の三角帽にたいするものだった。

「オリバー、おまえはわしといっしょにゆくかね？」いかめしい声で、バンブル氏はいった。

オリバーは、大よろこびでだれとでもゆきます、といおうとしたが、そのとき、目を上のほうにやって、マン夫人の身ぶりに気がついた。彼女は教区吏員の椅子のうしろにまわって、すごい顔つきで、拳《こぶし》を教区吏員の頭にふっていた。彼にはその意味がすぐわかった。拳はじつにしばしば彼自身のからだに打ちすえられていたので、それは、彼の記憶に深く刻みつけられていたのである。

「おばさんもいっしょにゆくの？」かわいそうに、オリバーはたずねた。

「いや、それはできん」バンブル氏はこたえた。「だが、ときどき会いにきてくれるぞ」

これは、子供にはたいして慰めにならぬ言葉だった。幼いながらも、彼は別離をなげくようすを見せるくらいの才覚はもっていた。目に涙を浮かべることくらいは、子供にとって楽なことだった。泣きたいと思えば、空腹と最近の虐待を思えば、すぐできることだった。そして、オリバーはとてもうまくとりつくろって泣いた。マン夫人は何度も彼をだきしめ、それよりもっとオリバーが欲しがっていたバターつきパンをくれたが、これは救貧院に着いたとき、彼があまり腹をへらしているふうに見えないようにという配慮だった。

手にパン切れをにぎり、頭には褐色の布の教区帽をかぶって、彼はバンブル氏によってみじめな家から連れだされていったが、この家は、彼の陰鬱《いんうつ》な幼年時代を照らしだす光のような、ただひとつのやさしい言葉も顔つきも、もってはいないものだった。

しかし、彼が出ていったあとで、この小屋の門が閉じられたとき、彼は子供らしい苦しみに満ちた嗚咽《おえつ》をあげた。彼があとに残した悲惨な小さな仲間たちはみじめなものではあったが、それは、彼が知った唯一の友人たちであり、ひろい世間に放り出された天涯孤独の感じが、はじめて、子供心に深くしみとおって沈んでいったからである。

バンブル氏は大股《おおまた》でズンズンと歩いていった。小さなオリバーは、バンブル氏の金モールの袖口《そでぐち》をしっかりとつかんで、急ぎ足でちょこちょこと歩き、四分の一マイルほど歩くたびに、「もうすぐですか?」とたずねていた。こうした質問にたいして、バンブル氏はひどく短く、ガミガミ声で応答していた。水割りジンが人の胸にひき起こす一時的な温和な気分は、もうこのときまでには、消滅していたからである。彼は、ふたたび、またもとの教区吏員になっていた。

オリバーは、救貧院に着いてからすぐ、ある老女に預けられたが、また十五分もたたず、二切れめのパンをまだ平らげもしないうちに、バンブル氏がもどってきた。そして、今日は委員会《ボード》の開かれる晩だといって、委員会に彼が出頭しなければならないことを知らせた。ボードには「委員会」と「食卓」の意味があり、オリバーは、生き物のボードがどんなものか、余りよくわかっていなかったので、この知らせにびっくりしてしまい、笑っていいのか、泣いていいのか、見当もつかなかった。しかし、彼にはこのことを考えている時間的余裕がなかった。バンブル氏が、彼の眠気をさまそうと、ステッキで彼の頭に一撃を加え、元気づけに背中をひとたたきし、ついてこいと命じて、彼を大きなしっくい造りの部屋に連れていったからである。そこには、八人か十人の太った紳士たちが、テーブルをかこんで座っていた。テーブルの上座のところには、ほかの椅子より高い肘《ひじ》かけ椅子に、とても丸い、赤ら顔の、特に太った紳士が座っていた。

「委員会《ボード》のかたがたにご挨拶《あいさつ》をしろ」とバンブル氏はいった。オリバーは目に残っている二、三滴の涙をおしぬぐい、ボードといってもテーブル以外にはなにもないので、好都合に、それに向けてお辞儀をした。

「坊や、名前はなんというのかね？」高い椅子に座っている紳士はたずねた。

オリバーは、こんなにたくさんの紳士たちを目の前にしてすくんでしまい、からだをブルブルふるわせていた。教区吏員はもう一度彼の背に一撃を加え、これで、彼は泣きだすことになった。この二つのことで、彼はとても低い、オドオドした声しか出せなくなった。そこで、白いチョッキを着たある紳士は、この子はバカだ、といった。これは彼の元気をふるい起こさせ、すっかり気楽にさせる特効薬になった。

「坊や」高い椅子の紳士はいった。「わしのいうことをよくお聞き。おまえは自分が孤児だというのを知っているのだろうね?」

「それはなんですか?」かわいそうなオリバーはたずねた。

「この子供はバカだ――そうだと思ってたよ」白いチョッキを着た紳士はいった。

「しっ!」最初に口を切った紳士はいった。「きみには父親も母親もないということ、教区の手で自分が育てられてきたことを、きみは知っているのだね、どうだい?」

「はい」ひどく泣きじゃくりながら、オリバーはこたえた。

「おまえはどうして泣いてるんだ?」白チョッキの紳士がたずねた。そして、たしかに、これは異常なことだった。いったい、どうして、この子供が泣く必要があるのだろう?

「おまえは、毎晩、お祈りはしているだろうね?」しわがれ声をしたべつの紳士がいった。「それに、おまえに食事を与え、おまえの世話をしている人のためにな――キリスト教徒らしく」

「はい」少年はどもっていった。最後に話しかけた紳士は、無意識ながら、当を得ていたのだった。もしオリバーが自分に食事を与え、自分の世話をしてくれる人のために祈っていたら、それはたしかに、キリスト教徒に、すばらしい善良なキリスト教徒にとてもふさわしいことだったろう。しかし、彼はそうしたお祈りをささげてはいなかった。だれもそれを彼に教えてはくれなかったからである。

「よし! おまえをここに呼んだのは、おまえに教育を授け、ためになる仕事を教えてやるためなのだ」高い椅子に座った赤ら顔の紳士がいった。

「そう、だから明日の朝六時からまいはだ（古い麻綱などをほぐして麻くずのようにしたもの。船の張板などの間に詰めて漏水を防ぐ。むかし罪人、貧乏人などがやっていた仕事）作りをはじめるのだぞ」白チョッキの意地の悪い紳士がいいそえた。

　こうしたありがたいことを、ただまいはだ作りをするだけで得られることにたいして、オリバーは、教区吏員に命じられて、低くお辞儀をした。そのあとで、彼はさっさと大きな部屋に連れてゆかれ、そこで、ひどい、かたい寝台の上で、泣き寝入りをしてしまった。これは、イギリスの愛情深い法律をじつにりっぱに示したものといえよう！　それは、貧乏人を眠らせてくれるのだから！

　かわいそうなオリバー！　幸福に、自分のまわりのことにはなにも気づかずに寝込んでいるとき、オリバーは、自分の将来にじつに重大な影響をおよぼす決定を委員会がくだしたことを、ぜんぜん知らないでいた。しかし、その決定はたしかにくだされ、その内容はつぎのようなものだった——

　委員会の人たちはとても賢く、深みがあり、学者的だった。彼らが救貧院のことを考えるとき、ふつうの人間だったら考えもしないこと——貧乏人がその場所を好んでいるものと思っていた。それは、貧民のための特定の公共娯楽施設、金をはらう必要のない酒場、一年中支給される公共の三度の食事とおやつ、すべてが仕事ぬきの、煉瓦としっくい作りの遊びの天国だった。「ほおっ！」委員会の人たちは、心得顔でいった。「われわれはこれを整理しなければならない。すぐにこれを停止することにしよう」そこで、彼らは規則を確立し、貧乏人には二者択一の態度でのぞみ（というのも、委員会はだれにも絶対に強制することはしないのだから）、救貧院でだんだんと餓死してゆくか、それとも、外で早いとこ死んでゆくかを選ばせた。こうした意図で、委員会は水道会社とは無制限な給水、穀物問屋とはわずかな量のオートミールの定期補給の契約を結び、日にうすいかゆの食事を三度、週に二回の玉ねぎ、日曜日には巻きパン半分を支給することにした。そのほか、ご婦人に関係のあるさまざまな、賢明で慈悲深い規則も設けたが、ここでそれをいちいち述べる必要はあるまい。そのうえ親切にも、貧乏人夫婦の離婚の事務まで引き受けたが、これは、離婚訴訟には出費がかさむからという配慮だった。夫には従前やっていた家族扶養の義務を強制せずに、家族を彼の手もとから引きはなし、彼を独身者にしたのだった！もしこれが救貧院と結びつけられていなかったら、最後の二項目の条件のもとでこの世での極楽住まいをしようとする志願者がどれだけでるかわからないが、委員会とてバカではなく、そうした事態にたいする備えはかためられていた。この極楽ゆきは救貧院とかゆにかたく結びつけられていて、人々をふるえあがらせていたからである。

　オリバーがうつされてから半年のあいだ、この方法は完全に実施されていた。しかし、最初は、葬式屋の勘定の増大、収容者の服の寸法をぜんぶつめなければならぬことで、だいぶ出費がかさんだ。そしてそのつめた服は、一、二週間のかゆ食のあとで、彼らの痩《や》せた、ちぢみあがったからだの上で、ゆったりとはためいていた。しかし、貧乏人が痩せた《シン》と同様に、救貧院在住者の数も細って《シン》ゆき、委員会は有頂天のよろこびに酔っていた。

少年たちが食事を与えられる部屋は、大きな石造りの部屋で、端には銅がまがすえられ、そこから白エプロン姿の食事係の男が、一、二名のおばさんの援助をかりて、食事時のかゆを汲《く》んでいた。それぞれの少年が与えられたものは、浅いどんぶりに一杯だけで——祭日には、それ以外に二オンスと四分の一のパンが支給されていた。どんぶりは絶対に洗う必要はなかった。少年たちはそれをスプーンでみがきあげてしまったからである。そして、この作業が終わると（これには時間がたいしてかかりはしなかった。スプーンは、どんぶりとほとんど同じくらいの大きさだったから）、彼らは、銅がまがつくられている煉瓦《れんが》さえ食べかねないすごいまなざしで、座ったまま、その銅がまをにらみつけ、そうしながら、指先についたかもしれないまぐれのかゆの汁をものがすまいと、せっせと指を吸っていた。少年は食欲旺盛《おうせい》なのが特徴である。オリバー・ツイストとその仲間は、三ヶ月間、ゆっくりとすすむ飢餓の苦しみをなめさせられた。が、とうとう、飢えでガツガツになり、気が荒らくなって、歳には似合わず背が高く、こうした扱いには馴《な》れていなかったある少年（彼の父親はささやかな料理店を経営していた）は、一日にかゆをもう一杯多くしてもらわないと、自分の横に寝ている歳のゆかぬ弱々しい少年を夜食べてしまうかもしれない、とひそかに自分の仲間にもらした。彼の狂暴な、飢えた目つきに、一同は、彼の言葉をそのまま信じこんでしまった。会議が開かれ、食事係のところに、その日の夕方、夕食後にだれがゆき、食事をもっとくれるように要求するかが、くじできめられ、そのくじは、オリバー・ツイストに当たった。

夕方がやってきた。少年たちは席についた。食事係は、調理服を着て、銅がまのところに陣どり、収容員の助手たちがその背後にならんで、かゆが支給され、ながい食前の祈りが短い食事の前にささげられた。かゆはたちまち姿を消した。少年たちはたがいにヒソヒソと話し、オリバーに目くばせし、彼のとなりに座っている者は、彼をひじでつっついた。子供ながら、彼は飢えでがむしゃらに、みじめさで向こうみずになっていた。彼はテーブルから立ちあがり、手にどんぶりとスプーンをもって、食事係のところにすすんでゆき、自分の無鉄砲さに多少おびえながら、こういった――

「おねがいします、もっと欲しいんです」

この食事係は、太った、血色のいい男だったが、さっと顔を青ざめさせた。彼は、数秒間、驚きに打たれて呆然《ぼうぜん》とこの反逆者の少年をにらみつけていたが、それから、身をささえるために、銅がまにしがみついた。助手たちはびっくりし、少年たちは恐怖心で、身をかたくしていた。

「なんだって！」食事係は、とうとう、かすかな声でいった。

「おねがいです」オリバーはこたえた、「もっと欲しいんです」

食事係は、ひしゃくでオリバーの頭をしたたかになぐり、両腕をしばり、金切り声をあげて教区吏員を呼んだ。

委員会が厳粛に開かれているとき、バンブル氏はすごい興奮状態でその部屋にとびこみ、高い椅子に座っている紳士にこう呼びかけた――

「リムキンズさん、お許しください！　オリバー・ツイストがもっと食事をくれと申しております！」

一同はぎょっとした。みなの顔には恐怖の色が浮かんだ。

「もっとだって！」リムキンズ氏はいった。「バンブル、もっと落ち着いて、はっきりといいたまえ。彼が規定の夕食を終えたあとで、もっと食事をよこせといったのかね？」

「そうです」とバンブルはこたえた。

「あの坊主はしばり首になるぞ」白チョッキの紳士はいった。「まちがいないとも」

だれも、この紳士の予言に反駁《はんばく》はしなかった。活気のある議論がそのあとにつづいた。オリバーは、その後すぐ、監禁を命じられ、教区の手からオリバー・ツイストを引きとるものにはだれでも、五ポンドの報酬が提供されることを書いたはり紙が、翌朝、門の外にはりだされた。言葉をかえていえば、どんな職業、商売、仕事でもかまわず、徒弟を欲しがっている男女に、五ポンドとオリバー・ツイストが提供されたのである。

「生まれてこのかた、どんなことにでも、これほど自信のもてることはなかったな」白チョッキの紳士は、翌朝、門をたたき、はり紙を読みながら、いった。「生まれてこのかた、どんなことにでも、これほど自信のあることはなかったな。あの坊主はきっとしばり首になるぞ」

この白チョッキの紳士の言葉が当たっているかどうかは、これから先申しあげようと思っているので、いまさしあたって、オリバー・ツイストの生涯が非業の死に終わるかどうかをほのめかしでもしたら、この話の興味（もしこの話にそうしたものがあればの話だが）をそいでしまうことになるだろう。

第三章

決して閑《ひま》とはいえない職業にオリバー・ツイストは就職しそうになる

食事をもっとよこせというこの神をもおそれぬ兇悪《きようあく》犯罪をおかしてから一週間のあいだ、オリバー・ツイストは暗いさびしい部屋にしっかりと監禁されていたが、それは委員会の賢明な、慈悲深い指示によるものだった。もし彼が白チョッキの紳士の予言にたいしてしかるべき尊敬の念をいだいていたら、彼は、ハンカチの片端を壁のかぎに結びつけ、他の端を首にしばって、この賢明な予言者の予言を一度に、そして永遠に実現したであろうと考えても、それは、一見、あり得ることかもしれない。ところが、この実行には、ひとつの障害があった。すなわち、ハンカチは贅沢品《ぜいたくひん》と決定されていたので、会議に集まった委員会のはっきりとした命令、その署名と捺印《なついん》のもとで厳粛に伝えられた命令によって、貧乏人の鼻から未来永劫《えいごう》にとりのぞかれてしまっていたのだ。オリバーの若さと子供らしさに、さらにもっと重大な障害があった。彼は、昼間中ただ泣き叫び、ながい陰気な夜がおとずれたとき、夜の暗さを閉め出そうと、小さな手で目をおおい、隅にうずくまって、眠ろうと努め、ときどきギクッと身をふるわせて目をさまし、壁にだんだんと身を寄せて、冷たい、かたい壁の表面にふれて、自分をつつむ陰気さとわびしさからのがれられるかのようなようすをしていた。

　この「方法」を敵視する人たちは、この孤独な監禁中、オリバーが、運動、人との交際の恩恵と宗教的慰安の便宜をはばまれていたとは想像しないでいただきたい。運動はといえば、晴れた寒い日々だったのだが、彼は、バンブル氏の目の前で、石だたみの中庭で、毎朝、ポンプのもとで沐浴《もくよく》することを許され、バンブル氏は、かぜをひかないようにと、ステッキを何回かふりまわして、からだの血行がよくなるようにうながしていた。人との交際の点では、彼は一日おきに少年たちが食事をする広間に引きだされ、そこでみなへの忠告と手本になるようにと、愛想よく鞭《むち》で打たれていた。宗教的慰安の便宜ははばまれていたどころか、彼は、毎夜お祈りの時刻には、同じ部屋に蹴《け》って放りこまれ、そこで、委員会の威光でさしいれられた特別な文句のはいっている、少年たちがそろってあげる嘆願の声に耳をかたむけ、心を慰めることを許されていた。その特別な文句では、自分たちが善良で、正しく、満足し、従順になり、オリバー・ツイストの罪と悪徳から庇護《ひご》されることを祈っているもので、その祈りの言葉では、彼がはっきりと邪悪の力の完全な庇護と保護のもとにあること、まさに悪魔自身の工場から直接送られてきた代物であると銘打たれていた。

　オリバーの事情がこうしたためでたい、快適な状態にあったある朝、大通りぞいを煙突掃除人のガムフィールド氏が歩いていた。彼は、家主がそうとううるさくせがみはじめている家賃の支払いの方法を、あれこれと思いあぐねていた。ガムフィールド氏がどんなに楽天的にふところ勘定を立ててみても、希望の金額へ五ポンドは足りず、彼はこの勘定でちょっとやけになって、頭をひねり、ロバをひっぱたいているちょうどそのとき、救貧院のわきを通りかかり、彼の目は門の上のはり紙の上に釘《くぎ》づけになった。

「ほうれ!」ガムフィールド氏はロバに呼びかけた。

ロバは深い茫然《ぼうぜん》自失の状態にあり、小さな車につまれている二袋の煤《すす》が処分されたら、キャベツの芯の一本か二本にありつけるかどうかを考えていたようだった。そこで、この停止命令にはおかまいなしに、彼はノロノロと歩きつづけていった。

ガムフィールド氏はロバすべてに、とくにその目に激しい呪いの言葉を浴びせ、あとを追いかけていって、ロバ以外の頭だったらたたきつぶしてしまいそうな一撃を、その頭にくらわせた。それから手綱をとらえて、ひとひねりをギュッとその顎《あご》に与えたが、これは、勝手な行動をとってはならぬという物静かな合図のつもりのもので、こうした手段でロバに廻れ右をさせた。それから彼は、自分がもどってくるまで目をまわしておくために、もう一度ロバの頭をなぐった。こうした準備をぜんぶ完了して、彼は門のところに歩いてゆき、はり紙を読みはじめた。

白チョッキの紳士は、委員会室でその深遠な意見を吐露したあとで、手をうしろで組みながら、門のところに立っていた。ガムフィールド氏とロバとのちょっとしたやり合いをながめていたあとで、その人物がはり紙を読みにやってきたとき、彼はいかにもうれしそうに微笑した。ガムフィールド氏こそオリバーにはねがってもない主人だと、彼はすぐに見てとったからである。この文書を読んだとき、ガムフィールド氏も微笑した。五ポンドの金は彼の望んでいた金額であり、つけ足しの邪魔物ともいうべき少年はといえば、救貧院の規定の食事を知っているガムフィールド氏には、換気調整弁つきのストーブ掃除に打ってつけのチビ公とわかっていたからである。そこで彼は、はり紙の文のひろい読みをもう一度はじめから終わりまでくりかえし、それから毛皮の帽子に手をやり、敬意をあらわしてから、白チョッキの紳士に話しかけた。

「教区で徒弟奉公に出そうっちゅうこの子供のこってすがね」ガムフィールド氏はいった。

「うん、きみ」尊大な微笑を浮かべて、白チョッキの紳士は応じた。「その子がどうしたんだね？」

「もし教区で、れっきとした煙突掃除の楽しい職をその坊主につけてやろうというんでしたらね」ガムフィールド氏はいった。「わしのほうでも徒弟が欲しいとこなんで、その坊主はよろこんで引き受けますよ」

「中にはいりたまえ」白チョッキの紳士はいった。ガムフィールド氏はあとに残り、自分の不在中ロバが逃げださないようにと、その頭にもう一撃を加え、その顎をもうひとねじりしてから、白チョッキの紳士のあとを追い、オリバーがはじめてこの紳士に出逢《であ》った部屋にはいっていった。

「汚らしい商売だな」ガムフィールドがふたたび希望を述べたとき、リムキンズ氏はいった。

「いままでにも、小さな子供が煙突の中で窒息して死んだことがありますよ」別の紳士がいった。

「そりゃ、坊主どもをおろそうと藁《わら》を煙突でくべるとき、そいつをしめらしたからでさ」ガムフィールド氏はいった。「坊主どもを殺したのは煙《けむ》でね、炎じゃありませんぜ。ところが、煙となると、やつらをおろすのにはぜんぜん役にたたなくってね。そいつは、やつらを眠らすだけ、それに、そいつは、やつらの望むとこなんですからな。坊主どもはとても頑固でしてな、それに、ひどいなまけ者《もん》です。早いとこ煙突からやつらをおろすのにゃ、がんがん燃した火にかぎりますね。そいつはまた、情け深いこととも いえるんです。というのも、煙突の途中でつっかかっても、足を焼かれりゃ、なんとか身をもがいて逃げだしますからな」

白チョッキの紳士はこの説明にひどく興味をおぼえているらしかったが、それは、リムキンズ氏の一瞥《いちべつ》にあって、たちまち抑えられてしまった。ついで、委員会の会議が数分間おこなわれたが、それはとても低い声でつづけられ、『費用節約』、『あらゆる点で好適』、

『印刷した報告書を出して』といった言葉が聞こえてきただけだった。それは、じつにしばしば、語調を強めてくりかえされたために、そういうことになっただけのことである。とうとう、ささやき声がとまり、委員会の連中がその座席についたとき、リムキンズ氏がいった――

「われわれはきみの提案を審議したが、それを受け入れぬことにした」

「完全にだめ」白ショッキの紳士がいった。

「はっきりとだめだ」ほかの連中がいいそえた。

ガムフィールド氏は三、四人の少年に致命傷を与えるといった非難を浴びたことがあったので、ひょいとしたら、なにかわけのわからぬ気まぐれで、この縁のない事情が委員会の審議を動かしたのかもしれない、と思われた。もしそうだとすれば、それは、委員会のふだんのやりかたとはひどくちがったものだった。だが、自分のうわさをここでべつにむしかえして話したくもなかったので、彼は手の中の帽子をひねくり、ゆっくりとテーブルからはなれていった。

「じゃ、坊主をくれないんですね、みなさん」戸口のところで足をとめて、ガムフィールド氏はいった。

「だめだ」リムキンズ氏は応じた。「少なくとも汚い商売なのだから、奨励金は少なくしてもいいと思うな」

さっとテーブルのところにもどっていったとき、ガムフィールド氏の顔は輝き、こういった――

「じゃ、いくらくれるんです？　さあ！　貧乏人にはお手やわらかにねがいますよ。いくらくれるんですかね？」

「三ポンド十シリングで十分なところといいたいね」リムキンズ氏はいった。

「十シリング多すぎますな」白チョッキの紳士はいった。

「よーし！」ガムフィールドはいった。「四ポンドといきましょうや。四ポンドはらえば、もうそれであの坊主とはおさらばになるんですぜ。さあ！」

「三ポンド十シリング」断固としてリムキンズ氏はくりかえした。

「さあ、その折半といきましょうや。どうです？」ガムフィールドはがんばった。「三ポンド十五シリングでね」

「びた一文でも増やしたりはできん」が、リムキンズ氏の断固たる応答だった。

「ずいぶんとわしにきびしく当たるもんですな」ためらいながら、ガムフィールドはいった。

「ちぇっ！　ちぇっ！　ばかな！」白チョッキの紳士はいった。「奨励金がなにもでなくたって、あの少年は安いもんだぞ。このわけわからず、あの少年を受けとるがいい！　おまえには打ってつけの子供だぞ。やつは、ときどき、ステッキでひっぱたいてやる必要がある。それは、やつのためになるんだ。それに、食費もたいしてかかりはせん。生まれてこのかた、食べすぎのしつけは、つけられておらんのだからな。はっ！　はっ！　はっ！」

ガムフィールド氏は、テーブルのまわりの顔にいかにも小ずるそうなまなざしを投げ、そこの顔すべての上に微笑が浮かんでいるのを見てとり、自分もだんだんと笑い顔にほぐれていった。話はきまった。バンブル氏は、その日の午後、署名と承認を受けるために年季証文を治安判事のもとに提出するようにと、ただちに命令された。

この決定にしたがって、子供のオリバーは、彼がひどく驚いたことに、監禁を解かれ、新しいシャツに着がえることを命じられた。手や頭を動かしてまだこの作業をほとんどし終わらないうちに、バンブル氏がみずから、どんぶりにはいったかゆと二オンス四分の一の休日のパンのわけまえを少年のところにもってきた。このとてつもない光景を目にして、オリバーはひどく泣きはじめた。もっともなことながら、委員会が、なにか有益な目的のために、自分を殺すことを決定したにちがいない、そうでなければ、委員会がこのように自分を太らせてくれるはずはない、と考えたからである。

「オリバー、目を赤くすることはない。自分の食事を食べて、感謝するがいい」いかめしい、もったいぶった語調で、バンブル氏はいった。「オリバー、おまえは徒弟になるんだからな」

「徒弟！」身をふるわせながら、子供は叫んだ。

「そうだ、オリバー」バンブル氏はいった。「オリバー、おまえが親なしのときには親がわりになってくださった親切でありがたい紳士のかたがたが、おまえを徒弟に出し、立身出世させてくださり、おまえを一人前の男にしてくださるんだぞ。教区の出費として、三ポンド十シリングはらわれるんだがな！――オリバー、三ポンド十シリングだぞ――シリングでは七十個――六ペンスでは百四十個にもなり――それが、しかも、だれも愛してくれぬわがままな孤児に出してくださるお金なんだ」

おそろしい声でこの演説をしたあとで、一息つこうとバンブル氏が話をとめたとき、涙がこのあわれな少年の顔をさめざめと流れ、彼は激しく嗚咽《おえつ》した。

「さあ」前ほどもったいぶらない調子で、バンブル氏はいった。自分の雄弁が生みだした効果に気づいて、彼はご満悦だったからである。「さあ、オリバー！　おまえの上衣の袖《そで》で目をぬぐい、涙をかゆの中に流すようなことはするな。そんなことをしたら、バカなったぞ、オリバー」たしかに、それはバカなことだった。かゆの中には水がもう十分にあったからである。

治安判事のところへゆく途中、オリバーがしなければならないことは、とてもうれしそうなようすをすること、徒弟に出されるのを希望するかどうかを相手の紳士からたずねられたとき、ぜひそれを希望することを、バンブル氏は少年に教えこみ、その両方の命令どおりにすることを、オリバーは約束したのだが、それは、バンブル氏が、そのどちらも命じたとおりにしなかったら、どんな仕打ちがオリバーに加えられるかわからないということを、遠まわしにほのめかしたからだった。二人が役所に着いたとき、少年は小部屋に一人だけで閉じこめられ、連れにもどってくるまで、そこにいるようにと、バンブル氏に命じられた。

そこで、三十分ほど、少年は胸をドキドキさせながら待っていた。その時間が経過すると、バンブル氏は、三角帽をかぶらぬ頭を部屋に突っこみ、大声でいった——

「さあ、オリバー坊や、あの紳士のところにおいで」バンブル氏がこれをいったとき、彼は冷酷で脅迫的な形相をし、低い声でいいそえた。「さっきいったことを忘れるな、この小悪党め！」

このだいぶ矛盾した応対ぶりに接して、オリバーは無邪気にバンブル氏の顔をみつめた。だが、この紳士は、それにたいしてはなんの説明も加えずに、扉が開いているとなりの部屋に先に立って彼を連れこんだ。それは大きな窓のある大部屋だった。机の背後に髪粉をふった二人の老紳士が座っていたが、その一人は新聞を読み、他の一人は、鼈甲《べっこう》ぶちの眼鏡で、自分の前にある小さな羊皮紙をせっせと読んでいた。リムキンズ氏は机の前の片側に立ち、ガムフィールド氏は、その向こう側に、まだよごれの残った顔をして立っていて、二、三人の乗馬靴をはいたぶっきらぼうな顔つきをした男が、あたりを歩きまわっていた。

眼鏡をかけた老紳士は、小さな羊皮紙を読みながら、ウトウトしはじめていた。机の前のバンブル氏の横にオリバーが座らされたとき、ちょっと沈黙がつづいた。

「閣下、これがその少年でございます」とバンブル氏がいった。

新聞を読んでいた老人は、頭をちょっとあげ、もう一人の老人の袖をひっぱり、その老人は目をさました。

「ああ、これがその少年かね？」この老人はたずねた。

「そうでございます」バンブル氏は応じた。「治安判事さまにお辞儀をするのだよ」

オリバーは元気をふるい起こし、最高のお辞儀をした。彼は、治安判事の髪粉に目をやりながら、委員会の全員が頭にあの白いものをつけて生まれてきて、そのために、生まれて以来委員になっているのかどうか、を考えていた。

「うん」老人はいった。「少年は煙突掃除が好きなのだな？」

「閣下、大好きでございます」オリバーをそっとつねり、好まぬなどといわんほうがよいぞと知らせて、バンブルはこたえた。

「そして彼は、掃除人になりたがっているのかね？」老人はたずねた。

「閣下、ほかのどんな仕事をさせようとしましても、すぐ逃げだしてしまうことでございましょう」バンブルはこたえた。

「それに、少年の主人になるこちらの人物だが――きみ――きみは少年の待遇、食事、その他そういったすべてのことを、きちんとおこなってくれるな、どうだね？」老人はたずねた。

「するといった以上は、かならずするさ」ガムフィールド氏は頑固に応じた。

「きみは乱暴な口をきく男だが、正直で素直な人らしいな」オリバーの奨励金ねらいの男のほうに眼鏡を向けて、老人はいったが、ガムフィールドの兇悪《きょうあく》な形相は、まさに折紙つきのりっぱな残酷さの証文のようなものだった。だが、この判事は盲目も同然、そのうえ、子供っぽい人だったので、ほかの人にはわかることも、気がつかずにいるのは、当然のことだった。

「そうだと思うね」いやな横目をつかって、ガムフィールド氏はいった。

「きっとそうだと思うよ」眼鏡を鼻にもっとしっかりとすえ、インク壺《つぼ》をあちこちとさがしながら、老人はこたえた。

これは、オリバーにとって危機一髪のところだった。もしインク壺が老人の思っていた場所にあったら、彼はペンをそこにひたし、証書に署名しただろう。そして、オリバーはあわただしく追い立てられていったことだろう。しかし、それがたまたま彼の鼻の真下にあったので、当然のことながら、彼は目的を果たさずに机の上一面をさがしまわり、その最中に偶然自分の前方を見て、その視線がオリバー・ツイストの青白い、おびえた顔に注がれることになった。オリバーは、バンブルの脅迫的な顔つきとつねりにもかかわらず、自分の将来の主人のぞっとする顔を、嫌悪と恐怖をまじえた表情で見守り、それは、なかば盲目の治安判事の目にも、それとはっきりわかるものだった。

老人は手をとめ、ペンをおき、オリバーからリムキンズ氏へ目をうつしたが、彼は呑気《のんき》な、無頓着《むとんちゃく》なふうに嗅《か》ぎタバコをつまんでいた。

「坊や」机に身をのりだして、老人はいった。オリバーはその物音にギクリとした。これはむりもないことで、その言葉にはやさしさがこもっていたものの、奇妙な物音は人をおびえさせるからである。彼は激しく身をふるわせ、わっと泣きだした。

「坊や！」老人はいった。「きみは顔色がわるく、おびえているようだね。どうしたのだい？」

「教区吏員、少年から少しはなれなさい」新聞をわきにおしのけ、興味を呼びさまされたようすで身をのりだしながら、もう一人の治安判事がいった。「さあ、坊や、どうしたのか、いいなさい。こわがることはないよ」

オリバーはガクリとひざまずき、手をしっかり組み合わせて、このおそろしい人のところへゆくくらいなら、暗い部屋に連れ帰ってくれ――食事をもらわなくとも――たたかれても――たとえ殺されてもかまわない――とたのみこんだ。

「えっ！」いかにも印象的な厳粛さをあらわして両手と目をあげながら、バンブル氏はいった。「えっ！　横着で陰険な孤児にもたくさん会ってきてるが、おまえはその中でもいちばん厚かましいやつだぞ」

「教区吏員、だまりなさい」バンブル氏がこの言葉を発したとき、第二の老人が命じた。

「はっ、なんでございましょうか?」バンブル氏は、自分の耳を疑って、たずねた。「閣下は、なにかわたしにお話しになったのでしょうか?」

「うん、口をつぐみなさい」

バンブル氏はびっくりして、身動きもできなくなっていた。教区吏員がだまれと命ぜられるなんて! これは道義上の革命だった!

べっ甲ぶちの眼鏡の老紳士は仲間のほうを見やり、意味ありげにうなずいた。

「この契約書の承認は不許可だ」話しながら、羊皮紙をわきに投げだして、老紳士はいった。

「そう」リムキンズ氏はつかえながらいった。「そう、ただの子供のつまらぬ陳述をもとにして、当局者がなにか不適切なことをおかしたものと、治安判事がたに考えていただきたくはないものですな」

「治安判事はこの件に関し意見を述べる必要はない」第二の老人は鋭く切りかえした。

「少年を救貧院に連れ帰り、親切に扱ってやりなさい。それに欠けているようだからね」

その晩、白チョッキの紳士は、オリバーが絞首刑にあうばかりか、さらに内臓をぬかれて八つ裂きになることを、このうえなく強くはっきりと予言した。バンブル氏は陰気な、なにか納得できないふうに頭をふり、少年が将来幸福になれたらとねがったりしていたが、これにたいして、ガムフィールド氏は、少年が自分のところに来ることを希望していた。彼は、たいていの場合、教区吏員と同じ意見の持ち主だったが、この幸福になるのと、彼のところにくることとは、ぜんぜん逆のねがいともいえるものだった。

翌朝、オリバー・ツイストがふたたび『貸し物』に出されること、その引き受け人にはだれにでも五ポンドが支給されることが、もう一度公示されることになった。

第四章

オリバーはべつの地位を与えられ、はじめてこの世に第一歩を踏みだす

上流家庭で、占有、財産復帰権、残余権、将来所有権のいずれかでしっかりとした地位を得られない場合、成人しようとしている青年は、船乗りにさせられることが通例となっている。委員会は、この賢明で有益な手本をまねて、どこか健康によくない港にゆく小さな船にオリバー・ツイストを乗せてしまう方法を相談していた。これは、この少年を処理するには最上と思われたからである。たぶん、船長は、ある日夕食後に、ふざけ半分に彼をたたき殺し、鉄棒で脳味噌《みそ》をたたきだすだろう。そうした娯楽は、よく知られているとおり、船乗り仲間のあいだではだれにも好まれているものだった。委員会がこうしてこのことを考えてみればみるほど、この方法の有利さが、ますますはっきりとわかってきた。そこで、オリバーを効果的に養う唯一の方法は、すぐさま彼を船乗りにすることだという結論が出されることになった。

バンブル氏は予備調査をするために派遣されたが、これは身よりのない船のキャビンボーイを求めている船長をみつけるためで、自分の調査結果を報告しようともどってきたと

き、彼は、ほかならず教区の葬儀人サワベリー氏と門のところでバッタリ出会ったのだった。

サワベリー氏は背が高く、痩《や》せ、骨ばった男で、すりきれた黒色の服、同じ色のつくろいをした靴下を着け、それにふさわしい靴をはいていた。彼の顔つきは、そのできからいって、笑いにはふさわしからぬものだったが、職業がらの冗談を飛ばすのを好んでいた。彼がバンブル氏に近づいてきて、心のこもった握手をかわしたとき、その足どりははずみ、その顔は、心中の陽気さを物語っていた。

「バンブルさん、昨日の晩死んだ二人の女の寸法をはかってきたとこですよ」葬儀屋はいった。

「大金持ちになれますな、サワベリーさん」葬儀屋がさしだした嗅ぎタバコ入れにおや指と人さし指を突っこみながら、教区吏員はいったが、そのタバコ入れは、特許の棺《ひつぎ》を精巧に小さくつくったものだった。「きっと大金持ちになれますぞ、サワベリーさん」ステッキで葬儀屋の肩を友好的にたたきながら、バンブル氏はいった。

「そう思いますかね？」その予言の結果をなかば認め、なかば疑っているふうに、葬儀屋はたずねた。「バンブルさん、委員会で認められている値段は、とても安い《スモール》もんなんですよ」

「棺のほうも小さい《スモール》からね」えらい役人としてできるだけの笑いを浮かべて、教区吏員はこたえた。

これは当然のことだが、これを聞いてサワベリー氏はおかしくなり——ひっきりなしに笑いだした。「そう、そう、新しい給食法が実施されるようになって以来、棺が以前よりだいぶ狭く浅くなったことは、争えぬ事実です。だけど、われわれだって利益はあげなければならんのですよ、バンブルさん。十分に乾燥した木材は高く、鉄の取手《とって》はバーミンガムから運河で運ばれてくるんですからね」

「うん、うん」バンブル氏は応じた。「すべて商売にはマイナスの面もあるもんさ。公正な利潤は、もちろん、許されるべきもんだがね」

「もちろん、もちろん」葬儀屋はこたえた。「それに、特定のあれやこれやの品物で利益はあげなくとも、ええ、ながいあいだにはその埋め合わせはしますからね——ひっ！　ひっ！　ひっ！」

「そのとおりだ」バンブル氏はいった。

「なるほど、こいつは申しておかねばなりませんがね」教区吏員がさえぎった話の流れにもどって、葬儀屋はつづけた。「これは申しておかねばなりませんがね、バンブルさん、ひとつだけこちらには不便なとこがあるんです。というのは、太ったやつにかぎって、早いとこ参っちまうってことなんです。懐具合がよく、税金もながいあいだはらってたやつが、一度救貧院送りになると、真っ先に参っちまうんですからねえ。それに、いっときますがね、三インチか四インチ予定より大きな棺をつくると、こちらの利益には大穴があいちまうんですよ。養わにゃならん家族がいるときにはとくにね……」

虐待を受けている男のしかるべき憤懣《ふんまん》をこめてサワベリー氏がこれを述べたとき、これは教区の名誉にたいする非難になると感じて、バンブル氏は、話題を変えるほうが得策と考えた。彼の頭にはオリバー・ツイストのことがなにより強く浮かんでいたので、彼はオリバーのことに話題を変えていった。

「ところで」とバンブル氏はいった。「少年を欲しがってるだれかを、きみは知らんかね？　教区から出す徒弟で、いまは厄介者、まあ、教区の首にかかった重荷（「新約聖書」マタイ伝一八・六からの引用）といったやつなんだがね？　条件はいいんだ、サワベリー君、条件はいいんだ！」語りながら、バンブル氏はステッキを頭上のはり紙のところにあげ、『五ポンド』と書いてあるところを、念入りに三回たたいてみせたが、これは大文字ででっかく印刷されてあった。

「いや、まったく！」バンブル氏の制服の上衣の金モールの折りえりをつかんで、葬儀屋はいった。「あんたに話したいと思ってたことは、ちょうどそれだったんですよ。ねえ――まったく、このボタンはじつに上品なもんですな、バンブルさん！　いままで、これには気がついてませんでしたよ」

「そう、かなりきれいなもんだとは思ってるがね」自分の上衣をかざっている大きな真《しん》鍮《ちゅう》のボタンを自慢そうに見おろしながら、教区吏員はいった。「極印は教区の印と同じもの――病人と負傷者をなおしてやってるサマリア人の図柄（ルカ伝一〇に示されている）ですぞ。サワベリー君、これは新年の朝、委員会が当方にくださったもんなんだ。忘れもしないが、これをはじめて着用におよんだのは、戸口のところで真夜中に死んだ、あの落ちぶれた商人の検視に立ち会ったときのことさ」

「憶《おぼ》えてますよ」葬儀屋はいった。「陪審官は『寒気と生活必需品の欠乏の結果死亡す』と答申してましたな、そうでしょう？」

バンブル氏はうなずいた。

「そしてそれを、特別判決にしてましたっけ」葬儀屋はいった。「こんなことをなにかいいそえてね、『もし救済に当たった役人が――』」

「ちぇっ！　バカな！」教区吏員が口をはさんだ。「委員会が無知な陪審官の言葉にいちいち耳を傾けてたら、忙しくってたまらなくなっちまうな」

「そのとおり」葬儀屋はいった。「忙しくなりますな」

「陪審官は」興奮したときいつもやるとおり、ステッキをしっかりにぎりしめながら、バンブル氏はいった。「陪審官は無教育な、野卑な、あさましいやつらだ」

「そうですな」葬儀屋は応じた。

「やつらは、これっぽっちも哲学、政治、経済学をもっておらん」軽蔑《けいべつ》したように、指をパチンと鳴らして、教区吏員はいった。

「そのとおりですな」葬儀屋は唯々諾々としてこたえた。

「わしは、やつらを軽蔑してる」ひどく顔を赤くして、教区吏員はいった。

「こちらだって、同じですよ」葬儀屋は応じた。

「向こうっ気の強い陪審官は、一、二週間、救貧院に入れてやりたいもんさ」教区吏員はいった。「委員会の規律と規則は、すぐにやつらの根性をくじいてしまうこったろう」

「やつらはそのままにしておきなさい」と葬儀屋はこたえたが、そうしながら、憤慨している教区の役人の立腹を静めるために、いかにもいかにも、といった微笑を浮かべていた。

バンブル氏は三角帽をもちあげ、その中のてっぺんのところからハンカチをとりだし、怒りでにじみでた額の汗をぬぐい、三角帽をまたかぶり、葬儀屋に向かって、前よりおだやかな声でいった――

「うん、例の少年のことだが、どうだね？」

「ああ」葬儀屋は応じた。「ねえ、いいですか、バンブルさん、こっちだって、貧乏人のための税金は、ずいぶんと納めてるんですぜ」

「ふん！」バンブル氏はいった。「それで？」

「そう」葬儀屋はこたえた。「貧乏人にたいして、こちらでそんなに金を出しているんだったら、こっちだって彼らからできるだけしてもらう権利もある、と考えてたんですよ、バンブルさん。だから——だから、その少年をわたし自身がもらおうと思ってるんですがね」

バンブル氏は葬儀屋の腕をとらえ、彼を建物の中に連れこんだ。サワベリー氏は委員室に五分間はいっていたが、『試験的に』——これは、教区から出す徒弟の場合、少し使ってみて、たいして食事を与えずにいても、少年が十分に働くことがわかった場合、主人が好きなことをさせて、年季期間のあいだ、彼をやとうことなのだが——その夜、オリバーは彼のところにゆくことになった。

小さなオリバーが、その晩、『お偉方』の前に連れてゆかれ、その夜、葬儀屋の家へ使い奉公に出され、彼がこの身分について文句をいい、あるいは教区にまいもどってきたら、彼は船乗りにされ、溺死するか、頭を打ち割られるか、どちらかになるだろうと知らされたとき、彼はケロリとしていたので、委員会では異議なく、彼を強情な悪党小僧ときめつけ、すぐさま彼を連れてゆくように、バンブル氏に命じた。

この世のすべての人の中で、委員会の連中が他人の感情の欠如にわずかでもふれると、道義的な驚きと戦慄《せんりつ》をおぼえるのはきわめて当然のことではあるが、このオリバーの場合には、彼らは混乱していた。実際オリバーは感情が欠如していたどころか、感情過多におちいり、自分の受けた虐待のために、ひどく無感覚な、すねきった状態におちこもうとしていたのだった。彼は、だまったまま奉公先の家を聞き、自分の荷物——三インチの厚さ、一フィート四方の包装紙にぜんぶつつまれていたので、運ぶのにべつに困難なものではなかったが――を手にわたされたとき、彼は帽子を目深にかぶり、もう一度バンブル氏の上衣の袖口《そでぐち》をつかんで、新しい苦悩の場所へ、この高官によって連れてゆかれた。しばらくのあいだ、バンブル氏は、注意もはらわず、言葉もかけずに、オリバーをひきつれていった。教区吏員は頭をきちんと高くし、教区吏員のあるべき姿を示していたからである。そして、その日は風の強い日で、バンブル氏の上衣のすそが風でまくりあげられ、そのヒラヒラするチョッキと淡褐色のプラシ天の半ズボンをみごとに示したとき、小さなオリバーは、そこにすっぽりとつつまれてしまった。しかし、ゆく先が近づいたとき、バンブル氏は下をながめ、少年が新しい主人に見られるのにふさわしい姿をしているかどうかを調べたほうがよいと思った。そこで彼は、いかにも親切そうなしかるべき態度をとって、これをおこなった。

「オリバー！」バンブル氏はいった。

「はい！」低く、ふるえる声でオリバーはこたえた。

「かぶってる帽子をあげ、頭をまっすぐにあげろ」

オリバーはすぐ命じられたとおりにし、あいたほうの手の甲で目をこすったが、彼が自分の案内者を見あげたとき、目にはまだ一滴《ひとしずく》の涙がのこっていた。バンブル氏がきびしい目つきで彼を見おろしたとき、その涙は彼の頰をころげ落ち、それにつづいて、さらにもう一滴、もう一滴が流れだしていった。少年は一生けんめいがんばったのだが、その努力は成功しなかった。もう一方の手をバンブル氏の手からひいて、彼は両手で顔をおおってしゃくりあげ、涙が頬と瘦《や》せた指のあいだから流れつづけた。

「うん！」声を途中で切り、その委託物に強い悪意のこもったまなざしを投げて、バンブル氏は叫んだ。「うん！　恩知らずで性根《しょうね》の悪い小僧にはたくさん出逢《であ》ってきてるが、オリバー、おまえは――」

「いいえ、いいえ」オリバーは泣きながらいい、あの有名なステッキをもっている手にすがりついた。「いいえ、いいえ、ぼくは、ほんとうにいい子になります。ええ、ほんとうになります！　ぼくはまだとっても小さな子供で、それにとっても――とっても――」

「とてもなんだというんだ」びっくりして、バンブル氏はたずねた。

「とってもさびしいのです。とっても、とっても、さびしいのです」少年は叫んだ。「みな、ぼくを憎んでいます。ああ、どうかぼくをおこらないでください！」少年はその手で胸をたたき、真の苦悶《くもん》の涙を流しながら、相手の顔をのぞきこんだ。

バンブル氏は、数秒間、ちょっと驚いたふうに、オリバーのあわれな、がっくりとしたようすをながめ、三、四度しゃがれ声で咳《せき》ばらいをし、『このうるさい咳』についてなにかブツブツといったあとで、目をぬぐい、いい子になれ、とオリバーに命じた。それから、もう一度少年の手をとって、だまったまま、少年と歩いていった。

葬儀屋がちょうど店の鎧戸《よろいど》をおろし、そこにいかにもふさわしい陰気なろうそくの光で帳簿の記入をやっているとき、バンブル氏がはいってきた。

「ああ！」帳簿から目をあげ、言葉を途中でつまらせて、葬儀屋はいった。「バンブル、あんたでしたか？」

「サワベリーさん、まさにわしですぞ」教区吏員はこたえた。「さあ、少年を連れてきました」オリバーはお辞儀をした。

「ああ、これがその少年ですか？」もっとよくオリバーを見ようと、ろうそくを頭上にもちあげて、葬儀屋はいった。「おかみさん！　ちょっとここにきてくれないかね？」

サワベリーのおかみは、店のうしろの小部屋から出てきた。口やかましそうな顔をした、背の低い、痩せた、おしつぶされたような姿だった。

「おまえ」サワベリー氏はうやうやしく述べた。「これがさっき話した救貧院からの少年だよ」オリバーはまたお辞儀をした。

「まあ！」葬儀屋の妻はいった。「とっても小さいのね」

「いや、そうとう小さい」これ以上大きくなっていないのは少年の罪だといわんばかりにオリバーをながめて、バンブル氏は応じた。「小さいことは、たしかだ。それを否定はできませんな。でも、おかみさん、子供は大きくなりますよ――大きくね」

「ええ、大きくなるでしょうよ」夫人は気むずかしくこたえた。「うちの食い物と飲み物でね。ほんとだよ、教区の子供は得にならなくってね。その値打ちより、維持費のほうが高くつくんだからね。でも、男衆は自分が利口だと思ってるんだから……。さあ、この痩せこけ坊主、階段をおりてゆくんだよ」こういって、葬儀屋の妻はわきの扉を開け、けわしい階段ぞいにオリバーを突き落とし、石炭庫への入口の部屋になっている、その家では『台所』と呼ばれていた、湿気の強い、暗い石づくりの小部屋に彼をおしこんだ。そこでは、かかとのすりへった靴をはき、ひどく手入れのしてない青い毛糸の靴下を着けた、だらしのない少女が腰をおろしていた。

「さあ、シャーロット」オリバーについておりてきたサワベリーのおかみはいった。「犬のトリップのためにとっておいた冷えた肉切れをいくらか、この坊やにおやり。あの犬は、朝から出たっきりなんだから、肉なんてやらなくたってかまうもんかね。上品なんでそんなもんは食べられないなんぞとは、この坊主、まさかいわないはずだからね――どうだい？」

肉と聞いてオリバーの目は輝き、それを食べたさにからだはふるえたが、彼は食べられるとこたえ、皿に盛られた粗末なきれぎれの食事が彼の前におかれた。

肉も酒もまずい胆汁となり、血は氷、心は鉄となっている満腹の哲学者が、犬も食べずにいるこの美食をオリバー・ツイストがむしゃらに食べている姿を見ることができたら、とわたしは思う。激しい空腹の勢いでオリバーが肉を食いちぎっているこのおそろしい貪《どん》欲《よく》さを彼がながめたら、と。これ以上にわたしがねがうものといえば、ただひとつしかない。この哲学者が同じような貪欲さで、同じ食事を自分でつくる姿を見たいだけである。「さあ」オリバーが食事を終えたとき、葬儀屋のおかみはいった。彼女はこの食べっぷりをだまっておそろしげに、彼の将来の食欲に危惧《きぐ》の予感をおぼえながら、観察していたのだった。

「終わったかい？」

近くに食べられるものはもうなにもなかったので、オリバーは、終わった、とこたえた。

「じゃ、わたしといっしょにおいで」暗くてよごれたランプをとりあげ、上り階段を先に立って、サワベリーのおかみはいった。「おまえの寝台は勘定台の下にあるよ。棺桶《かんおけ》のあいだに寝たって平気だろうね、どうだい？　だけど、好き、きらい、どっちだって、べつにどうということはないさ。それ以外の場所に寝られはしないんだからね。さあ、わたしをここに夜じゅういさせないでおくれ！」

オリバーはそれ以上グズグズはせずに、おとなしく新しい女主人のあとについていった。

第五章

オリバーは新しい仲間とまじわる。はじめて葬式にゆき、主人の職業をきらう気持ちにおそわれる

オリバーは、葬儀店にただ一人残され、ランプを作業員の腰掛けの上におき、おずおずと、恐怖の念をまじえながら、自分のまわりを見まわした。この気持ちは、彼よりずっと歳上のものでも、すぐに理解できるはずのものである。店の中央に立っていた黒いうまの上のまだできあがらない棺《ひつぎ》はじつに陰気なもので、死の香りをただよわせていたので、目をこのおそろしいものの方向に向けるたびごとに、彼はゾッと身ぶるいをした。そこからなにかおそろしいものがゆっくりと頭をあげ、恐怖で気を狂わされてしまうように思われたからである。壁には規則正しく、一列にならんで、同じ形に切られたながい楡《にれ》の板が立てかけられていたが、それは、ぼんやりとした暗い光の中で、肩をはった亡霊がズボンのポケットに手をいれている姿を思わせた。棺の名札、楡材の切れっぱし、光っている釘《くぎ》の頭、黒の布片《ぬのきれ》が床の上に散らばっていた。勘定台のうしろの壁には、大きな勝手口を守っているとてもかたい襟布をつけた二人の葬式の供人、さらに遠くから近づいてくる四頭の黒い馬に引かれた霊柩車《れいきゅうしゃ》がまざまざと描きだされている絵がかざられていた。店はむっと

し、暑苦しかった。そして、あたりの雰囲気は、棺のにおいでよごされている感じだった。綿くずのつまった彼の布団が投げだされている勘定台の下の場所は、まるで墓のようだった。

オリバーの気を暗くしたのは、こうした不吉な感じばかりではなかった。彼は見知らぬ場所にただ一人いるのだった。こうした立場に立てば、どんなにりっぱな人だって、ときどき、寒々とした、わびしい気分におそわれるものである。世話を受けたり、それをしてやる友だちは、だれもいなかった。最近の別離の悲しみが心にうずいているわけではなかった。忘れ得ぬ愛する人の顔が消えて、それが心に重くのしかかっているわけでもなかった。だが、それにもかかわらず、彼の心は重く、せまい寝台にはいりこんでいったとき、そこが棺で、墓地で、静かな、いつまでもつづく眠りにつき、頭上では高い草がそよぎ、教会の鐘の低い音が彼の心を慰め、眠りにさそってくれたらと、彼は望んでいた。

翌朝、オリバーは、店の戸を外から激しく蹴《け》る音で、目をさまされた。この音は、彼があわてて着物を着ているあいだも、おこったような激しい調子で、二十回もくりかえされた。鎖をはずしはじめたとき、その足は蹴るのをやめ、わめき声がそれにかわった。

「戸を開けないのか？」扉を蹴りつづけていた足の持ち主の声が叫んだ。

「すぐに開けます」鎖をはずし、鍵《かぎ》をまわして、オリバーはこたえた。

「おまえは新米の小僧だな、えっ？」鍵穴をとおして、その声がたずねた。

「そうです」オリバーはこたえた。

「いくつなんだい？」声がたずねた。

「十歳です」オリバーはこたえた。

「中にはいったら、ひっぱたいてやるからな」声はいった。「いいか、きっとやってやるぞ、この救貧院のガキめ！」そしてありがたいこの約束をして、その声の主は口笛を吹きはじめた。

　この「ひっぱたく」という表現ゆたかな言葉がどういうことを意味するか、それをたびたび受けていたので、その声の持ち主がだれであるにせよ、それはかならず実行されるものと、オリバーはかたく信じこんでいた。彼はふるえる手で戸締まりの栈をぬき、扉を開けた。
　一、二秒のあいだ、オリバーは通りをあちらこちらと見まわし、鍵穴をとおして言葉をかけていた見知らぬ男が、からだを温めるために、少し歩いているのだと考えていた。というのも、目にはいったのは、家の前の柱に腰をおろし、バターつきパンを食べている慈善学校の救済児童だけだったからである。彼はパンを、折り込みナイフで、自分の口にあうくさび形に切り、じつに器用にそれを平らげていた。
「失礼ですが」だれもほかに客らしいものが姿をあらわさないので、とうとうオリバーはたずねた。「ノックをしたのは、あなたでしたか？」

「蹴ったよ」慈善学校の生徒は応じた。

「棺をお買いになるのですか？」無邪気にオリバーはたずねた。

これを聞いて、慈善学校の生徒はすごくおこった顔つきになり、目上のものに向かってそんな冗談を飛ばすと、まもなくオリバー自身がそれを必要とするようになるぞ、といった。

「おい、救貧院、おれがだれかを、おまえは知らんらしいな？」いかにも教えてやるぞといった重々しい態度で、柱のてっぺんからおりてきて、慈善学校の生徒はつづけた。

「知りません」オリバーは応じた。

「おれはな、ノア・クレイポールさんてんだ」慈善学校の生徒はいった。「そして、おまえはおれの部下なんだぞ。このなまけ者の悪党小僧め、鎧戸《よろいど》をおろすんだ！」こういってクレイポールはオリバーを蹴っとばし、彼をりっぱに見せた威厳ある態度で、店にはいっていった。不恰好なからだつきで、生気のない顔立ちをした、大頭の、目の小さな若者がどんな事情のもとでも威厳ある態度を示すのは困難なこと、ましてや、こうしたからだの魅力に加えて、赤っ鼻と黄色い股引《ももひ》きをはいている場合は、とくにである。

オリバーは鎧戸をはずし、それを昼間のあいだしまっておく家の横の小さな露地に運ぼうとしたが、その最初のものの重みでよろめいたとたん、ガラスを割ってしまい、ノアが情け深くもオリバーを助けることになったが、それは、『やつは叱言《こごと》をくうぞ』という確信に心慰められての行動だった。その後まもなく、サワベリー氏がすぐにおりてきて、ノアの予言にたがわず、『吐言をくって』から、オリバーはこの若い紳士のあとについて、朝食をとりに、階段をおりていった。

「ノア、火のそばにおいでよ」シャーロットはいった。「旦那《だんな》の朝ご飯から、あんたのために、ベーコンの小さな、おいしい一切れをとっておいたからね。オリバー、ノアさんのうしろのあの戸を閉め、パン鍋のふたの上においといたパンくずをおあがり。そこにおまえのお茶があるから、それをあの箱のとこにもっていき、そこでお茶を飲んでんだよ。急ぐんだよ、お店には用があるんだからね。わかったかい？」

「救貧院、わかったか？」ノア・クレイポールがいった。

「まあ、ノア」シャーロットはいった。「あんたって、ほんとうに変な人ねえ！　どうして、この坊やを放っておかないの？」

「放っておくだって！」ノアはいった。「その点なら、みんながもう、やつを放ったらかしにしてるよ。おやじだって、おふくろだって、やつのことで口出しはしないだろうからな。親類中ぜんぶ、やつのやりたいとおりに、まあ、させてるんだからな。そうだろう、シャーロット？　ひっ！　ひっ！　ひっ！」

「まあ、あんたは変わった人だこと！」こうシャーロットはいい、陽気にわっと笑いだし、ノアがそれに調子を合わせた。それがすんで、オリバー・ツイストが部屋のいちばん寒いところに身をふるわせながら座り、彼のために特別にとっておかれていたすえた食べ物を食べているとき、二人は、彼をいかにも軽蔑《けいべつ》したふうにながめていた。

ノアは慈善学校の生徒だったが、救貧院の孤児ではなかった。彼は、私生児ではなかった。親までちゃんと系図をたどることができ、その両親は、ほんの近くに住んでいた。彼の母親は洗濯婦、父親は酔っぱらいの軍人で、木の義足と一日二ペンスなにがしの年金をもらって、軍隊をお払い箱になっていた。近くの店員たちは、大通りで、『半ズボン』、『慈善学校』とかいったあだ名をながいことこのノアにつけていて、ノアはそれを、反駁《はんばく》もせず、我慢していたのだった。が、運命がたまたま彼の目の前に、どんな身分の卑しいものですらも軽蔑的に指させる名もない孤児を投げ与えてくれたので、彼は自分が受けた仕返しを、利息つきで、この少年にしていたのだった。この問題は、考慮に値する適切な資料を提供してくれている。これは、人間性がいかに美しいものになり得るか、同じ愛すべき性格が最高の貴族と最低の汚らしい慈善学校の生徒に、ともに、いかに平等に発達するものかを、われわれに物語っている。

オリバーは、もう三週間か一ヶ月のあいだ、この葬儀屋の家にいた。サワベリー夫妻は――店が閉まったので――夕食を裏の小さな客間でとっていたが、サワベリー氏は、何回か敬意をこめて妻をながめたあとで――こういった――

「ねえ、おまえ――」

彼はもっとしゃべるつもりだったが、おかみがとくに機嫌の悪い顔つきで目をあげたので、彼は途中でやめてしまった。

「ええっ？」おかみは鋭くいった。

「べつになんでもないよ、おまえ、べつにね」サワベリー氏は応じた。

「まあ、ひどい人！」おかみはいった。

「そんなことないさ、おまえ」ていねいにサワベリー氏はこたえた。「おまえが聞きたがってないと思ったからさ。こちらでいおうとしてたことは、ただ――」

「ああ、あんたがいおうとしてたことなんて、なにもいわないでちょうだい」口をはさんで、おかみはいった。「わたしはとるに足りない女、どうかわたしなんかに、相談はもちかけないでちょうだい。あんたの秘密なんかに口出ししようなんて、わたし、思ってもいませんからね」おかみがそういったとき、彼女はヒステリックな笑い声を立てたが、これは、恐ろしい結果の前触れとなるものだった。

「だけどね、おまえ」サワベリー氏はいった。「おまえの意見を聞きたいのさ」

「だめよ、そんなことはしないでちょうだい」おかみは哀れっぽい態度でいった。「だれかほかの人に聞いてちょうだい」ここでもう一度ヒステリックな笑いが出たが、これはサワベリー氏をひどくうろたえさせた。これは、とてもありふれた、しかも、よくおこなわれている夫婦間のやり口で、ときに大きな効果をあげるものである。それは、ただちに、おかみがなにより聞きたいと思っていたことを語るのを特別な好意で許してくれ、とサワベリー氏が懇願する結果になった。四十五分近くの短いやりとりのあとで、その許可が慈悲深くも与えられた。

「子供のツイストについての話にすぎんのだがね」サワベリー氏はいった。「あれはなかなか顔立ちのととのった少年だ」

「それは当然よ、よく食べるもん」夫人はいった。

「あの顔には憂鬱《ゆううつ》の表情があってね、おまえ」サワベリー氏は語りつづけた。「それはとても味のあるものだ。彼はきっと美しい葬式の介添人になるよ」

サワベリーのおかみは、そうとう驚きの念を浮かべて、目をあげた。サワベリー氏はそれに気づき、おかみがなにかをいいだす暇を与えずに、なお話をすすめた。

「大人の葬式に出る正規の介添人のことじゃなくてね、おまえ、ただ子供用のもんなんだよ。つりあった介添人を従えるなんて、これは新式の考案だ。きっとえらく受けるぜ」

サワベリーのおかみは、葬儀屋のやりかたについてはそうとう目の肥えていた人だったが、この着想の斬新《ざんしん》さにはとても心をひかれた。だが、それを素直に認めることは、彼女の威厳にとって、現在のところ、いかがかとも思われたので、すごい激しさをこめて、こんな明白な事実が夫の心にどうして思い浮かばなかったのかをたずねただけにとどめた。サワベリー氏は、要領よく、これを自分の提案の承認と考え、すぐさま、商売の秘伝をオリバーに伝授することにとりかかり、この目的で、つぎの葬式がおこなわれたとき、オリバーは主人についてゆくことになった。

その機会はすぐにやってきた。つぎの朝、朝食後三十分して、バンブル氏が店にはいってきて、そのステッキを勘定台に立てかけ、大きななめし革の彼の紙入れをひっぱりだし、そこから小さな紙切れをぬきだして、それをサワベリーにわたした。

「ああ！」いきいきとした顔つきをして、それをチラリとながめてから、葬儀屋はいった。「棺《ひつぎ》の注文ですね、えっ？」

「まず最初に棺、そのあとで教区の葬式だ」なめし革の紙入れのひもをしめながら、バンブル氏はこたえた。この紙入れは、彼自身と同様、えらくまるく太っているものだった。

「ベイトンですって！」紙切れからバンブル氏に目をうつして、葬儀屋はいった。「そんな名前、聞いたこともありませんなあ」

バンブルは、つぎのようにこたえたとき、頭をふった。「サワベリー君、頑固なやつらでね、とても頑固なんだ。それに傲慢《ごうまん》らしいんだがね」

「傲慢ですって、えっ？」冷笑を浮かべて、サワベリー氏は叫んだ。「ねえ、そいつはひどすぎますすよ」

「ああ、胸がムカムカするな」教区吏員はこたえた。「サワベリー君、じょうき（道義のいいちがえ）に反することだ」

「そうですとも」葬儀屋は相槌《あいづち》を打った。

「おとといの晩、この家族のことを聞いたばっかりなんだ」教区吏員はいった。「こいつらのことは、なにも耳にしないはずだったんだが、同じ家に住んでる女が教区吏員にたのみこんできてな、とても具合の悪くなってるある女をみに、教区の医者をよこしてくれっていうわけさ。彼は晩餐《ばんさん》に出かけてて、弟子が（とても利口な若い者《もん》だけどね）すぐ靴ずみのびんになにか薬を入れてやったんだ」

「ああ、それは素早いことでしたな」葬儀屋はいった。

「うん、まったく素早いことでね！」教区吏員はこたえた。「だが、その結果なんだが、こうした反逆人の恩知らずの態度ときたら、どうだい？　そう、その薬が妻の訴えにピッタリのものではなく、その結果、妻には飲ませられない──そう、飲ませられないって、亭主がいいかえしてきたんだ！　二人のアイルランドの労働者、それに石炭運搬人には、たった一週間前に、特効をあげてたりっぱな、しっかりとした、よく効く薬なんだ──靴ずみのびんに入れて、ただでやったのに──妻には飲ませられない、って返事をよこしやがったんだ！」

バンブル氏がこの兇悪《きょうあく》さをまともに心の中で考えたとき、彼はステッキで勘定台を鋭くたたき、憤慨で顔を赤くした。

「そう」葬儀屋はいった。「そんなことは、いままでに一度も──」

「いままでに一度もだって！」教区吏員は叫んだ。「そう、だれも聞いたことはないさ。だが、その女が死んだんで、今度は埋葬してやらにゃならん。それが命令なんだ。早くすませば、それだけ好都合ってわけさ」

こういって、バンブル氏は、教区吏の怒りの興奮にかられて、三角帽子を前後とりちがえてかぶり、店から飛びだしていった。

「いやあ、オリバー、あの男、すごく憤慨して、おまえのこともきかないでいってしまったぞ！」教区吏員が大股《おおまた》で通りを歩いてゆく姿をながめやりながら、サワベリー氏はいった。

「はあ、そうですね」とオリバーはこたえたが、彼は、この会見中、注意深く見えないところに姿をかくしていたのだった。彼は、ただバンブル氏の声を思い出しただけで、頭から爪先まで、身をふるわせていたのである。だが、彼はバンブル氏の視線からこうまで尻ごみしている必要はなかった。というのも、白チョッキの紳士の予言でとても強い感銘を与えられていたこの役人は、葬儀屋が試験的にオリバーをやとった以上、この問題にはふれないでいて、七年の年季奉公の契約をしっかりとかわし、オリバーが教区の手にもどされる危険がこうして効果的、合法的に克服されるまで待ったほうがいい、と考えていたのだった。

「うん」帽子をとりあげて、サワベリー氏はいった。「この仕事を早くすませたほうが、好都合だな。ノア、店の番をたのむぞ。オリバー、おまえは帽子をかぶり、わしといっしょに来い」オリバーはそれにしたがい、その職業がらの任務で、主人のあとについていった。

二人はしばらくのあいだ、町でいちばん混み、人がみっしり住んでいるところをとおっていった。それから、さらにもっと汚い、みじめなせまい通りを進んで、立ちどまり、探している家をみつけようとした。両側の家は高くて大きかった。とても古いもので、最下級の貧民がそこに住みこんでいた。これは、腕を組みからだを折って、ときどきコソコソと歩いているわずかな男女によって示される証拠はなくとも、手入れされることなく荒れ放題の家の様子ではっきり示されているものだった。貸家の多くは、正面が店になるようにつくられてあったが、それはしっかりと閉じられ、くさりかかっていて、ただ二階だけが人の住んでいる場所になっていた。年月がたち、こわれて、安全でなくなった家は、しっかりと道路から壁に立てかけた丸太棒で、崩壊からまぬがれていた。だが、こうした常軌を逸した巣穴でも、家のないあわれな人たちの一夜の宿の場所になっているらしかった。扉と窓がわりになっている粗板《あらいた》の多くは、もぎ取られて人間のからだがとおれるくらいの隙間があけられていた。どぶはよどんで、汚らしいものになっていた。ねずみですら、飢えて醜悪な姿をさらし、そこここで倒れて腐りかけていた。

オリバーとその主人が立ちどまった戸口には、ノッカーもベルの取手もなかった。そこで、暗い廊下を用心深く手探りで進みながら、オリバーには自分とははなれずにいて、こわがらぬように命じて、葬儀屋は最初の階段のてっぺんまであがっていった。踊り場にある戸口にぶつかって、彼は指の関節でその戸口をたたいた。

扉は十三歳か十四歳ぐらいの若い娘によって開かれた。葬儀屋はすぐに部屋の中を見わたし、そこが目的のアパートであるのを知った。彼は中にはいり、オリバーはそれにつづいた。

部屋には火の気がなかった。しかし男が一人、無意識的に、空のストーブの上にかがみこんでいた。老女も低い腰掛けを冷えた炉のところにひきよせ、男のわきに座っていた。べつの隅には、何人かぼろ着をまとった子供たちが集まっていて、戸の向かいの小さな奥まったところに、なにか毛布でおおわれたものが、地面の上に横たえられていた。オリバーはそこに目を投げて、身をふるわせ、われ知らず、主人のほうににじりよっていった。おおわれてはいるものの、それが死体であることを、少年は感知したからである。

男の顔は瘦《や》せ、ひどく青ざめていた。その髪とひげは灰色がかり、目は血走っていた。老女の顔はしわだらけだった。残った二本の歯は、下くちびるの上につきだし、目はキラキラと輝き、つらぬくようだった。オリバーは、この女も、男も、ながめるのがこわかった。それは、外で見たねずみそっくりだったからである。

「だれもその女のそばによってはならんぞ」葬儀屋がその奥まったところに近づいていっ

たとき、この男はいった。「はなれろ！　畜生、はなれろ、命がおしかったらな！」

「きみ、バカな！」あらゆる種類のこうしたみじめさには、かなり馴《な》れっ子になっていた葬儀屋はいった。「バカな！」

「いいか」手をかたくにぎりしめ、足で床を踏みつけて、男はいった――「いいか、あの女を地面に葬って欲しくないんだ。そこでは休めるもんか。虫が――彼女を食べずに――苦しめるこったろう――彼女はとてもやつれ果てているんだからな」

葬儀屋は、このたわ言にたいして、なにも返事をせず、ポケットから巻き尺を出して、一瞬、死体のわきにひざまずいた。

「ああ！」わっと泣きだし、死んだ女の足もとにガクリとひざをついて、男はいった。「ひざまずけ、ひざまずけ――みんな、彼女のまわりにひざまずいて、おれの言葉を聞くんだ！　いいか、彼女は餓死したんだぞ。熱病がやってくるまで、彼女がどんなに悪くなってるか、おれには見当もつかなかったんだ。そして、そのときには、肌のところに骨が突きだしてたんだ。火も、ろうそくもなかった。暗闇で――暗闇で死んだんだぞ！　子供の名をつぶやくのを耳にしながら、子供の顔も見せてやれなかったんだ。彼女のために、おれは街路で物乞《ものご》いをし、そのために、おれは監獄にたたきこまれた。もどってきたら、彼女はもう瀕死《ひんし》の状態。そしておれの心臓の血はぜんぶ干あがってしまったんだ。みんなが彼女を餓死に追いやったんだからな。それをご存じの神さまの前で、おれはそれを誓うぞ！　みんなが彼女を餓死に追いやったんだ！」彼は両手で髪をかきむしり、大声をあげ、目をすえ、口からはあわをふきながら、床の上をころげまわった。

おびえた子供たちは、激しく泣きだした。だが、いままで起こったことなど聞こえないかのような態度をとって静かにしていた老女は、子供を叱りつけて、だまらせた。まだ床にころがったままになっている男のクラバットをゆるめてから、彼女はヨロヨロッと葬儀屋のところへ近づいていった。

「あの女はわたしの娘でした」老女は死体のほうに頭をコクリとし、白痴《はくち》的な薄笑いを浮かべた。それはこうした場所での死の存在よりもっと人をぞっとさせるようだった。「ああ！　これは奇妙な話じゃないか、あの女を生み、そのときはまだ若い女だったわたしが、いまピンピンしてて、娘のほうがそこで冷たく、かたくなって横たわってるなんてね。ああ！　それを考えるとねえ！　まるでお芝居だよ——お芝居だよ！」

このあわれな女がおそろしい陽気さでブツブツとしゃべり、クスクスと笑っているとき、葬儀屋はクルリと向きをかえて、帰ろうとした。

「お待ち、お待ち！」ささやき声を大きくして、老女はいった。「あの娘が埋葬されるのは、明日かね？　そのつぎの日かね？　それとも、今晩なのかね？　埋葬の準備はすませてあるよ、それに、わたしは歩いていかねばならない。大きな外套《がいとう》——温かいやつをおねがいするよ。今日はゾクゾクと寒いからね。出かける前に、お菓子とワインも必要だよ！

かまわないとも。パンをいくらか——パンと水一杯でいいから、よろしくたのむよ。パンはもらえるかね？」葬儀屋がもう一度戸口のほうに動きだしたとき、その上衣をとらえて、彼女はむきになってたずねた。

「ええ、ええ」葬儀屋はいった。「もちろん、好きなものはなんでもね！」彼は老女のつかんでいる手から身をふりほどき、オリバーをひっぱって、急いで逃げていった。

つぎの日（この一家のものには、バンブル氏自身の手で、二ポンドのパンと一切れのチーズを支給されていた）、オリバーと彼の主人はこのみじめな住み家へもどっていった。そこには、運搬人になるはずの救貧院の男四人を連れて、バンブル氏がもう到着していた。老女と男のぼろ着の上には黒い外套がかけられていて、ついで、飾りのない棺《ひつぎ》が階段をなんとかおろされ、運搬人の肩に載せられて、通りに運びだされた。

「さあ、お婆さん、ズンズン歩いてくださいよ！」葬儀屋は老女の耳にささやいた。「われわれはおくれてるんです。牧師さんを待たせちゃいけませんからな。さあ、いってくれ、諸君——できるだけ早くな！」

こう指示されて、運搬人は軽い荷物をかついで小走りに歩きだし、二人の会葬者は、できるだけそのそばをはなれないようにと努めていた。バンブル氏とサワベリーは前方をそうとう早い足どりで歩き、足が主人ほどながくはないオリバーは、そのわきを走っていった。

しかしながら、サワベリー氏が考えていたほど急ぐ必要はなかった。いらくさが生えた、教区の墓が建てられる墓地の人目につかない隅のところに一同が到着したとき、牧師はまだここに来ていなかったからである。祭服室の暖炉のそばに座っていた教会事務員は、牧師が姿をあらわすまでには、きっと一時間かそこらはかかるだろうと考えているらしかった。そこで、一同は棺台を墓のへりのところにおき、冷たい雨がショボショボ降っているのに、二人の会葬者は、しめった土くれの中で辛抱強く待つことになった。この光景にひきよせられて墓地にはいってきたぼろ着の少年たちは、墓石のあいだで隠れん坊をしたり、棺の上をあちらこちら飛びまわって、遊んでいた。サワベリー氏とバンブルは教会事務員と知り合いだったので、彼といっしょに暖炉のそばに座り、新聞を読んでいた。

とうとう、一時間をゆうに越えたころ、バンブル氏とサワベリーと教会事務員が墓のほうに走ってくる姿が見受けられた。その直後に、歩きながら法衣を着こんでいる牧師があらわれた。ついでバンブル氏は、体裁をととのえるために、一、二の少年をピシリとたたき、牧師は四分間につめこめられるだけの埋葬のお祈りを唱えてから、法衣を教会事務員にわたし、さっさといってしまった。

「さあ、ビル!」サワベリーは墓掘りに命じた。「土をかけろ!」

それはべつに困難な仕事ではなかった。墓はいっぱいで、いちばん上の棺は、表面から数フィートのところにあったからである。墓掘りはシャベルで土を入れ、足でその土を適当に踏みつけ、シャベルを肩にして立ち去り、そのあとには少年たちがつづいたが、彼らは、楽しみがこんなに早く終わったことにブツブツと文句をいっていた。

「さあ、きみ！」男の背を軽くたたいて、バンブルはいった。「墓地が閉まっちまうぞ」

墓のへりに立って以来、身じろぎもしないで立ちつくしていた男は、ギクリとし、頭をあげ、自分にこうして話しかけた男を凝視し、数歩歩きだしてから、倒れて気絶してしまった。頭のおかしい老女は、外套（これは葬儀屋がもっていってしまったのだが）がなくなったことに心を奪われて嘆き、彼には注意もはらわないでいた。そこで一同はかんにはいった冷水を彼にあびせ、彼がわれにかえってから、彼を墓地の外に無事に連れだし、門に錠をおろしてから、それぞれちがった方向に散っていった。

「うん、オリバー」家に帰りながら、サワベリーはいった。「気に入ったかね？」

「まあ、ちょっと、ありがとうございます」ややためらいながら、オリバーはこたえた。

「でも、たいして好きではありません」

「ああ、オリバー、いずれ馴《な》れてくるさ」サワベリーは応じた。「馴れてしまいさえすりゃ、なんでもないとも」

サワベリー氏が馴れるようになるまでに、とてもながい時間がかかったかどうかと、オリバーは心中で考えていた。だが、これは質問しないほうがよいと考え、この日に見聞したことをあれこれと考えながら、彼は店にもどっていった。

第六章

オリバーはノアの悪口に刺激されて行動にうつり、自らびっくりする

一月《ひとつき》の試験期間は終わり、オリバーは正式に徒弟として住みこむことになった。この時は、ちょうど好都合に、病気の季節だった。商業上の言葉では、棺があがりつづけ、数週間たつうちに、オリバーはそうとうの経験をつむことになった。サワベリー氏の精巧な計画の成功は、じつに楽観的な彼の期待を上まわるものだった。どんなに年老いた町の住人でも、はしかがこんなに流行して、子供の命取りになったことは知らなかった少年のオリバーがひざまでとどく帽子の黒い喪章をさげて先頭に立ってすすんだ葬式が、幾度となくおこなわれ、町の母親たちの得もいわれぬ驚嘆と感激をひき起こしていた。りっぱな葬儀屋に必要な冷静な、落ち着いた態度を身につけるために、オリバーは大人の葬式にも、たいていの場合、主人に随行したので、たくましい気性の人々が苦難と損失に堪えるすばらしい諦《あきら》めと勇気を観察する機会に幾度か恵まれたのだった。

たとえば、サワベリーがある金持ちの老夫人や紳士の埋葬を引き受けたことがあった。彼らは数多くの甥《おい》や姪《めい》にとりかこまれ、その甥とか姪とかは、病気中には慰めようもない

ほどひどく悲しみ、人前に出た場合でも、その悲嘆は抑えきれないものになっていたのだが、自分たちだけになると——陽気で心の悲しみを忘れ去り——このうえなく幸福そうなようすで、なにも心をかきみだすことは起きなかったように、解放され、明るくなっているのだった。夫たちもまた、じつに見上げた冷静さで、妻を失ったことに堪えていた。妻たちのほうでも、夫のために喪服を着けたが、悲しみの衣《ころも》をまとって悲嘆にくれるどころか、その服をできるだけ似合った、魅力的なものにしようと心がけているようだった。埋葬の儀式中激しい苦悶《くもん》につつまれている紳士淑女たちが、家にもどるやいなや、元気になり、お茶が終わるまでには、すっかり落ち着いた気分にもどっていることも、観察できた。こうしたことは、ながめていて楽しく、ためになるものがあり、オリバーは、大きな感嘆の情に打たれながら観察していた。

こうした善良な人たちのお手本によってオリバー・ツイストが諦めの気持ちを学んだとは、彼の伝記を書いているわたしでも、自信をもっていいきれない。はっきりいえることは、何ヶ月ものあいだ、彼がノア・クレイポールの支配と虐待をおとなしく受けつづけていたことで、ノアは以前にもまして彼にひどい扱いを加えていた。それは、新米の少年の身分が高められて、黒いステッキと帽子に黒い喪章をつけられるようになったのに、先輩の彼は、あいかわらずマフィン型の帽子と革製の半ズボンをはかされていることで、嫉妬《しっと》心をかきたてられたためだった。ノアをまねて、シャーロットも彼を虐待した。そして、サワベリー氏が彼の味方になりそうになっていたので、サワベリーのおかみははっきりと彼の敵方になっていた。一方ではこの三人の敵、他方では食傷気味の葬式にはさまれたオリバーは、誤って酒蔵の穀物部屋に閉じこめられた飢えた豚ほどの快適さは味わえないでいた。

さて、ここで、オリバーの話ではきわめて重要な部分にはいることになる。一見したところさして重要とは思えないが、間接的には彼の将来に重大な変化をひき起こすことになったある行為を、ここで述べなければならない。

ある日、オリバーとノアは、いつもの夕食の時間に、台所におりてゆき、羊肉の小さなひと切れ——首のところのいちばんひどい切れ端一ポンド半だったが——を食べようとしていた。そのとき、シャーロットはちょっと呼ばれて席をはずし、食事までにわずかな間ができていた。腹を空かして意地が悪くなっていたノア・クレイポールは、ちょうどいい機会とばかり、少年のオリバー・ツイストを怒らせ、じらすことにとりかかった。

この無邪気な楽しみに夢中になって、ノアは食卓布の上に両足をあげ、オリバーの髪をひっぱり、その耳をねじって、おまえは『おべっか使い』だといい、いつでもそれをやれるありがたい時期がやってきたら、おまえの絞首刑を見にいってやるぞと述べ、いかにも意地の悪いひねくれ者の慈善学校の生徒らしく、それ以外のさまざまま悪口雑言をつきはじめた。しかし、こうした罵倒《ばとう》は、オリバーを泣かせるという期待した効果をあげなかったので、ノアはもっとふざけてやろうと決心した。ノアよりはるかにもっと有名なつまらない数多くの才人たちが、おどけようとするときに、今日までやっていること、すなわち、人身攻撃をやりはじめた。

「救貧院」ノアはいった。「おまえのおふくろさんは、どうしてるんだい？」

「死んだんです」オリバーはこたえた。「母親のことは、なにもいわないでください！」

オリバーの顔は紅潮していた。彼の息づかいは荒らくなり、口と鼻筋のところに妙な動きが起きたが、これをクレイポール氏は、激しい嗚咽《おえつ》の直前の兆しと考えた。そう思いながら、彼は次の攻撃にうつっていった。

「救貧院、おふくろさんは、なんで死んだんだい？」ノアはたずねた。

「心の悲しみで、と老看護婦さんがいっていました」ノアにこたえるより、自身に語りかけるようにして、オリバーはこたえた。「死ぬことがどんなに苦しいことか、ぼくにはわかるような気がします！」

「わっ、おもしれえぞ、おもしれえぞ、救貧院！」オリバーの頬に涙が一滴《ひとしずく》流れ落ちたとき、ノアはいった。「どうして、いまごろシクシク泣いたりなんぞするんだ？」

「きみのせいじゃないよ」急いで涙をおしぬぐって、オリバーはこたえた。「きみのせいとは考えないでおくれ」

「おれのせいじゃないんだって、えっ！」ノアはあざ笑った。

「ああ、きみのせいじゃないよ」鋭くオリバーはこたえた。「さあ、この話をするのはやめよう。お母さんのことは、これ以上ぼくになにもいわないでおくれ、だまっていたほうがいいよ！」

「だまっていたほうがいいんだと！」ノアは叫んだ。「うん！　だまっていたほうがいいんだと！　救貧院、生意気なことをぬかすな。おまえのおふくろもかわいそうに！　いい人だったもんな、まったく。ああ！」ここでノアはいかにも意味深に頭をうなずかせ、その気分を示そうと、その小さな赤っ鼻を、できるだけツンと高くそらせて見せた。

「いいか、救貧院」オリバーがだまっているのでますますいい気になり、情けをかけたあざけりのようすで——すべての語調の中で、これがいちばんいまいましいものだが——ノアはつづけた。「いいか、救貧院、いまさらどうなるわけでもないんだぞ。もちろん、おまえは、そのとき、どうにもできなかったんだ。ほんとに気の毒、みんなおまえを気の毒に思い、おまえのおふくろさんをとてもあわれに思ってるんだ。だが、こいつは忘れちゃいかんぞ、救貧院、おまえのおふくろさんは、まったく手におえないやつだったんだ」

「なんといったんだい？」さっと顔をあげて、オリバーはたずねた。

「救貧院、まったく手におえないやつだとね」冷静にノアはこたえた。「救貧院、あのときに死んで、ずっとよかったんだ。さもなけりゃ、おまえのおふくろさんはブライドウェルの監獄で重労働に苦しむか、流刑になるか、絞首刑になってただろうからな。最後のやつが、いちばん可能性があるな、どうだい?」

激しい怒りで顔を真紅に染めて、オリバーはパッと立ちあがり、椅子とテーブルをひっくりかえし、ノアの喉元《のどもと》を押さえ、その怒りの激しさで、口の中で歯がカチカチいうまで、彼をゆすりたてた。そして、からだの全力を激しい一撃にこめて、彼を床に打ちたおしてしまった。

一分前には、オリバーは虐待された静かな、おだやかな、打ちひしがれた少年だった。しかしついに、彼の心はふるいたった。死んだ母親に加えられた無情な侮辱が、彼の血を燃えあがらせた。彼の胸はふくらみ、その態度は毅然《きぜん》としたものに、目はいきいきと輝くものになった。いまは足下にはいつくばっている卑怯《ひきよう》者のいじめ屋をにらみつけて立っているとき、彼はまったく別人になり、自分でもこのときまで知らなかった激しさで、相手に挑戦した。

「人殺し!」ノアは泣きながら叫んだ。「シャーロット! おかみさん! 新米の小僧がぼくを殺そうとしてるんです! 助けて! 助けて! オリバーは気がくるったんです!シャーロット!」

シャーロットから発せられた大声の悲鳴が、ノアの叫びに呼応し、サワベリーのおかみのもっと大きな悲鳴が、それに呼応した。シャーロットはわきの扉から台所に飛びこみ、おかみのほうは、それ以上降りても生命《いのち》にかかわる危険がないとわかるまで、階段の上に立ちどまっていた。

「おお、このチビ公め！」シャーロットは叫んで、力まかせにオリバーにつかみかかったが、その力は特訓を受けたそうとう腕力のある男の力にも匹敵するものだった。「ああ、このチビの、恩知らずの、人殺しのおそろしいやつめ！」こうした言葉の合い間、合い間に、シャーロットは、世のためになるとばかり、悲鳴をあげながら、渾身《こんしん》の力をこめてオリバーをなぐりつけた。

シャーロットの拳《こぶし》は、けっして軽いものではなかった。そして、これがオリバーの怒りを静める効果があるようにと、おかみは台所に飛びこみ、彼の片手をつかまえるのを助け、残った手で彼の顔をひきむしった。こうして状況が有利になってから、ノアは床から立ちあがり、オリバーの背後から拳固の雨を降りそそがせた。

これは激しい運動で、ながつづきするべきものではなかった。彼らがつかれ果て、もうひっかくことも打つこともできなくなったとき、彼らはオリバーをごみ入れの倉庫に連れてゆき、そこに閉じこめてしまったが、彼はもがき大声を出して、少しもくじけたふうを示さなかった。これが終わって、サワベリーのおかみはぐったりと椅子に座りこみ、わっと泣きだした。

「ああっ、気絶しそうだわ！」シャーロットは叫んだ。「ノア、おねがい、コップに水を一杯ちょうだい。急いで！」

「ああ、シャーロット！」息は切れながらも、ノアが彼女の頭と肩にそそいだ冷たい水のおかげで、できるかぎりの力をふりしぼりながら、サワベリーのおかみはいった。「ああ、シャーロット！　寝ているあいだにみな殺しにならずにすんで、ほんとにありがたかったよ！」

「ああ、おかみさん、ほんとにありがたいことですよ」がそのこたえだった。「旦那《だんな》さんがこんなおそろしい連中をもうこれ以上やとわなければと思いますよ。やつらは揺りかごに揺られてるときから、人殺しと泥棒になるように生まれついてるんですからね。かわいそうに！　おかみさん、わたしが飛びこんできたとき、ノアは、すんでのとこで、殺されそうになってたんです」

「かわいそうに！」慈善学校の生徒をいかにもあわれむようにながめながら、サワベリーのおかみはいった。ノアはそのチョッキのいちばん上のボタンがオリバーの頭のてっぺんくらいの背の高さの少年だったが、こうして同情の言葉をかけられると、手首の内側で目をこすり、涙を流してシクシクと泣くお芝居をやらかした。

「どうしたらいいんだろう！」おかみは叫んだ。「旦那は家にいないしねえ。男が一人もいないんじゃ、あの坊主は十分もすれば、あの扉を蹴破《けやぶ》ってしまうよ」オリバーは勢いよく問題の材木の板にぶつかっていたので、これは十分に起こりうることだった。

「まあ、まあ！　おかみさん」シャーロットはいった。「巡査を呼びにやらないと、どんなことになるか、わかりませんよ」

「さもなけりゃ、兵隊をね」クレイポール氏がいった。

「だめ、だめ」オリバーの旧友を思いだして、サワベリーのおかみはいった。「ノア、大急ぎでバンブルさんのとこにいって、一刻も早く、すぐ来てください、とおいい。おまえの帽子なんて、どうでもいいじゃないか！　大急ぎだよっ！　おまえの青くなった目には、走りながら、ナイフを当てておき。はれるのを静めてくれるからね」

ノアは、返事をしようと立ちどまりもせず、フルスピードでかけだした。慈善学校の生徒が帽子をかぶらず、目に折り込みナイフを当てて、しゃにむに通りを突っ走ってゆくのをながめて、外を歩いている人たちはびっくり仰天していた。

第七章

オリバーはがんばりつづける

ノア・クレイポールは、救貧院の門のところにゆくまで、フルスピードで通りをかけぬけ、立ちどまって息を入れようともしなかった。一分かそこいらのあいだ、この門のところに休み、わっと泣きだして、人目をひく涙と恐怖の状態を示してから、彼は小門を大きな音を立ててノックした。門を開いてくれた救貧院収容者の老人にいかにもあわれっぽい顔を示したので、どんなに調子のいいときにでも沈痛な顔しか見ていないこの男も、びっくりして、飛びさがったほどだった。

「いったい、どうしたんだ!」その老人の収容者はいった。

「バンブルさんです! バンブルさん!」狼狽《ろうばい》ぶりをうまくよそおい、いかにも興奮した大声をたててノアは叫んだので、それは、たまたまそのそばにいあわせたバンブル氏自身の耳をとらえたばかりでなく、彼をひどく驚ろかせ、その結果、彼は三角帽もかぶらずに、庭に飛びだしてきた——そしてこれは、教区吏員でさえも、突然の激しい衝動にかられると、瞬間的に自制心を忘れ、自分の威厳の感覚も失うということを例証する、じつに奇妙な、注目すべき事例ということができる。

「おお、バンブルさん！」ノアは叫んだ。「オリバーが――オリバーが――」

「なにっ？　なにっ？」その金属的な目によろこびの色を浮かべて、バンブル氏は口を突っこんだ。「逃げはしないんだろう？　逃げだしたのかね、ノア？」

「いや、いや、逃げだしはしませんが、乱暴しはじめたんです」ノアはこたえた。「わたしを殺そうとし、それから、シャーロットを殺そうとしたんです、それにおかみさんもね。ああ、傷の痛むときたら！　ひどい痛みなんです！」ここでノアは身をねじらせ、よじらせて、さまざまなうなぎの姿勢をして見せ、オリバー・ツイストの猛烈な襲撃でひどい内部的な危害をこうむり、いまがその痛みの絶頂にあることを、バンブル氏に示そうとした。

自分の情報がバンブル氏をびっくり仰天させたことをさとると、ノアは前の十倍も声高に傷の苦痛を訴えて、その効果を増大させ、白チョッキの紳士が庭を横切ってやってくるのを見ると、さらにもっと悲痛な声をあげて、泣き叫んだ。これは、この紳士の注意をひき、その憤慨をかきたてたほうが得策と、彼が巧妙にも考えたからだった。

紳士はすぐこのことに気づいた。三歩も歩かないうちに、怒ったように向きなおり、あの小僧のやくざ犬がなにをわめいているのか、ああして嘘の悲鳴を出しつづけているのを、どうして本物にしてやらないのか、とバンブル氏にたずねた。

「これは慈善学校のあわれな生徒でして」バンブル氏はこたえた。「チビのツイストの手で――あやうく殺されそうに――ほとんど殺されそうになったんです」

「いやあ、まったく！」白チョッキの紳士は足をとめて、叫んだ。「わしにはわかってたんだ！　最初から妙な予感がしてな、あの図々しい暴れん坊がいずれ絞首刑になることは、わかってたんだ！」

「そればかりか、女中をも殺そうとしたんです」バンブル氏は、顔を灰色に青ざめさせて、いいそえた。

「それに、おかみさんも」クレイポール氏が口をさしはさんだ。

「それに、主人も、といったっけな、ノア？」バンブル氏が言葉をそえた。

「いいえ！　旦那は外出してました。そうでなけりゃ、やつは旦那さんをたたき殺したことでしょう」ノアはこたえた。「殺してやるといってましたもんね」

「ああ！　殺してやるといってたんだな、おい？」白チョッキの紳士はたずねた。

「はい、そうです」ノアはこたえた。「そしておかみさんからのおねがいなんですが、すぐにバンブルさんにきてもらって、やつをふくろだたきにしてやってもらえないでしょうか？――旦那は外に出てるもんでしてね」

「いいとも、いいとも」やさしく微笑し、自分より三インチも高いノアの頭を軽くたたきながら、白チョッキの紳士はいった。「おまえはりっぱな坊やだ――とてもりっぱな坊やだぞ。さあ、一ペニーやろう。バンブル、ステッキをもってサワベリーの店にゆき、どうしたらいいか、調べてみろ。遠慮なくやっつけてしまえ、バンブル」

「はあ、そうします」教区の鞭《むち》打ちの刑につかうステッキの先にまきつけた、ろう固めしたひもを直しながら、教区吏員はこたえた。

「サワベリーにも、遠慮はするなと伝えておけ。鞭で打ち、傷をつけてやらなけりゃ、やつはどうにもならんのだからな」白チョッキの紳士はいった。

「注意します」教区吏員はこたえた。そして、このときまでに、三角帽もステッキもすっかり満足いくふうに準備できていたので、バンブル氏とノア・クレイポールは大急ぎで葬儀屋の店に向けて出発した。

ここでは、事態は一向に改善されてはいなかった。サワベリーはまだ帰っておらず、オリバーは、前と同じ激しい勢いで、地下蔵の扉を蹴りつづけていた。サワベリーのおかみとシャーロットの口から語られた彼の狂暴ぶりは、じつにすごいものだった。そこで、バンブル氏は、扉を開く前に、話し合いをしたほうが得策と考えた。こうした考えで、まず前置きとして、外から一蹴りし、それから鍵穴《かぎあな》に口をあてがって、太い、印象的な声でこういった――

「オリバー！」

「さあ、外に出してくれ！」内側からオリバーはこたえた。

「このおれの声におぼえはあるかね、オリバー？」バンブル氏はいった。

「ええ、おぼえていますよ」オリバーはこたえた。

「こわくはないのかな、えっ？　こうして話しているとき、おまえはからだをふるわせているんじゃないんかな、えっ？」バンブル氏はたずねた。

「いいえ！」勇敢にオリバーはこたえた。

予想に反していつもとはぜんぜんちがう応答が返ってきたことに、バンブル氏は少なからずドキリとした。彼は鍵穴からはなれ、グッと身をそらせ、驚きで無言のまま、残りの三人の傍観者の顔をながめまわした。

「おお、バンブルさん、やつは気が狂ったにちがいありません」サワベリーのおかみはいった。「少しでもまともな男の子だったら、あんたにあんな口のききかたをするもんですか」

「おかみさん、気が狂ったためではありませんぞ」しばし深い瞑想《めいそう》にふけってから、バンブル氏はこたえた。「肉のせいですな」

「なんですって？」おかみは叫んだ。

「肉ですよ、おかみさん、肉ですよ」きびしい力をこめて、バンブルはこたえた。「おかみさん、食べさせすぎたんです。人為的にやつの心の中に魂と精神をつくりだしてしまったんです、これは経験派哲学者ぞろいの委員会があんたに教えてくれることでしょうがね。貧乏人が魂と精神になんの用があるというんです？　肉体を生かしておいてやりさえすれば、それでもう十分なんです。おかみさん、もしあんたがあの少年にかゆを食わしといたら、こんなことは絶対に起きなかったでしょうよ」

「まあ、まあ！」信心深そうな目を台所の天井にあげて、サワベリーのおかみは叫んだ。「おしみなく食べさせて、こんなことが起きるなんてねえ！」

サワベリーのおかみのオリバーにたいする気前よさといっても、それは、ほかのだれも食べようとはしない、はんぱものの食事を十分に食べさせただけだった。だから、こうして黙々とバンブル氏のきつい叱責《しっせき》を受けているのには、ふがいのなさと自己献身の態度が大いに示されているわけだったが、公平にいって、彼女の心のあり方もその行動も、バンブル氏の非難する罪はぜんぜんおかしていないのだった。

「ああ！」夫人の目がふたたび伏せられたとき、バンブル氏はいった。「思うに、のこされた唯一の方法は、一日か二日のあいだ、地下蔵に彼を入れておき、少し腹がへってくるのを待って、外に連れだし、徒弟の年季のあいだ中ずっとかゆを食わせておくこってす。やつは素性の悪い一族の出でしてな。おかみさん、興奮しやすいんです！　やつの母親は、気立てのやさしい女だったら何週間も前に死んでたような苦難をおしきって、この土地にやってきたんだ、と看護婦も医者もいってましたよ」

バンブル氏の話がここまで進むと、母親のことについてなにかしゃべられていると察したオリバーは、激しい勢いで蹴《け》りはじめ、ほかのどんな音も聞きとれないようにしてしまった。サワベリーは、ちょうどこのときにもどってきた。彼の怒りをかきたてようとたくらんだ女たちの大袈裟《おおげさ》な言葉によってオリバーの非行が説明されると、彼はさっと地下蔵の扉の錠をはずし、襟首をつかまえて、自分の反抗的な弟子をひっぱりだした。

オリバーの服は、受けた暴行でボロボロになり、顔は打ち傷と掻《か》き傷だらけ、髪は額の上にバラバラになってさがっていた。しかし、怒りの興奮は、まだ消えてはいなかった。そして牢獄《ろうごく》から引きだされたとき、彼はノアを勇敢にもにらみつけ、少しもうろたえた態度は示さなかった。

「おまえはほんとうに困ったやつだな、えっ？」オリバーをひとゆすりし、頭をポカリとひっぱたいて、サワベリーはいった。

「あいつが母さんの悪口をいったからなんです」オリバーはこたえた。

「うん、この恩知らずのチビ公め、そういわれたからって、どうだというんだい？」サワベリーのおかみはいった。「いわれるだけのことはあるし、もっとひどい女なんだからね」

「ちがいます」オリバーはいった。

「そうなんだよ」おかみはやりかえした。

「嘘です！」オリバーは応じた。

サワベリーのおかみは、ここで、わっと泣きだした。

こうして涙を流されては、サワベリー氏にとってほかにとるべき手段はなくなってしまった。もし彼が、オリバーをこのうえなく厳しく罰するのを一瞬でもためらったら、彼は、がっちりと打ちたてられた夫婦喧嘩《げんか》の先例にしたがって、けだもの、夫らしからぬ男、人をバカにするやつ、いやらしい男らしからぬ男、その他さまざま、この章の終わりまでそれを書きあげきれぬほど、さまざまなりっぱな人物になっていたことだろう。公平にいって、彼は力のおよぶかぎり――といっても、たいしたものではなかったが――この少年にたいしてはやさしい気持ちをもっていた。それは、たぶん、そうしたほうが自分の利益になるため、また、たぶん、自分の女房が少年をきらっていたためでもあったろうが……。しかし、こう、わっと涙を流されては、彼としてもどうにもしようがなくなった。そこで、彼はすぐ少年をなぐりつけたが、これはおかみ自身を満足させたばかりでなく、その後バンブル氏が教区の鞭を少年に加える必要がなくなるほどのものだった。その日の残りのあいだ、彼はポンプと一片のパンといっしょに裏の台所に閉じこめられ、夜になってから、サワベリーのおかみは、戸口の外で、少年の母親の思い出の言葉にしてはひどい悪態をさんざんついてから、部屋の中をのぞきこみ、ノアとシャーロットの指さしとあざけりの言葉につつまれて、彼は上の陰気な寝台へとおしあげられた。

葬儀屋の陰鬱《いんうつ》な作業室の沈黙と静けさの中に一人とり残されてはじめて、オリバーは、この日の扱いがいたいけない少年に当然ひき起こす感情に押しつぶされた。彼は、軽蔑《けいべつ》の表情を浮かべて、みなののしりの言葉を聞いていた。泣き声もあげずに、鞭打ちに堪えてきた。ほこりの気持ちが胸にふくらんでくるのを感じ、たとえ生きたまま火あぶりにされようと、最後まで悲鳴はあげまいといった気になっていたからである。だが、いま、自分の姿をながめ、自分の言葉を聞く人がだれもいなくなって、彼はガックリと床にひざまずき、両手で顔をおおって、人間性の名誉のためにも、子供が神の前に流す必要がない涙を、さめざめと流した。

ながいこと、オリバーはこの姿勢で身じろぎもせずにいた。彼が立ちあがったとき、ろうそくは、受け台近くまで燃えさがっていた。あたりを注意してながめ、じっと聞き耳を立てて、彼は静かに扉の留め金をはずし外をながめた。

その日は寒い、暗い夜だった。星は、少年の目には、いままでにないほど地球から遠くはなれて輝いているように見えた。風はなく、木が大地に投げている陰気な影は、あたりが静かなだけに、墓のよう、死のようにうつった。彼はそっと扉を閉めた。消えかけているろうそくの光で、わずかな衣類をハンカチにつつんでから、彼は木のベンチに腰をおろして、夜明けを待った。

鎧戸《よろいど》の裂け目をわずかにとおってくる夜明けの最初の光とともに、オリバーは起きあがり、ふたたび扉の桟をはずした。おずおずとあたりを見まわし——一瞬ちょっとためらって——彼は外に出てから扉を閉め、街路に出ていった。

彼は、どちらに逃げたものか見当もつかなかったので、左右をながめまわした。以前出かけたとき、荷馬車が骨を折って丘を登ってゆくのを見たことを思い出した。彼はこれと同じ道を選び、野原を横切って小道があるところにゆきついて、それから少し歩けばまた大通りに出ることを知っていたので、その道をさっさと進んでいった。

バンブル氏が彼を幼児預かり所から救貧院に連れていったとき、この小道をバンブルにともなわれて小走りに歩いていったことを、オリバーはよくおぼえていた。この道はその幼児預かり所のまん前をとおっているものだった。このことを思ったとき、彼の心臓はドキドキと打ち、ほとんど道をもどりそうになった。だが、その道をそうとう進んできていたので、もどれば、時間の損失が大きい。そのうえ、まだ早い時間だったので、自分の姿を見かけられる心配はまずなかった。そこで、彼はグングンと歩みつづけた。

彼はその家に着いた。まだ朝早く、家の人が起きている気配はなかった。オリバーは足をとめ、庭をのぞきこんだ。子供が一人、小さな花壇で草むしりをしていた。彼が足をとめたとき、その子は青い顔をあげたので、この子が以前の彼の仲間だったことがわかった。オリバーは、立ち去る前に、この子に会えたのをうれしく思った。歳下ではあったものの、この子は彼の小さな友人、遊び友だちだったからである。二人は、何回も何回も、いっしょにたたかれ、食事抜きの苦しみを味わわされ、閉じこめられていたのだった。

「しっ、ディック！」彼に挨拶《あいさつ》をしようと、この少年が門のところにかけてきて、手摺《てす》り越しに痩《や》せた手をのばしたときに、オリバーはいった。「だれか起きているかい？」

「ぼく以外にはだれも」子供はこたえた。

「ディック、ぼくの姿を見かけたと、だれにもいってはいけないよ」オリバーはいった。「ぼくは逃げだしたんだ。ディック、たたかれ、虐待されるからね。ぼくは、どこか遠いところで、自分の運だめしをしようと思っているんだ。どこかわからないけどね。ああ、なんて青い顔をしているんだろう！」

「先生が、ぼくはだめだ、といっているのを聞きました」かすかに微笑みを浮かべて、この子供はいった。「きみに会えて、とてもうれしいんです。だけど、早くいって、早くいって！」

「いや、いや、きみに別れの挨拶だけはいってゆくよ」オリバーはこたえた。「ディック、また会おうね。元気で幸福になるようにね！」

「そうなりたいけど」子供はこたえた。「でも、それは死んでからのこと、生きてるうちはだめだと思うよ。オリバー、先生のいうとおりだと、ぼくは思っているんだ。だって、オリバー、ぼくは天国のこと、天使のこと、目がさめているとき見たこともない親切な顔を夢に見るんだからね。キスしておくれ」子供はこういって、低い門をよじ登り、両腕をしっかりとオリバーの首にまきつけた。「さようなら！　神さまのみ恵みがきみに授かりますように！」

この、歳ゆかぬ子供の唇から発せられた祝福が、オリバーにとってはじめて与えられたものだった。そして、その後の彼の生涯の悪戦苦闘、苦しみと運命の変遷をとおして、それは、彼が絶対に忘れることのできないものとなった。

第八章

オリバーは徒歩でロンドンにおもむく
——途中で妙な歳ゆかぬ紳士に出逢《であ》う

オリバーは家畜を通さないようにしてある柵《さく》のところに着いた。そこで小道は終わりになり、それは、ふたたび大通りにつながっていた。もう時刻は八時だった。彼は町から約五マイルもはなれていたのだったが、追跡され捕らわれるのを心配して、昼になるまで、走ったり、生垣の陰に身をかくしたりしていた。それから、彼は休もうと里程標《マイルストーン》のわきに腰をおろし、その日はじめて、どこにいって生活を立てたらよいかを考えはじめた。

彼が座っていたところのわきに立っている石は、大きな文字で、ここからロンドンまでちょうど七十マイルあることを示していた。ロンドンの名は、少年の心の中に新しい一連の考えを呼びさました。ロンドン！——だれも——バンブル氏でも——そこで彼をみつけることはできないだろう！　そのうえ彼は、救貧院の老人たちが、元気のある若者だったら、だれもロンドンでは困ることがない、その大きな町では、いなかで育ったものが想像もできない暮らしの道があるものだ、と話しているのを、ときどき聞いたことがあった。だれかが助けてくれなかったら、街路で餓死するほかはない家なき少年にとって、それこそ、まさにうってつけの場所だった。こうしたことを思いめぐらしたとき、彼は、ふたたびパッと立ちあがって、歩きだした。

ロンドンへの距離をこの先まだ四マイルも縮めないうちに、目的地に到着するまでどんなに多くの苦労をなめなければならないかを、彼は考えた。こうした考えが否応なく彼の頭に浮かんだとき、彼は歩調を少しゆるめ、どうしたらロンドンに行き着けるかを思いあぐねた。彼の持ちものといえば、包みにいれたパンの皮、粗末なシャツ、それに二足の靴下だけだった。彼は一ペニーをポケットにもっていたが、それはふだんよりみごとに葬式でふるまったために、その葬式後にほうびとしてもらったものだった。「きれいなシャツは」とオリバーは考えた。「とてもありがたいものだ、とても。そしてつくろいをした二足の靴下、一ペニーだってそうだ。でも、それは、冬の季節に、六十五マイル歩くには、たいして助けにならない」しかし、オリバーの考えは、ほかのたいていの人の考えと同様に、困難を指摘することはいとも簡単にやってのけたが、それを克服する実際的な方法となると、まったく途方にくれてしまうのだった。そこで、なんの役にもたたずにあれこれと考えたあげく、彼は小さな荷物を肩の上でおきかえ、トボトボと歩きはじめた。

その日オリバーは二十マイル歩いた。そして、そのあいだに食べたものといえば、ただ乾いたパンの皮と、路傍の小屋の戸口で求めたわずかな水だけだった。夜がやってきたとき、彼は牧場にはいりこみ、まぐさの山の下にもぐりこんで、朝までそこで横になっていることにした。彼は最初こわかった。風が人気のない野原の上を、おそろしいうなりを立てて、吹きとおっていったからである。そして、彼は寒く、ひもじく、このときまでに感じたことがないほど、孤独感をおぼえた。しかし、徒歩旅行で非常につかれていたので、彼はまもなく眠りこみ、その苦痛を忘れてしまった。

翌朝目をさましたとき、彼は寒く、からだがこわばったように感じ、そのうえ、とても空腹になっていたので、彼がとおりぬけた最初の村で、一ペニーの金を小さなパンにかえなければならなくなった。夜の帳《とばり》がふたたびおりたとき、彼は十二マイルしか歩いていなかった。足は痛み、弱っていたので、ガクガクしていた。さらにもう一夜をわびしい、湿った大気の中ですごすと、彼のからだの具合はいっそう悪くなってきた。その翌朝、彼が旅の道を歩きはじめたとき、彼はほとんど這《は》うこともできない状態になっていた。

彼は、駅伝馬車がやってくるまで、けわしい丘のふもとで待ち、それから外部の乗客に物乞《ものご》いをした。だが、彼の存在に気づいた人はほとんどおらず、気づいた人たちでさえ、丘の頂上にゆくまで待て、半ペニーもらうために彼がどのくらい走れるかを見せろ、といった。あわれなオリバーは、ちょっとのあいだ、馬車のスピードに歩調を合わそうとしたが、疲労といたむ足のために、それができなくなってしまった。外の乗客がこれを見たとき、彼らは半ペニーをふたたびポケットにもどし、やつはなまけ者の小犬で、なにもしてやる必要はない、といいすて、馬車はガラガラッと音をたてて立ち去り、ただほこりの雲をうしろに残しただけだった。

いくつかの村には、大きなペンキを塗った板が立てられ、その地区で物乞いをするものは監獄に投げこまれることを知らせていた。これは、ひどくオリバーをおびえさせ、彼はできるだけ早くそこを立ち去ることになった。ほかの村では、彼は旅館の庭の近くに立ち、もの悲しげにとおる人たちをながめていたが、その挙げ句はたいてい、旅館のおかみがそのあたりにブラブラしている郵便配達員のだれかに命じて、得体の知れない少年を追いはらわせることでけりをつけた。というのも、おかみは、そうした少年がものを盗みにやってきたものと確信していたからである。農家で物乞いをしても、彼は、十中八九、犬をけしかけてやるぞ、とおびやかされた。そして、店にその鼻先をあらわすと、人は教区吏員のことを口にし――それはオリバーをギクリとさせ――そうした状態はたびたび、そのあと何時間もつづいた。

事実、通行税とりたて門の善良な番人と心のやさしい老婦人の助けがなかったら、彼の母親が苦しみにけりをつけたのとちょうど同じ形で、オリバーも苦しみにけりをつけられていたことであろう。言葉をかえていえば、彼が大通りで餓死したであろうことは、ほとんどまちがいのないことだった。だが、通行税とりたて門の番人は、彼にパンとチーズの食事を与えてくれ、地球のどこか遠い場所で素足でさまよっている難破した孫をもった老婦人は、この気の毒な孤児をあわれに思い、彼女としてはできるだけのものを恵んでくれたばかりか——さらにそのうえ——じつに親切でやさしい言葉、同情とあわれみの涙をかけてくれたので、それは、彼がいままでに受けたすべての苦難よりもっと深く、オリバーの心にしみとおっていった。

生まれた土地を出発してから七日目の朝早く、オリバーは小さなバーネットという町に足をひきずりながらはいっていった。窓の鎧戸《よろいど》はおろされ、街路には人っ子一人おらず、だれもまだ昼間の仕事に目をさましてはいなかった。太陽はすばらしい美しさで昇りかけていた。だが、その光はただ、少年が座っているとき、踏み段に乗せた血でよごれた泥まみれの足といっしょに、彼自身のわびしさをあらわすのに役だつだけだった。

しだいに鎧戸は開かれ、窓のブラインドはあげられ、人々が往き来しはじめた。わずかな人たちは足をとめて、ちょっと、オリバーをジッと見すえるか、急いでとおりすぎていってから、ふりかえって彼をながめていた。だが、だれも彼を助けてくれず、親切に、どうしてここにやってきたのか、をたずねようともしなかった。彼は物乞いをする気力も失せ、ただそこに座っていた。

彼は、しばらくのあいだ、立ちならぶ居酒屋の多いのに驚き(バーネットでは一軒おきに大なり小なりの酒屋があった)、ぼんやりととおりすぎてゆく馬車をながめ、そうした馬車が、彼がそれをするには歳にも似合わぬ勇気と決意の一週間を必要とした距離を、らくらくと数時間で越えてしまうことがどんなに奇妙なことかを考えて、階段に身をかがめていた。そのとき、数分前にさり気ないふうに彼のわきをとおっていったある少年がもどってきて、道の反対側から彼をジッとながめていることに気づいて、彼はフッとわれにかえった。最初、彼はこの少年のことにはほとんど注意をはらわないでいたが、相手の少年がじつにながいこと同じ姿勢でこちらをみつめていたので、オリバーは頭をあげ、しっかりとにらみかえした。すると少年は道を横切って、こちらにやってきて、オリバーに近づき、こういった——。

「よう、チビ公！　どうしたんだい？」

この歳若い旅行者にこう問いかけた少年は、彼とだいたい同じ歳頃だったが、オリバーがこれまで見かけたこともない奇妙な風体《ふうてい》をしていた。鼻は獅子鼻《ししばな》、額は平ら、俗っぽい少年で、このうえなく薄汚かった。しかし、その態度、物腰はれっきとした一人前の男だった。彼は歳のわりあいには背が低く、そうとうのがに股《また》で、小さな鋭い、醜悪な目をしていた。その帽子は頭のてっぺんにほんの軽く載せられていて、いつ落ちるかもしれない状態にあり、それをかぶっている人間が頭を急にうまくひねって、帽子をもとの位置にもどすこつを心得ていなかったら、たしかに、それは頭から落ちていたことだろう。彼は一人前の男の上衣を着こみ、それは、ほとんどかかとのところまでとどいていた。彼は袖口《そでぐち》を腕の途中までたくしあげ、ようやく手を外に出していたが、これは、明らかに、コーデュロイのズボンのポケットに手を突っこむためだった。そして現に、いまそうした恰好《かっこう》をしていた。彼は編上げのハーフブーツ姿で四フィート六インチかそれより少し低かったが、そうした背のくせに、じつにひどくがなり散らす、威張りかえった若い紳士になりきっていた。

「よう、チビ公！　どうしたんだい？」この見知らぬ若い紳士はオリバーにいった。

「ぼく、とてもお腹が空いて疲れているんです」話しながら涙をためて、オリバーはこたえた。「ながい道を歩いてきたんです。この七日間、歩きつづけていたんです」

「七日間歩きつづけていたんだって！」この若い紳士は叫んだ。「ああ、わかった、ビークの命令だな、えっ？　だが」オリバーのびっくりしたようすに気づいて、彼はいいたした。「気のきいた兄貴、ビークがなんのことかを知らねえようだな？」

　そうした言葉では鳥の嘴《ビーク》がいいあらわされるものと聞いている、とオリバーはおだやかにこたえた。

「いや、驚いた、なんて青くさい生《なま》なんだ！」若い紳士は叫んだ。「いいか、ビークてえのは、治安判事のことさ。そして、ビークの命令で歩くときにゃ、まっすぐ前に歩くんじゃなくって、登ってったら二度とおりてくることはねえってことさ。まだ踏み台《ミル》（昔、監獄内で懲罰のために囚人に踏ませた）に乗ったことはねえのかね」

「どんな風車《ミル》です？」

「どんな風車だって！　うん、そのミルはな——ほとんど場所がいらなくってな、石の壺《つぼ》

（監獄の俗称）の中でも十分に働くもん、世間で風が高いとき（景気のよいときの意）より、風が低いときのほうが、うまくゆくもんなんだ。風が高けりゃ、人手を得られねえからな。だが、来な」若い紳士はいった。「おめえ、おまんまが欲しいんだったら、そいつを食わしてやろう。おれだって懐具合は火の車でな――たった一シリングと半ペニーしかねえんだ。だが、そいつがつづくかぎりは、おごってやるよ。さあ、腰をあげるんだ。さあ、さあ、ゆこう！」

オリバーの立つのに手を貸して、この若い紳士は彼を近くの雑貨屋の店に連れてゆき、そこで味つきのハムと二ポンドのパン、彼自身の表現によれば「四ペニーのぬか」を買ったが、これは、パンの皮の一部をむいてそこに穴をつくり、そこにハムをつめるという巧妙なしかけによって、ハムがほこりをかぶらずに、きれいになっているものだった。このパンをわきにかかえて、この若い紳士はある小さな居酒屋に飛びこみ、構内の奥まったところにある酒場へ先に立って進んでいった。ここで、この不思議な若者の注文で、ビールが一杯もってこられ、新しいこの友人のすすめで、オリバーはゆっくりと楽しい食事にとりかかったが、この食事中、不思議な少年は彼のことを、非常な関心をこめて、ときどきながめていた。

「ロンドンにゆく途中だって？」オリバーがとうとう食事を終えたとき、この不思議な少年はたずねた。

「ええ」

「宿はあるんかい？」

「いいえ」

「金は？」

「ありません」

奇妙な少年は口笛を吹き、両腕をグイッと大きな上衣の袖ではいるだけポケットに突っこんだ。

「あなたはロンドンに住んでいるのですか？」

「うん、家にいるときはな」少年はこたえた。「おまえ、今晩、眠る場所が欲しいんだろう、えっ？」

「ええ、そうなんです」オリバーはこたえた、「いなかから出てきて以来、屋根の下で眠ったことはありません」

「だからといって、目をショボショボさせなさんな」若い紳士はいった。「おれは、今晩、ロンドンにゆかねばならんのだが、あるりっぱな老紳士を知っててな、その人はただで泊まらせてくれるし、出てゆけともいいはしない——というのは、だれか知り合いの紳士がおまえを紹介してやった場合のことだがね。そしてその人は、このおれを知らんというのかね？　ああ、そう、ぜんぜん知らんね。絶対に知らんとも。もちろん、知らんさ！」

若い紳士はニヤリとしたが、それは話の後半がふざけた反語の皮肉まじりといった感じを与えるものだった。そして、そう話しながら、彼はビールを飲み乾《ほ》した。

思いがけない宿の話は、我慢できないほど心ひかれるものだったが、そのあとすぐ、話に出た老紳士がすぐいい職をみつけてくれるだろうといわれたので、それは、なおいっそう魅力的なものになった。これで話は前にもまして親しさを増し、腹蔵ないものになり、そうした話から、この友人の名がジャック・ドーキンズ（ジャックはジョンの俗称または愛称）といい、前述の老人のお気に入りで、その子分であることが、オリバーにわかった。

ドーキンズ氏の外見から見て、彼の保護者が世話を見ている連中の生活ぶりがたいしたものではないことがわかった。しかしドーキンズの話しぶりには軽はずみで放埒《ほうらつ》なところがあり、そのうえ、親しい友人のあいだで『ぺてん師《ドジャー》』というあだ名をつけられていることがわかると、オリバーは、この男が放縦でだらしのない性分のために、その保護者の与える教訓もむだになっているのだと断定した。こうした印象のもとで、彼は心ひそかに、できるだけ早くこの老紳士の好意を獲得し、もしぺてん師が――十分に予想できることだったが――どうしてもその性根を改めなかったら、彼との交際を辞退しようと決心した。

ジョン・ドーキンズが夜になってからロンドン入りをしようとがんばったので、二人がイズリントンの通行税とりたて門に着いたのは、十一時ごろになってしまった。彼らはエンジェル旅館からセント・ジョン街にぬけ、サドラーズ・ウェルズ劇場へと続く小さな通りをとおり、エクスマス通りからコピス通りに出、救貧院のそばをとおって、小さな広場を横切り、かつてホックリー・イン・ザ・ホールの名で知られていた古典地区をとおり、さらにそこからリトル・サフロン・ヒルにはいり、さらにまた、サフロン・ヒル・ザ・グレイトに足を踏み込んだが、この通りを、ぺてん師は、すぐあとについてこい、とオリバーに命じて、急ぎ足でさっさと走っていった。

案内者の姿を見失うまいとして、オリバーは十分に気を配っていたが、そこをとおりぬけるとき、彼は道の両側に、わずかだがあわただしい視線を投げずにはいられなかった。これほど汚く、みじめな通りを、彼は見たことがなかった。通りはとてもせまく、泥まみれで、空気はいやな臭いでよどんでいた。たくさんの小さな店がならんでいたが、ただひとつの在庫品は子供といった感じで、彼らは戸口をはって出たり入ったりし、家の中で甲高い声をはりあげていた。こうしてすべてが汚れきった場所で、繁盛しているように見えた唯一の場所は居酒屋で、そこでアイルランド人の最下層の人々が声をかぎりにわめきちらしていた。大通りからそこここで分かれている屋根づきの道と小路は、小さな家の集まりを示し、そこで、酔っぱらった男女が汚物のなかでうごめいていた。そして、あちらこちらの戸口からは、いやな風体《ふうてい》をした大男が用心深く外に出ていったが、それはなにかよからぬ、危険な仕事をたくらんでいる感じだった。

オリバーが逃げだしたほうがいいかもしれないと考えはじめたちょうどそのとき、二人は丘のふもとに着いた。彼の案内人は、彼の腕をとらえて、フィールド小路の近くのある家の戸をおし開け、彼を廊下に連れこんで、戸をピシャリと閉めてしまった。

「うん、どうした?」ぺてん師が口笛を吹くと、それにこたえて、下から声が叫んだ。

「上々の吉だ!」がそれにたいする応答だった。

これはうまくいっているということを伝えるなにかある合図か信号のようだった。かすかなろうそくの光が廊下の奥の壁にさし、古い台所の階段がくずれ落ちているところから、男の顔がこちらをのぞいた。

「おまえたち、二人だな」ろうそくをさらにおしだし、目を手でかくして、その男はいった。「もう一人の男はだれだ?」

「新入りさ」オリバーを前にひきだして、ジャック・ドーキンズはこたえた。

「どこからやってきたんだ?」

「グリーンランド(グリーンには未熟の意がある)からね。フェイギンは二階にいるかい?」

「うん、ハンカチのえり分けをやってるよ。さあ、あがれ!」ろうそくはひっこめられ、その顔は消えてしまった。

オリバーは、片手で道をさぐり、もう一方の手は相手にしっかりとつかまれて、苦労して暗い、ボロボロの階段を上っていった。彼の案内人はさっさと楽に上っていったが、それは、彼がこの階段に馴《な》れていることを物語っていた。彼は裏の部屋の戸をパッと開き、自分のあとにオリバーを引っぱりこんだ。

壁と天井は、古さと汚れで、真っ黒になっていた。炉の前には松板のテーブルがあり、その上にジンジャービールのびんに差しこまれたろうそく、二、三個の白鑞《しろめ》の壺《つぼ》、パンとバター、それに皿が一枚のせられていた。火の上にのせられ、ひもで炉棚にしばりつけられたフライパンでは、ソーセージがいためられ、その上に、ながいパン焼きフォークをもって、ひどく年配の、しわだらけのユダヤ人が立っていたが、その感じの悪い悪党面《づら》は、濃い赤毛のひげですっかりおおいかくされていた。彼は脂ぎったフランネルのガウンを着こみ、胸ははだけていて、その注意を、フライパンと、たくさんの絹のハンカチがかかっている物干しの両方に向けているようだった。古いズックの大袋でつくったいくつかの寝台が、床の上にならんでゴタゴタとおかれてあった。テーブルのまわりには四、五人の少年が座っていて、彼らはぺてん師より歳上ではなかったが、ながい陶製のパイプをくゆらし、いかにも中年者然としたようすで、酒を飲んでいた。ぺてん師がユダヤ人になにかちょっとささやいているとき、この連中は彼のまわりにたかりこみ、それから向きなおって、オリバーをニヤリニヤリ笑ってながめていた。ユダヤ人自身も、手にながいパン焼きのフォークをもって、ニヤリニヤリしていた。

「これがその男ですぜ、フェイギン」ジャック・ドーキンズはいった。「わが友オリバー・ツイストです」

ユダヤ人はニヤリとし、ていねいなお辞儀をしてから、彼の手をとり、これから親しくおつきあいをねがいたい、と述べた。この挨拶《あいさつ》が終わると、パイプをもった紳士たちが彼をとりかこみ、彼の両手――特に小さな包みをもっている手をかたくにぎって握手をした。一人の若い紳士は、彼のために帽子をかけてやろうとえらく精を出し、べつの紳士は、親切にも彼のポケットに手を突っこんだが、これは、彼がとても疲れているので、床にはいるとき、彼自身がポケットを空にする面倒をはぶいてやろうというのだった。こうした好意は、それをしてやろうとしたやさしい青年たちの頭や肩にユダヤ人のパン焼きフォークが激しくふりおろされなかったら、もっとひどいことになるところだった。

「オリバー、きみに会えて、われわれはとてもうれしいよ――とてもね」ユダヤ人はいった。「ぺてん師、ソーセージをフライパンからあげろ。そして、オリバーが座れるように、炉の近くに桶《おけ》をひきよせるんだ。ああ、きみはハンカチを見てるね！　うん、きみ、ずいぶんたくさんあるだろう。えっ！　洗おうと調べてたところさ。それだけのことったよ、オリバー、それだけのことったよ。はっ！　はっ！　はっ！」

この話の後半部は、この陽気な老人の将来有望なお弟子たち全員の発するさわがしい叫びによって、わっとはやしたてられ、その叫びとともに、夕食がはじまった。

オリバーは自分の食事を食べたが、ユダヤ人は彼のためにお湯割りのジンをつくってくれ、べつの紳士がそのコップを必要としているから、すぐにその酒を飲みほすようにといった。オリバーは命じられたとおりにし、その後まもなく、自分のからだが袋物の寝台にそっともちあげられてゆくのを感じ、それから深い眠りに落ちこんでしまった。

第九章

愉快な老紳士とその有望な弟子に関するもっとくわしい話

ながい、ぐっすりとした眠りからオリバーが目をさましたのは、その翌朝おそくなってからのことだった。部屋には老人のユダヤ人以外にはだれもおらず、彼は、朝食のためにシチュー鍋でコーヒーをわかし、それを鉄のスプーンでかきまわしながら、静かに口笛を吹いていた。ときどき、ちょっとでも下で物音がすると、彼は動かしている手をとめ、それがなんでもないとわかると、以前どおり、口笛を吹きながら、コーヒーをかきまわしつづけていた。

オリバーは眠りからさめてはいたものの、すっかり目をさましているわけではなかった。眠りと目ざめのあいだには、ねむたいといった中間的状態があり、そのときには、目をすっかり閉じて、五感が完全な無意識状態につつまれた五晩のあいだに夢みるよりもっと多くの夢を、五分のあいだに、半分目を開け、自分のまわりに起こっているすべてのことをなかば意識しながら、夢みるものである。こうしたとき、人間は自分の心がおこなっていることがちゃんとわかり、肉体の束縛から解放されたとき、心がどんなにたくましさを発揮するか、それが時間と空間を超越して、地球から遠くへ飛び出してゆくかを、おぼろげながら感ずるものである。

オリバーは、まさにこうした状態にあった。彼はなかば閉じた目でユダヤ人をながめ、その低い口笛を聞き、シチュー鍋のへりにスプーンが当たる音を耳にしていたが、そのまさに同じ感覚は、同時に、いままでに知ったほとんど全員といそがしくまじわっていたのだった。

コーヒーができあがると、ユダヤ人はシチュー鍋を炉の台におき、それから、どうしたらよいか迷っているような態度で、モジモジしながら立ちつくし、向きを変えてオリバーをながめ、その名を呼んだ。オリバーはそれにこたえず、一見したところ、眠りこんでいるようだった。

このことをたしかめてから、ユダヤ人はそっと戸のところにゆき、それをしっかりと閉めた。彼は、それから、オリバーには床に隠された罠《わな》のように思われるところから、小さな箱をとりだし、注意深くテーブルの上においた。ふたをとり、中をのぞきこんだとき、彼の目はギラギラと輝いた。古椅子をテーブルのところにひっぱっていって、彼は腰をおろし、そこから宝石でキラキラ輝いている堂々とした金時計をひっぱりだした。

「ああ！」肩をすくめ、おそろしい笑いで形相をくずして、ユダヤ人はいった。「利口な犬たち！　利口な犬たちだ！　最後まで忠実でな！　老いぼれ牧師にも自分の住み家は絶対にあかさなかった！　共犯の老フェイギンのことも絶対に密告しなかった！　そんなことする必要もないだろう？　それをしたって、絞首刑のなわの結び目がゆるむわけじゃなし、踏み台が一分間でも長くもつわけじゃないんだからな。そうはなるもんか、なるもんか、なるもんか！　りっぱなやつらさ！　りっぱなやつらさ！」

こうした言葉を繰り返しつぶやいて、ユダヤ人は時計をもとの安全な場所にしまいこんだ。少なくとも六個の時計が同じ箱からひきだされ、同じよろこびでながめられ、それ以外にも、じつに豪華な材料でできた贅沢《ぜいたく》なつくりの、その名さえオリバーにはわからない指輪、ブローチ、ブレスレット、その他の宝石類が示された。

こうした飾り物をもとにおさめて、ユダヤ人は、さらにべつの宝物をひきだしたが、それはとても小さくて、彼の手のひらの中におさまってしまうものだった。そこには、なにかこまかな彫りものがしてあるらしく、ユダヤ人はそれをテーブルの上に載せ、手でそれをかざして、ながいこと、熱心に見入っていた。それから、彼は彫りの精巧さを見届けるのを諦《あきら》めたらしく、それを下におき、椅子にふんぞりかえって座りながら、つぶやいた――

「死刑とは、じつにありがたいもんだ！　死んだ人間は絶対に後悔はせん。死んだ人間はまずいことを明るみにさらけだしたりはせんからな。ああ、そこが、この商売のありがたみというもんだ！　五人がぜんぶ数珠《じゅず》つなぎになってつるされ、だれも生き残って裏切ったり、臆病風《おくびょう》を吹かせたりすることはないんだからな！」

ユダヤ人がこうした言葉をつぶやいたとき、いままでぼんやりと前方をながめていた彼のキラキラ輝く黒い目は、オリバーの顔に向けられた。少年の目は、ものいわぬ好奇心に燃えて、ユダヤ人の目の上に釘《くぎ》づけにされていた。そして、この認識はほんの一瞬——このうえなく短い時間だけのことだったが、それは、老人が観察されていたことを物語るのに十分なものだった。彼はガタリと大きな音をたてて箱のふたを閉め、テーブルの上のパン切りナイフをつかんで、すごい勢いで飛びあがった。だが、彼はひどくからだをふるわせていた。というのも、おそろしさにつつまれながらも、オリバーはナイフが空中でふるえているのを見ることができたからである。

「なんだ？」ユダヤ人はいった。「なんでわしを見てるんだ？　どうしておまえは目をさましてるんだ？　なにを見てたんだ？　返事をしろ！　命がおしかったら、早くいえ、さあっ！」

「ぼくは、もう眠れなかったんです」おずおずした態度で、オリバーはこたえた。「ご心配をおかけしたとしたら、おわびします」

「一時間前に目をさましていたんじゃないんだな？」きつく少年をにらみつけて、ユダヤ人はたずねた。

「ええ、もちろん、ちがいます！」オリバーはこたえた。

「ほんとか?」前よりもっとすごい形相をし、おどかすような態度を示して、ユダヤ人は叫んだ。

「ほんとうに、目をさましてはいませんでした」むきになって、オリバーはこたえた。

「ほんとうです」

「ちぇっ、ちぇっ!」いきなり前の態度にもどり、ただふざけてナイフをとりあげたと信じこませようとしているように、下におく前にそれをいじくりまわして、ユダヤ人はいった。「もちろん、そいつはわかってるさ、おまえ。わしはただ、おまえをふるえあがらせてやろうとしただけなんだ。おまえは勇敢な少年だな。はっ! はっ! 勇敢な少年だよ、オリバー!」クスクス笑いながら、ユダヤ人は手をこすっていたが、その目は、不安そうに例の箱をながめていた。

「このきれいな品物をなにか見たかね!」ちょっと間をおいてから、手を箱に載せて、ユダヤ人はたずねた。

「はい、見ました」オリバーはこたえた。

「ああ!」ひどく真っ青になって、ユダヤ人はいった。「これは――これはわしのもんだよ、オリバー、わしのささやかな財産なのだ。歳をとってから、老後を養うもんなんだ。世間のものは、わしのことをけちんぼといってるがね、ただけちんぼなだけで、それだけのことさ」

あんなにたくさん時計をもっていながら、こんな汚い家に住んでいるなんて、この老人はたしかに徹底的なけちん坊にちがいない、とオリバーは思ったものの、ぺてん師やそのほかの子供の世話を見ることはそうとう金のかかることにちがいないと思いなおして、彼は敬意をこめたまなざしをユダヤ人に投げ、起きてもよいかとたずねた。

「ああ、いいとも、いいとも」老紳士はこたえた。「待てよ。戸の近くの隅に水差しがあるからな、それをここにもってこい。顔を洗う金だらいを貸してやろう」

オリバーは起きあがり、部屋の向こうにゆき、水差しをもちあげようとして、一瞬かがみこんだ。彼が向きを変えたとき、例の箱は姿を消していた。

ユダヤ人の指図にしたがって、彼が顔を洗い、金だらいの水を窓からあけて、すべてをきちんと片づけるか片づけないかのうちに、とても元気な若い友人といっしょに、ぺてん師がもどってきた。この友人というのは、前の晩、オリバーがタバコをふかしているのをながめた人物で、いま正式にチャーリー・ベイツとしてオリバーに紹介された。四人は朝食をしようと椅子に腰をおろし、コーヒーと、ぺてん師が帽子のてっぺんにかくして運んできた巻きパンとハムを食べだした。

「うん」なに食わぬ顔をしてオリバーをチラリとながめ、ぺてん師に話をしかけて、ユダヤ人はいった。「今朝、おまえは仕事をしたんだろうな、どうだい？」

「一生けんめいね」ぺてん師はこたえた。

「せっせとね」チャーリー・ベイツはいいそえた。

「でかした、でかした！」ユダヤ人は叫んだ「なにを手にいれたね？」

「紙入れ二つをね」若い紳士は応じた。

「中身はどうだ？」むきになって、ユダヤ人はたずねた。

「まあ、かなりね」青と赤の二つの紙入れをひっぱりだして、ぺてん師はこたえた。

「思ったより少ないな」中を注意深く改めて、ユダヤ人はいった。「だが、つくりはみごとなもんだ。うまい細工だろう、オリバー、えっ？」

「まったくそうですね」オリバーはこたえたが、これを聞いて、チャーリー・ベイツ氏はわっと笑いだし、そこになにも笑うべきものはないと思っていたオリバーをびっくり仰天させた。

「で、おまえはなにを手に入れたんかね？」フェイギンはチャーリー・ベイツにたずねた。

「ハンカチですよ」とベイツはこたえ、それと同時に、何枚かのハンカチをひっぱりだした。

「うん」それをこまかに調べて、ユダヤ人はいった。「こいつはとってもりっぱなもんだ――とってもな。だが、頭文字のつけかたがうまくないな。その頭文字は針でとってしまおう。その仕方は、みんなでオリバーに教えてやることにしよう。教えてやろうか、オリバー、どうだい？　はっ！　はっ！　はっ！」

「よろしかったら、どうぞ」オリバーはこたえた。

「おまえは、チャーリー・ベイツと同じくらい楽に、ハンカチをつくりたいだろう。どうだね、おまえ？」ユダヤ人はたずねた。

「はあ、教えていただければ、とてもつくってみたいです」オリバーはこたえた。

ベイツは、このこたえになにかいうにいわれぬおかしさを感じて、もう一度、プッと吹きだした。そして、この笑いで飲んでいたコーヒーを喉《のど》につまらせ、彼は時ならぬ窒息死であやうく命を落としそうになった。

「ひどくしろうとくさいな！」息がつまったのがなおってから、みなにこの不作法のわびのしるしにと、チャーリーはいった。

ぺてん師はなにもいわず、オリバーの髪を目の上になでつけて、やがて彼だってもっと利口になるさ、と応じた。ここで老人は、オリバーの顔が赤らんできたのを見て、話題を変え、その朝おこなわれた死刑執行にたくさんの人出があったかどうか、をたずねた。これで、オリバーの狐につままれた気持ちは、ますますつのっていった。というのは、この二人の少年のこたえから、彼らが二人ともそこにいっていたことは明らかで、オリバーは、当然のことながら、二人がどうして、そうせっせと仕事をする時間をみつけられたのか、不思議に思ったからだった。

食事が片づけられたとき、陽気な老紳士と二人の少年は、じつに不思議な、めったにない遊びをしはじめたが、それはこうしたものだった。陽気な紳士は嗅《か》ぎタバコ入れを、ズボンのポケットの一方に、紙入れをべつのほうに入れ、留め鎖を首にまきつけた時計をチョッキのポケットに入れ、シャツにはにせダイヤのピンを刺し、上衣にはしっかりとボタンをかけ、眼鏡入れとハンカチをポケットにはさんで、老人たちがいつでも街路でやっているとおりに、部屋の中をあちらこちらと歩きだした。ときどき、彼は炉のところや戸のところに足をとめ、店先の飾り窓を熱心にのぞきこんでいるふりをした。このとき、彼はスリを心配して、たえずあたりを見まわし、なにも失くしていないかをたしかめようと、じつにおかしな、そっくりのうまいやりかたで、ポケットを順々にたたいたので、オリバーは、顔に涙が流れるほど笑いこけてしまった。このあいだ中、二人の少年はぴたりと彼のうしろにつき、老人がふりかえると、いとも素早く姿をかくし、それは目にもとまらぬ早業だった。最後にとうとう、ぺてん師が老人のかかとをふみ、偶然その靴にぶつかり、チャーリー・ベイツが背後からヨロヨロッと彼に倒れかかり、その一瞬のうちに、二人は驚くべき早業で老人の嗅ぎタバコ入れ、紙入れ、留め鎖、時計、シャツのピン、ハンカチ——眼鏡入れさえ、奪ってしまった。もし老人がそのポケットのどれかに手が入ったことに気づいたら、彼はそれがどこかを叫び、そうなると、この遊びはふりだしにもどるのだった。

この遊びが何回かくりかえされてから、二人の婦人が若い紳士たちに会いにやってきた。

一人はベッツィーといい、もう一人はナンシーという名の娘だった。二人はゆたかな髪をしていたが、それはうしろでたいしてきれいに結いあげられておらず、靴も靴下もだいぶ汚れていた。二人はそれほどきれいというわけではなかったが、顔にはかなり赤味がさし、丈夫で元気そうだった。その態度はとてもくだけて感じがよかったので、オリバーは、彼女たちをとても好ましい少女と考えた。そして、たしかに、実際そうだった。

この訪問者はしばらくゆっくりしていた。この若いご婦人のうちの一人が、ゾクゾク寒気がしてならない、といったので、酒が出され、話はとても楽しい、ためになるものになっていった。とうとう、チャーリーは、もうてくる時間だ、といいだした。これは外出することをあらわすフランス語じゃないか、とオリバーには思われた。というのも、その直後、ぺてん師とチャーリーと二人の若い婦人は、やさしい老ユダヤ人から親切にも小遣いをわたされ、連れだって外に出ていったからである。

「ほうれ、おまえ」フェイギンはいった。「これは楽しい生活だろうが、どうだい？　みんなは、昼間のあいだ、外出したんだぞ」

「もう仕事を終わったのですか？」オリバーはたずねた。

「そうだよ」ユダヤ人はこたえた。「外出中になにか仕事にゆきあたらなければな。それに当たれば、まちがいなく、彼らは放ってはおかないからね。彼らを手本にしたらいい、手本にな」自分の言葉に力を入れようと、暖炉の石炭シャベルをたたきながら、ユダヤ人はつづけた。「彼らの命じたことは、なんでもするんだぞ。そしてすべてのことで、彼らの注意をよく聞くんだ――特にぺてん師のはな。やつはえらい人間になるぞ、そして彼をよく見習えば、おまえだってえらい人間になれるんだ。――わしのハンカチはポケットから出ているかね、おまえ?」話を途中でやめて、ユダヤ人はたずねた。

「はい」オリバーはこたえた。

「わしが気がつかぬうちに、それをとれるかどうか、やってみろ、今朝遊びをやってたとき、みんながやってたようにな」

オリバーは、ぺてん師のやっていたとおり、片手でポケットの底をもちあげ、もう一方の手でそこから軽くハンカチを引きぬいてしまった。

「あれっ、なくなっちまったのかい?」ユダヤ人は叫んだ。

「ここにありますよ」ハンカチを手の中に示して、オリバーはこたえた。

「おまえは利口者《もん》だぞ」冗談好きの老紳士はいい、ほめるようにして、オリバーの頭をたたいた。「おまえほど抜け目のないやつはいないな。さあ、一シリングやろう。こんな調子で進んだら、おまえは当代いちばんの偉物《えらぶつ》になるぞ。さあ、ここに来な、どうしたらハンカチから頭文字をとるか、教えてやろう」

オリバーは、老紳士のポケットから冗談でものを抜きとることが、偉物になる見通しとどんな関係をもっているのか、不思議でならなかった。だが、自分よりずっと年配のユダヤ人はなんでもよく心得ているものと考えて、彼は静かに、老人のあとについてテーブルのところにゆき、新しい仕事の勉強に没頭した。

第十章

オリバーは新しい友だちと親しくなり大きな代償をはらって経験を積む――この物語では、短いがきわめて重要な一章

何日間もながいあいだ、オリバーはユダヤ人の部屋にいて、ハンカチの頭文字を抜きとり(ハンカチはたくさん家にもちこまれていた)、ときどき、すでに述べた遊びに加わったりしていた。この遊びは、毎朝規則正しく、二人の少年とユダヤ人がいつもやっていることだった。とうとう、オリバーは新鮮な空気がたまらなく欲しくなり、二人の仲間といっしょに外に仕事にでかけることを、何回か熱心にたのみこんだ。

オリバーは、老紳士の性格のもっているきびしい道徳的傾向を見るにつけ、なおいっそう仕事をしたい気持ちに追いたてられていた。ぺてん師やチャーリー・ベイツが手ぶらで夜もどってきたときにはいつも、彼はすごい剣幕で、なまけてグズグズしている習慣のもたらすみじめさについてながながと説教し、夕食も食べさせずに眠らせ、活動的な生活の必要を主張していた。あるときには、実際、彼は彼らを階段から突き落としさえもしたが、これは、その道徳的説教を極端にまで実行にうつした結果だった。

とうとう、ある朝、彼は熱心に志願していた許可を獲得した。二、三日間、仕事をしよ

うにもハンカチはなく、夕食も、たいそうみすぼらしいものになっていた。こうしたことが、おそらく、老紳士が承諾を与えた理由だったのだろう。だが、理由はともかく、彼はオリバーにいってもいいと伝え、彼をチャーリー・ベイツとその友ぺてん師の共同監視のもとにおいた。

三人の少年は外に飛びだし、ぺてん師はいつものとおり上衣の袖《そで》をたくしあげ、帽子をあみだにかぶり、ベイツはポケットに手を突っこんでブラブラと歩き、二人にはさまれたオリバーは、彼らがどこにゆくのだろう、どんな製造の仕事を最初に教わるのだろう、と考えていた。

彼らの歩きぶりは、じつにだらけた、ぶざまなそぞろ歩きで、オリバーはすぐに、彼らが仕事にはとりかからないで、老紳士をあざむいている、と考えはじめた。ぺてん師は悪《あく》どい癖の持ち主で、小さな少年の帽子をはぎとり、それを地下の勝手口に投げこみ、一方、チャーリー・ベイツは所有権に関して自由な概念を披露し、溝のそばにある店からりんごや玉ねぎをかっさらい、すごく大きなポケットに投げこみ、そのせいで服の恰好《かっこう》がどこもかしこもくずれている感じだった。こうしたことは、いかにもひどいこととオリバーの目にはうつったので、彼はなんとかして、自分だけ家に帰る、といおうとした。だが、そのとたん、ぺてん師の態度が妙に変わってきたので、彼の考えは、べつの方向に向けられることになった。

彼らはクラークンウェルの開けた広場からあまりへだたらないせまい小路――それは、いまでも、言葉の妙なひねくりで「牧草地」と呼ばれているのだが――から出ようとしていたが、そのとき、ぺてん師が突然、足をとめ、唇に手を当て、とても用心深く、仲間の連中をうしろにおしもどした。

「どうしたんだい！」オリバーはたずねた。

「しっ！」ぺてん師はこたえた。「本屋のとこにいる老いぼれ、見えるかい？」

「道の向こうにいる老紳士かい？」オリバーはたずねた。「ああ、見えるよ」

「やつならうまくいきそうだ」ぺてん師はいった。

「いいかもだ」チャーリー・ベイツは応じた。

オリバーは、ひどくびっくりして、仲間の顔をながめまわしたが、あれこれとたずねることは、許されなかった。二人の少年はそっと道路を横切って進み、彼の注意がそそがれている老紳士のうしろにピタリと忍びよったからである。オリバーは、彼らのあと数歩のところを歩き、進むも引くもならない状態で、だまったままびっくり仰天して、立ちつくして彼らを見守っていた。

相手の老人は、とてもしっかりとした感じの人物で、髪粉をふりつけ、金ぶち眼鏡をかけていた。彼は暗緑色の上衣姿で、黒いビロードのカラーを着け、白いズボンをはき、小脇にはハイカラな竹のステッキをかかえていた。彼は店の棚から一冊の本をとりだし、そこに立って、自分の書斎で自分の肘《ひじ》掛け椅子に座っているように、熱心にその本を読みふけっていた。実際、いかにも書斎にいると考えているようなようすだった。それというのも、彼が夢中になっている状態からみて、彼の目には本屋の店、街路、少年たち、簡単にいって、本以外のどんなものも目にはいらないふうで、ページの下のところまで読みとおすと、ページをめくり、つぎのページのてっぺんから読みはじめ、いかにも興味深そうな、熱心な物腰でそれを規則的にくりかえし、ドンドンと読み飛ばしていた。

数歩はなれたところに立ち、目をパッと大きく見開いて、ぺてん師がその紳士のポケットに手を突っこみ、そこからハンカチを抜きとるのを目にしたとき、彼がそれをチャーリー・ベイツにわたし、最後に二人が全速力で角をまがって逃げ去ってゆくのをながめたときの、オリバーの恐怖と驚きは、じつに大きなものだった!

一瞬のうちに、ハンカチ、時計、宝石、ユダヤ人に関する一切の秘密が少年の心に明らかになった。彼は一瞬、血を全血管の中にたぎらせて立ちつくし、それはまるで、自分が燃えている火の中にいるような感じだった。ついで、とまどい、おびえて、彼は逃げだし、自分のしていることもわからずに、ただ足をできるだけ早く動かして、そこを立ち去っていった。

これはすべて、一瞬のできごとだった。オリバーが逃げだしたちょうどその瞬間に、老紳士は手をポケットの上にのせ、ハンカチがないのに気がついて、さっとからだの向きを変えた。オリバーがすごい勢いで飛んでゆくのをながめて、彼はきわめて当然のことながら、オリバーを犯人ときめつけ、声をかぎりに「泥棒、待てっ！」と叫んで、手に本をかかえて、彼のあとを追いはじめた。

だが、追跡の叫びをあげたのは、この老紳士ばかりではなかった。ぺてん師とベイツは、大通りをふっ飛んでいってその人の注意をひきたくはなかったので、角をまがった最初の戸口のところにひそんでいた。紳士の叫びを耳にし、オリバーが逃げてゆくのをながめて、彼らは、事態がどうなっているかを正確に判断して、さっとそこから飛びだし、「泥棒、待てっ！」といっしょに叫んで、いかにも善良な市民らしく、追跡に加わった。

オリバーは、哲学者たちといっしょに育てられてはきたものの、身の安全が自然界の第一原則という美しい格言を理論的に心得ていなかった。もし彼がそれを知っていたら、彼はこの事態にたいする構えを固めたことだろう。しかし、それができていなかったので、彼はなおあわててしまい、まるでつむじ風のような勢いで逃げだし、一方、老紳士と二人の少年は、ワイワイとわめきながら、彼のあとを追いだした。

「泥棒、待てっ！　泥棒、待てっ！」この音色には魔力がひそんでいた。商人は勘定台を、荷馬車の御者は荷馬車を放りだしてしまった。肉屋は皿を、パン焼きは窯を、乳しぼりは桶《おけ》を、使い走りの少年は荷物を、学童はおはじきの石を、舗装工はつるはしを、子供はビー玉を、投げすててしまった。彼らはあわてふためき、向こうみずに、むきになり、悲鳴と歓声をあげ、街角をまがるときには通行人を打ち倒し、犬とにわとりをびっくりさせて飛んでゆき、街路、広場、小路はその物音で鳴りひびいた。

「泥棒、待てっ！　泥棒、待てっ！」この叫びに百人の声が唱和し、街角ごとに群集は増大していった。彼らは、泥をはねかし、舗道にそってワイワイとしゃべり立て、ふっ飛んでいった。窓は開かれ、人々はかけだし、群集はわっしょ、わっしょとおし進み、パンチの芝居を見ていた観衆は、筋のクライマックスのところでそれをすて、飛んでゆく群集に合流して、「泥棒、待てっ！　泥棒、待てっ！」の叫びをふくらませ、その怒号に新しい力をそえた。

「泥棒、待てっ！　泥棒、待てっ！」人間の心には、なにかを追いまわす本能が深く植えつけられている。一人の息せき切ったみじめな子供が、疲労で息をはずませ、顔と目に恐怖と苦悶《くもん》の色を浮かべ、顔からは大粒の汗をしたたらせて、追跡者からのがれようと、一生けんめいになっている。群集はそのあとを追い、刻一刻それに追いついてゆくと、子供の弱ってゆく脚力に前にもまして大きな歓声をあげ、喜びで、大きな叫びをあげる。「泥棒、待てっ！」そう、どうか彼をとめてやってくれ、ただ慈悲の点から考えても！

とうとう、とめられてしまった。あざやかな一撃だった！　彼は舗道に倒れ、群集はヒシヒシとそのまわりに集まった。新しくはせ参じたものは、彼を一目でも見ようとして、ほかの群集とつきあたり、あがいた。「わきによれ！」、「少しは息をさせてやれ！」、「バカな！　そんな必要はあるもんか！」、「問題の紳士はどこにいる？」、「ほーれ、通りをこっちにやってくるぞ」、「その紳士のために道をあけろ！」、「これが犯人の少年かね、えっ！」、「そうだとも！」

オリバーが泥とほこりまみれになり、口から血を流し、自分をとりかこむ顔・顔・顔を狂気のようにながめまわして倒れているとき、老紳士は、追跡の真っ先を切っていた連中におせっかいにもひきだされ、人垣の中におし入れられた。

「うん」紳士はいった。「どうやらあの少年らしいな」

「どうやらだって！」群集はつぶやいた。「いうじゃねえか！」

「かわいそうに！」紳士はいった。「負傷しているじゃないか」

「あっしがそれをやったんです、へえ」大きな、無骨な男が前に出てきていった。「やつの口をぶんなぐり、こっちの指の関節もひどくやられちまってね。やつをとっつかまえたのは、あっしですぜ」

この男は、その骨折りにたいしてなにがしかの報酬をもらおうと、ニヤリと笑って、帽子に手をやった。しかし老人は、この彼を嫌悪の表情でジロジロとながめ、自分が逃げだそうとしているように、あたりを心配そうにながめ、巡査が（巡査はこうした場面にはいつも最後にあらわれることになっているのだが）その瞬間に群集をかきわけて前に進んできて、オリバーの襟首をとらえなかったら、彼は実際に逃げ出そうとし、また追跡さわぎをひき起こしたかもしれなかった。

「おい、起きろ」巡査は荒々しくいった。

「ほんとうに、ぼくじゃないんです。ほんとうに、ほんとうに、それは、ほかの二人の子供なんです」オリバーは手をしっかりとにぎり合わせ、あたりを見まわしていった。「彼らはここのどこかにいるはずです」

「ああ、ちがう、いるもんか」と巡査はいった。彼はこの言葉を皮肉のつもりでいったのだったが、それは事実でもあった。ぺてん師とチャーリー・ベイツは、最初に来合わせた好都合な小路から逃げていってしまっていたからである。

「さあ、起きろ！」

「傷をつけないようにな」老紳士はやさしく命じた。

「ああ、傷なんかつけるもんですか」その証拠に彼のジャケットを背中からほとんど引き裂いて、巡査はこたえた。「おい、おまえのことは、こっちでも知ってるんだぞ。そんなことをいったってだめだ。この小僧の悪魔め、ちゃんと立たんか？」

ほとんど立てなくなっていたオリバーは、なんとかやっとのことで立ちあがり、襟首をつかまれて、グイグイと街路ぞいにひきたてられていった。紳士は、巡査のわきに立って、二人といっしょに歩き、この逮捕に参加した多くの群集は、その少し前を行進し、ときどきふりかえって、オリバーをにらみつけていた。少年たちは勝ちどきをあげ、一同はズンズンと進んでいった。

第十一章

治安判事ファング氏が主題、その裁判のわずかな一例を示す

この犯罪は、悪名高いロンドンの警察署の管轄《かんかつ》地区のほんの近くでおこなわれた。群集が味わった満足感は、ただ二、三の街路とマトン・ヒルという通りをオリバーと歩いただけで、そこをとおると、彼は低いアーチの道、汚い小路をぬけて、裏道から即決裁判執行所に連れてゆかれた。一同が道を折れてはいったのは、小さな舗装をした中庭で、ここで頰ひげをぼうぼうと生やし、手には鍵《かぎ》の束をもったたくましい男に出逢《であ》った。

「どうしたんだ?」無造作にこの男はたずねた。

「少年のハンカチ泥棒です」オリバーをつかまえていた巡査はこたえた。

「あなたが被害者ですかね?」鍵をもった男はたずねた。

「そうです」老紳士はこたえた。「だが、この少年が実際にハンカチをとったかどうか、はっきりとはいいきれんのです。わしは——わしは、どうかというと、この犯罪をあまりいいはりたくはないのです」

「こうなった以上、治安判事の前に出ていただかなければなりませんな」男はこたえた。

「判事閣下はいますぐお手すきになりますからな。おい、この小僧の悪党め！」

これは、この男がしゃべりながら開けた戸にオリバーが入れという合図で、その戸は石の監房に通じていた。ここで彼は身体検査を受け、なにも持ち物は発見されなかったので、彼はそこに閉じこめられた。

この監房は、その恰好《かっこう》と大きさの点で、地下勝手口の近くにある地下室にちょっと似ていたが、それほど明るいものではなかった。そこは、我慢ならないほど汚れていた。その日は月曜日で、ほかの場所で豚箱入りした六人の酔っぱらいが、土曜日の夜以来、そこの住人になっていたものだった。だが、この汚れは、べつにたいしたことではない。イギリスの警察署では、男女がほんのつまらぬ嫌疑――この言葉は注目に値する――で毎夜地下の牢獄《ろうごく》につながれているが、彼らが入る場所にくらべたら、裁判にかけられ、有罪と認められ、死刑の判決をくだされた兇悪《きょうあく》犯人の入っているニューゲイトの監獄だって宮殿ともいえるものなのだ。この言葉を疑うかたは、どなたでも、その両者をおくらべになってみるがいい。

鍵が錠の中できしんだとき、老紳士はオリバーと同じくらい憂鬱《ゆううつ》になっていた。彼は溜《た》め息をもらして、このさわぎの罪なき張本人となった本を読みはじめた。

「あの少年の顔には、なにか面影がある」考えこみ、本の表紙で頬をたたきながら、ゆっくりと歩きだしたとき、この老人は考えていた。「わしの心にふれ、わしの関心をそそるなにか面影がな。あの子は無罪なんじゃないか？　彼のようすはいかにも——ところで」急にこの老紳士は立ちどまり、ピョンと高く飛びあがって、いった。「あれ、あれっ！　あの顔と似た顔を、以前どこかで見かけたのかな？」

　数分間考えていたあとで、老紳士は、同じ考えこんだ顔つきをしながら、内庭につづいている裏の待合室にはいり、そこで隅に座りこんで、ながい年月のあいだに薄暗いカーテンが張られてしまったさまざまな顔・顔・顔を心の中で思い起こしていた。「心当たりはない」頭をふって、老紳士はつぶやいた。「きっと気のせいだろう」

　彼はまた歩きだした。彼はそうした顔・顔・顔を心に描いてみたが、それをながいことおおいかくしていた経帷子《きょうかたびら》をとりのぞくことは、容易ならないことだった。友人の顔、敵の顔、そうした顔の群れの中にすっと面《おもて》を出すほとんど見知らぬ人々の顔があった。いまは老女になってしまっている若い妙麗な娘の顔もあった。墓がその容姿を変えて土でおおいはしたものの、その目の輝き、晴れやかな微笑、土くれの仮面を通して見た魂の魅力、変わってはしまったものの、それはただ高揚されただけ、大地より召されて光として打ちたてられ、天国への道にやわらかでおだやかな光を投げることになった、墓を超越した美のささやきを思い起こして、墓の力よりたくましい心の力がまだ以前のみずみずしい美しさに装っている顔があった。

　だが、老紳士は、オリバーの顔形が多少なりとも似通っているどんな顔も思い起こすこあまり深く考えることができなかった。彼は思い出した回想に溜《た》め息をつき、幸いなことに、あまり深く考えこまない人だったので、その回想をかびくさい本のページの中に埋めてしまった。

彼は肩をふれられてハッとし、鍵をもった男から、裁判所に来るように、と求められた。

彼は急いで本を閉じ、有名な裁判官のファングがふんぞりかえっているところに連れてゆかれた。

その事務所は正面の客間で、壁には羽目板がはりつけられてあった。ファング氏は上座の手すりの背後に座っていた。そして、戸口のかたわらには一種の囲いといったものがあり、おそろしい情景にからだをワナワナとふるえさせながら、あわれな少年オリバーがすでに閉じこめられていた。

ファング氏は痩《や》せた、背中のひょろながい、首のがっしりした中年男で、頭の髪はたいしてなく、それは、頭の後ろと脇に生えていた。顔はいかつく、ひどく赤らんでいた。彼が健康によくないほどの飲酒癖にふけっているという事実がなかったら、彼は自分の顔にたいして名誉毀損《きそん》の罪で訴訟を起こし、そうとうな損害賠償金を獲得できたことだろう。

老紳士はうやうやしくお辞儀をし、治安判事の机のところに進んでいって、名刺をさしだしながら、その行動を話しぶりと一致させて、「これがわたしの住所氏名です」と述べた。それから彼は一、二歩しりぞき、もう一度紳士にふさわしい慇懃《いんぎん》なお辞儀をして、訊《じん》問《もん》を待っていた。

さて、ファング氏は、たまたまその瞬間、その朝の新聞の社説を読んでいたが、それは、最近彼がくだした判決に言及し、これで三百五十回目になるのだが、彼にたいして内務大臣の格別な注意を喚起しているものだった。彼は不機嫌で、怒ったしかめっ面をして、目をあげた。

「おまえはだれだ？」

老紳士はいささか驚いて、自分の名刺をさした。

「係り官！」軽蔑《けいべつ》しきった態度で新聞といっしょに名刺を投げやって、ファング氏はいった。「あの男はだれだ？」

「わたしの名は」紳士らしい態度を失わずに、老紳士はいった。「わたしの名はブラウンローです。裁判官の面をかぶって、れっきとした人間にいわれのない侮辱を加える治安判事のお名前をうけたまわりたい」こういって、ブラウンロー氏は裁判所をながめまわし、その返事をしてくれるだれか人をさがしているような態度を示した。

「係り官！」ファング氏は書類をかたわらに放りだしていった。「あの男はどんな罪で告発されたんだ？」

「閣下、彼は告発されたのではありません」係り官はこたえた。「閣下、彼はあの少年を告発しているのです」

判事閣下は実はよくわかっているのだった。しかし、それはおもしろいいやがらせ、しかも、安全ないやがらせだった。

「少年の告発に出頭したのか、えっ？」軽蔑しきった態度でブラウンロー氏を頭の先から爪先までジロジロとながめまわして、ファングはたずねた。「彼に宣誓させろ！」

「その宣誓をする前に、一言当方にいわせていただきたい」ブラウンロー氏はいった。「それは、実際に身をもってこうして体験しなかったら、当方は絶対に信じることができんことですが――」

「だまりたまえ！」ファング氏は高飛車に命じた。

「即刻だまりませんぞ！」老紳士は応じた。

「きみはおこがましい、生意気な男だ。さもなければ、ここから退場を命じますぞ！」ファング氏は叫んだ。

「なんということだ！」興奮して顔を赤らめながら、老紳士は叫んだ。

「この人物に宣誓をさせろ！」ファングは事務員に命じた。「もうこれ以上一言も聞きたくはない。彼に宣誓をさせろ」

ブラウンロー氏の怒りはひどくつのっていたが、怒りをつのらせれば少年の不利を招くだけ、と思いなおして、彼は自分の気持ちをなだめ、すぐに宣誓の要求に応じた。

「さて」ファングはいった、「少年を告発した罪はなんだ？　きみのいい分はどういうことなんだ？」

「わたしは本屋で立ち読みをしていて――」ブラウンロー氏は語りはじめた。

「だまりたまえ」ファング氏はいった。「警官！　警官はどこにいるんだ？　おい、その警官に宣誓させろ。さて、警官、これはどうしたことなんだ？」

巡査は、身分にふさわしい謙虚な態度で、オリバーを預かったいきさつ、その身体検査をしたこと、そこにはなにもなかったこと、それ以上なにも知らぬことを報告した。

「証人が何人かいたのか？」ファング氏はたずねた。

「閣下、だれもおりません」巡査はこたえた。

ファング氏はしばらくだまって座っていて、それから告発者のほうに向きなおり、すごく憤慨した態度でいった――

「きみは自分の告発事項がどういうものかを陳述するつもりか、その意志はないのか？　きみは宣誓したのだぞ。さて、きみがそこに立っていて、証言をこばんだら、わしはきみを裁判官侮辱の罪で処罰してやるぞ、いいか、……にかけ断じてそれをしてやるぞ」

なににかけ、だれにかけて断じてなのかは、だれにも見当がつかなかった。ちょうどその瞬間に、事務員と牢番《ろうばん》がひどく声高《こわだか》に咳《せき》をし、そのうえ、事務員が重い本を床に落とし、かくしてその言葉が――もちろん、偶然なのだが――聞こえなくなってしまったからである。

何回か邪魔をされ、くりかえし侮辱を加えられながら、ブラウンロー氏は自分の主張を述べ、とっさの驚きで、少年が逃げてゆくので、そのあとを追ったことを陳述し、少年がたとえ実際には泥棒ではないにせよ、それに関連ありと嫌疑をかけられるのだったら、治安判事は法の許すかぎり、この少年を寛大にあつかってやっていただきたいと要望した。

「少年はもう傷を受けています」最後に老紳士は述べた。「そして、心配なのですが」手すりのほうを見て、力をこめて彼はいいそえた。「ほんとうに心配なのですが、少年は病気なのではないでしょうか？」

「ああ、そうだ、たぶんな！」冷笑を浮かべて、ファング氏は応じた。「さあ、この小僧の浮浪者め、ここでは、いい加減なことをいってはならんぞ。そんなことをしても、だめなんだからな。おまえの名前は？」

オリバーはこたえようとしたが、舌が動かなかった。彼は真っ青になり、あたりの情景がグルグルと回転しているような感じだった。

「この強情な悪党め、おまえの名はなんというんだ？」ファング氏はたずねた。「係り官、やつの名はなんというんだ？」

これは、手すりのそばに立っていた縞《しま》のチョッキの無骨な男に問いかけた言葉だった。彼はオリバーのところにかがみこみ、その訊問をくりかえしたが、少年がその質問の意味をほんとうに理解していないことをさとり、その返事をしないことが治安判事をなお立腹させ、その判決の厳しさを増大させるものと思ったので、この男はいい加減な見当の返事をした。

「閣下、名前はトム・ホワイトだと申しております」親切な犯人捜査官（下層民ややくざ者と交際して、そこから犯罪人を検挙する役人）はこたえた。

「おお、やつは返事をしようとしないんだな、どうだ？」ファング氏はいった。「よし、よし。どこに住んでいるんだ？」

「閣下、住所不定です」ふたたびオリバーの返事を聞いたふりをして、係り官はこたえた。

「両親はいるのか？」ファング氏はたずねた。

「閣下、両親とは幼いとき死別したそうです」これは前回と同じ、当て推量のものだった。訊問のこの段階で、オリバーは頭をあげ、哀願的なまなざしであたりを見まわし、水を一杯飲みたい、と弱々しくつぶやいた。

「世迷い言をいってるぞ！」ファング氏はいった。「わたしをバカにしようとはするな」

「閣下、ほんとうに病気のようです」係り官は抗議した。

「わしのほうがよくわかってる。そんなことでごまかされはせんぞ」ファング氏はこたえた。

「係り官、その少年の世話をみてやってください」われ知らず両手をあげて、老紳士はいった。「倒れてしまうでしょう」

「係り官、そばへよるな」ファング氏は叫んだ。「倒れたけりゃ、勝手に倒れさせてやれ」

オリバーはこの親切な許可に応じて、ボーッと気が遠くなり、床に倒れた。事務所の連中は、たがいに顔を見合わせ、だれも動こうとはしなかった。

「芝居であることは、わかってるんだ」この言葉が反論の余地のない事実の証拠といったふうに、ファングは述べた。「そこに倒れたままにしとけ。それにすぐあきてしまうだろうからな」

「この事件をどうあつかおうというおつもりなのですか？」低い声で事務員はたずねた。

「即決裁判だ」ファング氏はこたえた。「三ヶ月の禁錮《きんこ》に処す――もちろん、重労働だ。退場！」

オリバーを退場させるために、扉が開かれ、二人の男が気絶した少年を監房に連れてゆこうとしたとき、きちんとはしているものの貧乏くさい、黒い服をまとった年配の男が、急いで裁判所に飛びこんできて、裁判長席に向かって進んでいった。

「待ってください、待ってください。その少年を連れていかないでください！　おねがいです、ちょっと待ってください！」この闖入者《ちんにゅうしゃ》は息をはずませて叫んだ。

こうした裁判所で長になっている悪鬼どもは、女王陛下の臣民、特に貧民階級の自由、名誉、人格、ほとんど生命にたいして即決的な、専横な権力を濫用《らんよう》し、こうした壁の中では、じつに奇妙ないかさまが日々おこなわれ、天使たちを涙で盲目にしているのだが、そうした不法行為は、日々の新聞を通じて以外には（当時は、事実上、知らされていなかった）、大衆に知らされてはいない。招かれざる客がこうして無礼なさわがしい態度で飛びこんできたとき、ファング氏は、したがって、少なからず憤慨した。

「これは何事だ？　この男は何者だ？　この男を追いだせ。閉会だ！」ファングは叫んだ。

「わたしはだまっておりませんぞ」その男は叫んだ。「追いだされはしませんぞ。わたしは事件をぜんぶ見ていたんです。わたしは問題の本屋です。宣誓させてください。だまってはおりませんぞ。ファングさん、あんたには聞いていただかなければなりません。それをこばんではならんのです」

この男のいうとおりだった。彼の態度は決然たるもの、事実は非常に重大で、もみ消しは困難だった。

「その男に宣誓させろ」ファング氏はいやな顔をしてうなった。「さあ、おい、おまえはなにをいいたいんだ？」

「以下のとおりです」この男はこたえた。「わたしは三人の少年――ほかの二人とここに捕われている少年のことですが――が、この紳士が本を読んでるとき、道の反対側をブラブラしてるのを見ました。スリはべつの少年によっておこなわれたんです。わたしは、それを、この目で見たんです。そして、この少年がびっくりし、茫然《ぼうぜん》としてるのも見ました」このときまでに少し息が楽になって、このりっぱな本屋は、もっと筋がとおるように、このスリの正確な詳細を語りだした。

「どうして、いままで、ここに姿をあらわさなかったんだ？」少し間をおいて、ファングはたずねた。

「店を見てくれる人がいなかったんです」男はこたえた。「手を貸してくれそうな人はみんな、追跡に参加しちまいました。五分前まで、だれにもたのみようはなかったんです。それから、道中ずーっとかけつづけてきました」

「告発人は本を読んでいたんだな、えっ？」もう一度間をおいてから、ファングはたずねた。

「はあ」男はこたえた。「いま手にもっているあの本です」

「おお、あの本だって、えっ？」ファングはいった。「支払いはすんでるのか？」

「いいえ、それはすんでません」ニヤリと笑って、男はこたえた。

「いや、いや、これは！　そのことはすっかり忘れていましたぞ！」ぼんやり者の老紳士は無邪気に叫んだ。

「あわれな少年を告発するには、まさにうってつけの人物だな！」人情味のあるところを見せようとおかしな努力をして、ファングはいった。「きみ、きみはじつにいかがわしい、恥ずべき事情のもとで、その本の所有権を獲得したものと、当方《もん》では考えますぞ。そして、その物件の所有者が告発を拒否するとは、きみは自身を幸福者と考えていいわけですぞ。これを教訓にするがいい。さもなくば、法律がきみを捕まえますぞ。少年は放免だ。退廷！」

「ちくしょう！」ながいことおし殺していた激しい怒りをほとばしらせて、老紳士は叫んだ。「ちくしょう、わしは――」

「退廷！」治安判事はいった。「係り官、いいか、退廷だぞ！」

その命令は実行され、憤慨したブラウンロー氏は片手に例の本をもち、片手に竹のステッキをにぎり、カンカンの激怒と挑戦状態で、その部屋から連れだされた。彼が内庭に着いたとき、彼の怒りはさっと消えた。少年オリバー・ツイストは舗装の上にあお向けに倒れ、シャツのボタンをはずされ、そのこめかみは水にひたされていた。彼の顔は真っ青で、寒気の痙攣《けいれん》がからだじゅうをふるわせていた。

「かわいそうに、かわいそうに！」彼の上にかがみこみながら、ブラウンロー氏はいった。「どうか、だれか、馬車を呼んでください。すぐに！」

馬車が呼びこまれ、オリバーはそっと片方の座席に寝かされ、老紳士は車に乗りこんで、べつの座席に座った。

「ご一緒しても？」本屋の主人はのぞきこんでたずねた。

「おっと、これは大変、さあ、どうぞ」ブラウンロー氏はすぐにいった。「きみのことを忘れていました。やれやれ！　わたしはこの不幸な本をまだもっている！　飛び乗ってください。かわいそうに！　一刻の猶予もならんのです」

本屋の主人は馬車に乗りこみ、馬車は走りだした。

第十二章

オリバーはいままでにない手厚い看護を受ける。そして話は陽気な老紳士とその若い弟子たちにもどる

馬車は、オリバーがはじめてぺてん師にともなわれてロンドンにはいった道を進んでいったが、イズリントンのエンジェル旅館のところでちがった道をとり、とうとうペントンヴィルの近くの静かな、ほの暗い街路でとまった。ここで時をうつさず寝台がととのえられ、そこへブラウンロー氏は預かった少年を注意深く、気持ちよく寝かしつけ、ここで、彼はかぎりない親切と心づかいで看護されることになった。

しかし、何日間ものあいだ、オリバーはその新しい友人たちの好意すべてに気がつかなかった。太陽は昇り沈み、ふたたび昇り沈み、その後何回となく、それはくりかえされたが、少年はその安らかでない状態のまま寝たっきりで、からだを干あがらせ疲れさせる熱のために、衰弱の度をましていった。生きたからだにおよぼすこの歩みのおそい熱の影響は、死体をついばむ虫の力より強いものだった。

衰弱し、痩《や》せおとろえ、青ざめた顔をして、ながい苦しい夢と思われた眠りから、彼は目をさました。床の中でぐったりとして身を起こし、ふるえる腕の上で頭をささえて、彼

は不安気にあたりを見まわした。

「これはどこの部屋なのです？　ぼくは、どこに連れてこられたのです？」オリバーはたずねた。「これは、ぼくの眠っていた部屋ではありません」

彼は、とてもフラフラし、弱っていたので、こうした言葉を力のぬけた声でいったのだったが、家の人はそれをすぐに聞きつけた。寝台の頭のところのカーテンは急いで開かれ、小ぎれいなさっぱりとした服装の、母親のようにやさしい老婦人が、そばの肘《ひじ》掛け椅子から立ちあがったからである。婦人はこの椅子に座って、針仕事をしていた。

「坊や、しっ」老婦人はおだやかにいった。「静かに、静かにしていなければいけませんよ。さもないと、また病気になってしまいますからね。そしてあなたの病気はとても重かったのよ、このうえないほどね、だめかと思うほどだったわ。いい子だから、横になってね！」こうした言葉をかけて、老婦人はとてもやさしくオリバーの頭を枕の上に横たえ、髪の毛を額からうしろになでつけて、とてもやさしく愛情をこめて彼の顔を見おろしたので、彼はその痩せてしなびた手で彼女の手を取って、自分の首にまきつけずにはいられないほどだった。

「まあ、まあ！」この老婦人は目に涙を浮かべていった。「なんという気持ちのいい坊やでしょう！　かわいい子だわ！　わたしのようにお母さんがそばに座り、この子をいま見ることができたら、その胸の中はどうでしょう！」

「たぶん、ぼくを見てくださっているでしょう」手を組み合わせて、オリバーはささやいた。「きっとぼくのそばに座っていたのですよ。座っているような感じがしたんだもの」

「それは熱のせいですよ、坊や」老婦人はやさしくいった。

「そうかもしれませんね」オリバーはこたえた。「天国は遠くにあって、そこでは人がとても幸福だから、あわれな少年の寝台のところになんか、とてもおりてきはしませんものね。でも、お母さんはぼくが病気だと知ったら、天国にいても、ぼくをあわれんでくれるでしょう。お母さん自身も、死ぬ前には、重い病気にかかっていたのですからね。でも、ぼくのことなんか、知らないかもしれません」ちょっとだまっていたあとで、オリバーはいいそえた。「ぼくが傷ついているのを見たら、お母さんは悲しむでしょう。そして、お母さんの顔は、ぼくがお母さんの夢を見るとき、いつも幸福そうで、とてもやさしいものでした」

老婦人はこれにたいしてなにもこたえなかったが、まず目をふき、それから、それと切っても切れぬ縁のあるもののように、掛け布団の上にあった眼鏡をふいて、オリバーのために冷たい飲み物をもってきて、それから、その頬を軽くたたいて、静かに寝ていなければいけませんよ、さもないと、また病気になってしまいますからね、と述べた。

そこで、オリバーはじっと横になっていたが、これはひとつには、この親切な老婦人のいうことはなんでもきこうとしていたためでもあり、またひとつには、じつをいうと、彼がいままでしゃべった言葉のために、すっかり疲れ果てていたためでもあった。彼はまもなくウトウトとした静かな眠りにおちいり、やがて、ろうそくの光によって、その眠りから目をさまされた。そのろうそくは、彼のほんのそばまでもってこられ、大きなカチカチいう金時計をもった紳士の姿を照らしだし、その紳士は彼の脈をはかり、少年の容態はずっとよくなったと話した。

「きみはとてもよくなったな、どうだい？」紳士はたずねた。

「ええ、ありがとうございます」オリバーはこたえた。

「うん、わしにはわかっているのだ」紳士はいった。「きみはお腹が空いているだろう、どうだい？」

「いいえ、空いてはいません」オリバーはこたえた。

「うん」紳士はいった。「そう、空いていないことは、わしにはわかってるんだ。ベドウィンさん、子供はお腹を空かしてはいませんぞ」心得顔をして、紳士はいった。

老婦人はうやうやしく頭をさげたが、彼女はこの医者をすごい賢人と思っているふうだった。医者自身も自分のことをそう考えているふうだった。

「きみは眠いんだろう、どうだい？」医者はたずねた。

「いいえ、眠くはありません」オリバーはこたえた。

「そう、眠くはないな」抜け目なく、いかにも満足げに医者はいった。「喉《のど》も渇いていないな、どうだい？」

「いいえ、とても喉が渇いているんです」オリバーはこたえた。

「ベドウィンさん、わしの思ってたこと、図星ですぞ」医者は応じた。「少年が喉を渇かすのは、当然なこと。少しお茶とバターをぬらないパンを与えてもいいですよ。彼を温めすぎてはいけませんぞ。だが、あまり寒くもしないように注意してください。いいですかね？」

老婦人はそれに応じて、お辞儀をした。医者は冷たい飲み物を飲み、まあこれならいいだろうといった態度を示して、あわただしく出てゆき、その靴は、彼が下におりてゆくとき、いかにも重々しそうな、金持ちを思わせるふうに、きしんでいた。

オリバーは、このあとまもなく、ウトウトしはじめ、ふたたび目をさましたときには、もう十二時近くになっていた。それからすぐ、老婦人はやさしく彼におやすみなさいをい い、そのときに来合わせた太ったお婆さんに彼を預けた。この女は、小さなつつみに小さな祈禱書《きとうしょ》と大きなナイトキャップを持参し、寝ずの番にきたのですよ、とオリバーに伝えてから、ナイトキャップをかぶり、祈禱書を机の上におき、自分の椅子を炉のところにひきよせ、ときどき前にコクリと倒れ、うめいたり息をつまらせたりしながら、短いうたたねをはじめたが、彼女は、そうした眠りの障害にあっても、ただ鼻をひどくこするだけ、それをすますと、また眠りこんでしまった。

こうして夜はゆっくりと進んでいった。オリバーは、しばらくのあいだ、目をさましていて、灯心《とうしん》の影が天井に投げる光の小さな円の数をかぞえ、壁紙の複雑な図柄のあとを、ものうげな目で追っていた。部屋の暗さと深い静けさは、いかにも重々しいものだった。これは、ここ何日間ものながい日夜、死の神がそこをさまよい、陰気なおそろしいその存在が今夜この部屋を満たしてしまうかもしれないことを、少年に思わせた。彼は、枕の上に顔をうつぶせにして、熱心に神へ祈りをささげた。

しだいに彼は、近頃の苦悩からの解放だけがもたらしてくれるあの深い静かな眠り、そこから目をさますことは苦痛ともいえるあの落ち着いたなごやかな眠りにさそわれていった。もしこの眠りが死だったら、そこから起こされて、生活の闘争とさわぎ、現在の悩み、将来の心配、それにもまして、過去のたまらなくつらい回想に目をさますことを、だれも望みはしないだろう!

オリバーが目をさましたときには、もう夜が明けてから何時間もたっていて、彼はとても気分がウキウキとし、さわやかだった。病気の峠はもう無事に越え、彼はこの世の一員になっていた。

三日たつと、彼はしっかりと枕を入れた安楽椅子に座れるようになった。まだ弱まっていて歩けなかったので、ベドウィン夫人は、彼女の部屋である家政婦の小部屋に、彼をだいておりてきた。そこで彼を炉のそばにおろしてから、この善良な夫人は腰をおろし、彼が元気になったのをとてもよろこんでいたので、すぐさまわっと泣きだした。

「坊や、わたしのことは気にかけないで」老婦人はいった。「おきまりのうれし泣きをしているんですからね。さあ、もう終わったでしょう。もう、わたしは元気よ」

「おばさん、ほんとうに、ほんとうにありがとう」オリバーはいった。

「ええ、坊や、そんなことは気にしなくともいいのよ」老婦人はいった。「それは、あなたのスープとはなんの関係もありませんからね。もうそれを飲む時間よ。先生は、ブラウンローさんがあなたに会いに、今朝お見えになるかもしれない、とおっしゃっておいでしたからね。それで、わたしたちもできるだけ、機嫌のいい顔をしていましょうね。元気そうにしていれば、それだけあのかたはおよろこびになるのだから」こういって、老婦人は小さなシチュー鍋《なべ》でボウル一杯のスープを温めはじめたが、それは、オリバーの目には、とてもこってりとした濃いもの、規定の濃さに薄めたら、どう低く見積もっても、救貧院で三百五十人分くらいになるほどだった。

「坊や、あなたは絵が好きなの？」オリバーの椅子の向かい側の壁にかけられた肖像画を彼が熱心にみつめているのに気づいて、老婦人はたずねた。

「さあ、ぜんぜんわかりません」絵から目をはなさずに、オリバーはこたえた。「絵は、いままでに、ほとんど見たことがないのです。あの婦人は、なんという美しい、おだやかな顔をしていることでしょう！」

「ああ！」老婦人はいった。「絵描きは、いつも、実物より美しく婦人を描くものですよ。そうしなけりゃ、お客さんが来てくれませんからね。そっくりの姿を生みだす機械を発明した人は、それが成功しないのを知っていたらよかったのにね。それはありのままになりすぎているんですものね、ありのままに」自分がうまくズバリといったことを陽気に笑って、老婦人はいった。

「あれ――あれは似顔絵なんですか？」オリバーはたずねた。

「ええ、そう」スープからちょっと目をあげて、老婦人はこたえた。「あれは肖像画なのよ」

「だれの肖像画です？」オリバーはたずねた。

「まあ、坊や、わたしも知らないの」上機嫌で、老婦人はこたえた。「それは肖像画でもね、坊やもわたしも知らない人のものなの。気に入ったらしいわね」

「とてもきれいですからね」オリバーはこたえた。

「まあ、あれがこわいのじゃないでしょうね？」少年が畏怖《いふ》の念に打たれてそれをながめている姿にひどくびっくりして、老婦人はたずねた。

「おお、そんなことはありません」急いでオリバーはこたえた。「でも、あの目はとても悲しそう、そして、ここにぼくが座っていると、それがぼくの上に釘《くぎ》づけになっているような感じです。心臓がドキドキしてしまいます」低い声で、オリバーはいいそえた。「まるで生きているようで、ぼくに話しかけたがっていながら、それができないようで」

「まあ！」ギクリとして、老婦人は叫んだ。「そんな話をしてはいけませんよ。坊や。あなたは病気のあとで、まだ衰弱して、神経質になっているのです。あなたの椅子を反対側に向けてあげましょう。そうすれば、見えないでしょうからね。さあ！」言葉どおりに動いて、老婦人はいった。「これで、とにかく、絵は見えないわね」

オリバーは、心の中で、まるで椅子の位置を変えなかったように、その絵を見ていた。だが、親切な老婦人を心配させてはいけないと思ったので、彼女が自分のほうをながめたとき、やさしく微笑んだ。ベドウィン夫人はこれでオリバーの気持ちが楽になったと思って、厳粛な料理にふさわしいあわただしさで、スープに塩をふり、焼きパンをひと切れ投げこんだ。オリバーは驚くほどの早さでこの食事を食べてしまった。最後の一さじを終えるとすぐ、扉に静かなノックの音が聞こえてきた。老婦人は「おはいりください」といい、ブラウンロー氏が部屋に足を踏み入れた。

さて、この老紳士はとても元気な足取りでここにはいってきたが、オリバーの姿をよく見ようと、眼鏡を額の上におしあげ、両手を化粧着のすそのうしろに突っこんだとき、その顔は、なんともいえない様々なふうに、ゆがんでしまった。オリバーは病後で痩《や》せ衰え、陰鬱《いんうつ》そうだったし、恩人にたいする感謝の念から、立ちあがろうとして、それができず、ふたたびぐったりと椅子に倒れてしまった。ここでもし真実を語るとすれば、ふつうの老人の六人分も同情心をたたえていたブラウンロー氏の心は打たれて、われわれの理論では説明がつかないほどの水圧で、ぐっと涙がその目にこみあげてきた。

「かわいそうに、かわいそうに！」咳払《せきばら》いをして、ブラウンロー氏はいった。「ベドウィンさん、わしの喉《のど》は、今朝、だいぶおかしいな。風邪をひいたのかな」

「そんなことはないと思いますが」ベドウィン夫人はいった。「お召し物はぜんぶ、よく乾かしてありますもの」

「さあ、わからん、わからんな、ベドウィン」ブラウンロー氏はこたえた。「昨日夕食のときのナプキンが湿っていたんだな。だが、かまわん。坊や、気分はどうかね？」

「とてもいいです」オリバーはこたえた。「それにご親切にたいしては、とても感謝しています」

「いい坊やだ」ブラウンロー氏はしっかりといい切った。「ベドウィン、なにか栄養のあるものを坊やにやったのかね？　なにかかゆを？」

「濃いスープ《ブロス》を鉢に一杯飲ませました」グッと身をそらせ、ブロスという言葉に力を入れて、スロップとよく混ぜたブロスとは大違いだということを示して、ベドウィン夫人はこたえた。

「うわっ、これは！」ちょっと身ぶるいして、ブラウンロー氏はいった。「ポートワインを二杯も飲ませたら、もっとよかったろうに。そうじゃないかね、トム・ホワイト、えっ？」

「ぼくの名はオリバーです」ひどくびっくりして、子供の病人はこたえた。

「オリバー」ブラウンロー氏はいった。「オリバーなんというのかい？　オリバー・ホワイトかね、えっ？」

「いえ、ツイストです——オリバー・ツイストです」

「妙な名だな！」老紳士はいった。「きみの名はホワイトだと治安判事にいっていたが、あれは、どういうわけなのだろう？」

「そんなことは絶対にいいませんでした」びっくりして、オリバーはいいかえした。

これはいかにもいい加減な言葉のようにひびいたので、老紳士はちょっときびしくオリバーの顔をみつめた。オリバーを疑おうとしても、それは不可能だった。その痩せた、とがった顔のどこにも、誠実さがあふれていたからである。

「なにかのまちがいだな」ブラウンロー氏はいった。しかし、オリバーの顔をジッと見すえるべき理由はもう消滅してしまっていたのだったが、彼の顔つきとだれか知っている人の顔が似ているという以前の考えが、ふたたび強く彼の心に浮かび、彼はそこから視線をはなすことができなくなっていた。

「ぼくのことを怒っておいでではないのですか？」目を哀願的にあげて、オリバーはたずねた。

見てごらん！」

「いや、いや」老紳士はこたえた。「あれっ！　これはどうだ？　ベドウィン、あの絵を見てごらん！」

こういいながら、彼は急いでオリバーの頭上の絵をさし、ついで、少年の顔をさした。それはまさに瓜《うり》ふたつだった。目、顔、口、すべての形が同じものだった。表情も、一瞬、じつに似かよい、どんな細かな線も、驚くほどの正確さで写しとられたように思えた。

オリバーには、この突然の叫びの原因がわからなかった。それが与えた驚きに堪えられるほどまだ丈夫にはなっていなかったので、彼は気絶してしまった。こうして彼の気が遠くなったことは、読者の不安を軽くし、例の陽気な老紳士の二人の若い弟子のことに話をもどし、彼らのことをここに書く機会を与えてくれることになる。

これはもう読者にお伝えずみのことだが、ブラウンロー氏の所持品をペテン師とその腕達者な仲間ベイツがかっぱらった結果、オリバー追跡の叫びがあがり、それに彼らが加わったとき、彼らを動かしたのは、いかにもふさわしく、称讃《しょうさん》すべき御身《おんみ》お大切といった動機であった。国民と個人の自由が真のイギリス人の第一の、もっともほこるべき自慢の種である以上、自己保存と身の安全の配慮のこのたくましい証拠は、深遠で判断力のしっかりとした一部哲学者が、自然界の行為と活動の主要な源泉としているささやかな掟《おきて》を確証することになる。同じく、この彼らのとった行動は、すべての公共の愛国的な人々の考えによれば、彼らの地位を高めることになることは、諸君に申しあげる必要もないであろう。

この哲学者たちは、賢明にも、自然という女性の行動を格言と理論に変え、その高い知識と理解力をほめたたえ、心の配慮と寛大な衝動や感情といったものは、一切考慮の外においている。こうした心の問題は、女性といっても、ひろく一般女性のもつ数多くのささやかな欠点からははるかに超然としていると世間では一般に考えられているこの女性、すなわち、自然が考慮すべきものではないとされているからである。

この危機一髪の窮地にあって、この若い二人の紳士のとった行動の純粋に哲学的性格の証拠をさらにもちだそうとすれば、それは、大衆の関心がオリバーの上に釘づけになっていたとき、この二人が追跡をやめ、その後すぐ最短の近道で家路についた事実（これも、もうこれまでに伝えたところだが）をすぐに指摘することができる。偉大な結論への道をちぢめるのが有名で学識のある賢人の常套《じょうとう》手段だと申すつもりはないが（彼ら一流のやりかたで、さまざまないいまわしや漫然とした態度によって、その距離をながくしようとしているのは、酔っ払いが頭中想念で一杯になってグズグズとしゃべりちらすのにだいぶ似ている）、それでもわたしは申しあげる、はっきりと申しあげる、強力な哲学者がその理論を実行にうつす場合、その才智を傾けて、自分の身に影響ありと思われるすべての万一の場合に備えるのが、彼らのいつものきまりきったやりかたなのだ。こうして、大きな正義をおこなうために、小さな悪をおかし、達成する目的が正当なものとなれば、どんな手段をとってもよいことになる。正義の量、悪事の量、その善悪の区別は、まったくそれに関係する哲学者の考えにゆだねられる。そこで彼自身の特定な場合についての彼の明晰《めいせき》で総合的、そして公平な見解によって、決定がくだされてしまうのだ。

この二人の少年が低い、暗いおおいのある道の下で思い切って立ちどまったのは、複雑なせまい迷路を大急ぎで疾走したあとのことだった。そこで口をきかずに立ちつくし、呼吸の乱れが回復してしゃべれるようになったとき、ベイツは興奮とよろこびの叫びを発し、抑えきれない笑いの発作におそわれて、身を入口の階段のところに投げ、いかにも愉快そうに、夢中になってころげまわった。

「どうしたんだい?」ぺてん師はたずねた。

「はっ! はっ! はっ!」チャーリー・ベイツはわめいた。

「静かにしろ」用心深くあたりを見まわして、ぺてん師は抗議した。「このバカ、つかまりたいんか?」

「笑わずにいられるかい」チャーリーはいった。「笑わずにいられるかい! やつがあそこから逃げだし、街角をまがり、あちらの柱、こちらの柱にぶつかり、自分が鉄でできてるようにまた突っ走り、このおれは、盗んだハンカチをポケットにおさめ、わーわーとやつのあとを追っかけるなんて——ああ、ほんとうにたまらないや!」ベイツのまざまざとした想像力は、彼には強すぎる色彩で、その情景をその心の中に展開した。最後に「たまらないや!」といったとき、彼はふたたび戸口の階段の上にころがり、前より大きな声を出して笑いはじめた。

「フェイギンはどういうかな?」ぺてん師は、相手の息が切れてしまった合い間を利用して、こう質問を発した。

「どういうかなだって?」チャーリー・ベイツは相手の言葉をくりかえした。

「ああ、どういうかな?」ぺてん師はいった。

「いや、なにをいうことがある?」笑うのを突然やめて、チャーリーはたずねた。ぺてん師の態度が印象的に深刻なものだったからである。「なにをいうことがあるんだい?」

ドーキンズ氏は、二分間ほど、口笛を吹いていた。それから帽子をぬぎ、頭をひっかき、三回うなずいた。

「どういうことなんだい?」チャーリーはたずねた。

「ピーックピー、ぺてんにいかさま、それにポリ公はまっぴらだ!」ぺてん師は、その利口そうな顔に冷笑を浮かべて、歌っていた。

これは説明らしかったが、よくわかるものではなかった。ベイツはそう感じた。そして「どういうことなんだい?」をふたたびくりかえした。

ぺてん師はなにもこたえず、帽子をふたたびかぶり、ながいしっぽのついた上衣のへりを腕の下にかかえこんで、舌で頬をふくらませ、いかにもなれなれしげな、しかも意味深なふうに五、六回鼻の頭を軽くたたいて、くるりと回れ右をし、小路をコソコソと歩いていった。ベイツは深刻な顔をして、そのあとにつづいた。

この会話のあと数分して、陽気な老紳士が右手には塩豚ソーセージと小さなパン切れを、左手にはポケットナイフをもち、五徳《ごとく》には白鑞《しろめ》の鍋をかけて炉に向かって座っているとき、きしる階段の上の足音が彼をハッとさせた。彼がふりむき、その濃い赤いまつ毛の下から鋭い視線を投げ、戸口のほうに耳を傾け、ジッと聞き入っているとき、その青い顔には悪党らしい微笑が浮かんでいた。

「いや、これはどうしたこった？」表情を変えて、ユダヤ人はつぶやいた。「二人だけかな？　三人目のやつは、どうしたんだ？　やっかいなことになったはずはあるまいな。ほれっ！」

足音が近づいてきた。それは踊り場のところまでやってきた。戸はゆっくりと開かれ、ぺてん師とチャーリー・ベイツがはいってきて、戸を閉めた。

第十三章

賢明な読者に新しい登場人物が紹介され、この人物に関して、この物語に関係のあるさまざまな愉快なことが語られる

「オリバーはどこにいる？」すごい剣幕で立ちあがって、ユダヤ人はいった。「あの少年はどこにいる？」

若い盗人たちは、その剣幕におびえたように、この説教者のほうをながめ、不安そうにたがいに顔を見合わせた。だが、二人はなんの返事もしなかった。

「あの少年はどうなったんだ？」ぺてん師の襟首をとらえ、おそろしいのろいで彼をおびやかして、ユダヤ人はたずねた。「さあ、いえ。いわんと、首をしめちまうぞ」

フェイギン氏はすごくむきになっているふうだったので、いつも安全策をとり、首をしめつけられる順番が今度は自分にまわってくるものと十分に見越したチャーリー・ベイツは、がっくりとひざまずき、高い、調子のゆるまない、継続的ななり声――気のくるった牡牛と拡声器の中間のような声をはりあげた。

「話さんのか？」はげしい勢いでぺてん師をゆすって、ユダヤ人はどなったが、その勢いで、ぺてん師の上衣が脱げてしまわなかったことは、まさに奇蹟《きせき》ともいえることだった。

「いやあ、やつがポリ公にとっつかまっただけのことさ」ぺてん師は、むっとしてこたえた。「さあ、放してくれ、えっ！」こういって、ぺてん師はひとふりからだをふり、上衣をユダヤ人の手にのこしたまま、大きな上衣からすっぽりと抜けだし、パンの焼きフォークをさっと手にして、陽気な老紳士のチョッキに一突きをくれた。もしこのねらいがくるわなかったら、彼はもうとりかえしのつかないほど、陽気な血を流しだしたことであろう。

ユダヤ人は、一見こうした老いぼれの老人には期待できないほどの素早さで、さっと身をひき、鍋《なべ》をとりあげて、襲撃者の頭にそれを投げつけようとした、しかし、チャーリー・ベイツは、この瞬間に、すごいうなり声をあげて、ユダヤ人の注意をそちらにひきつけたので、老紳士は投げる方向を変え、それをまともにこの若い紳士のところに投げつけた。

「えっ、なにを、いったい全体、さわいでやがるんだ！」太い声がうなった。「これをおれに投げたやつはだれだ？　おれに投げつけたものが鍋じゃなくって、ビールだったのは、もっけの幸い。さもなけりゃ、だれかがやっつけられてしまったはずだぞ。極悪非道の、金持ちの、強欲な、がなりたてるユダヤ人の老いぼれじゃなかったら、だれだって水以外のものは投げられねえはずだ。水だって投げられはしねえや、毎期の勘定日に水道会社に支払いをしなけりゃな。フェイギン、こいつはどうしたことなんだ？　ひでえこった、おれの首に巻いたハンカチは、ビールでグショグショになっちまったぜ！　このこそ泥の虫けら野郎、こっちへはいってこい。なんで外でモサモサしてやがるんだ、まるで自分の主人を恥かきの種だといってるように？　こっちへはいってこい！」

こうした言葉をうなった男は、がっちりとした三十五がらみの男、黒いビロードの上衣、とても汚れた褐色の半ズボンを着こみ、編上げの半長靴と灰色の靴下をはいた男だった。その靴下は大きな、ふくらんだふくらはぎのある太い足で、足かせの飾りでもないといささか物足りない感じのする恰好《かっこう》だった。彼は頭に茶色の帽子をかぶり、首のまわりには、汚いハンカチを巻きつけていた。このハンカチの長いほぐれた端で、彼は話しながら、ビールを顔からぬぐいとった。彼がそれをすませたとき、そこにあらわれたのは、三日もそっていないひげとおそろしい目のついただだっぴろい、陰鬱《いんうつ》な顔だった。そして一方の目には、最近一撃をくったことをあらわす、さまざまな色に変化した証拠が浮かんでいた。

「こら、はいらんのか？」この愛嬌のある悪党はうなった。

顔を何ヶ所もひっかかれている毛深い白い犬が、コソコソと部屋の中にはいってきた。

「どうして、前にはいってこなかったんだ？」この男はいった。「おめえは鼻が高くなって、人さまの前でおれを主人とはいえねえのか、どうだ？　寝てろ！」

この命令は一蹴《ひとけ》りを加えてくだされ、犬は部屋の向こう側に飛んでいった。だが、彼はこの扱いにとても馴《な》れているようだった。彼はキャンともいわず、そのまま静かにからだを巻き、一分間に二十回もその汚い目をしょぼつかせて、その部屋のようすを見ているふうだった。

「おまえさん、なにをしようってんだい？　この貪欲な、欲深な、因業《いんごう》な盗品販売の老いぼれ野郎め、子供を虐待しやがって？」ゆっくりと腰をおろして、この男はいった。「よくもやつらにてめえは殺されねえもんだな！　おれがやつらだったら、きっとやるぜ。おれがおめえの弟子だったら、とっくのむかしにそいつをやらかしてらあな。そして――いや、てめえときたら、醜悪の標本にしてガラスのびんにとっとく以外に、なんの効能もねえやつなんだからな。だが、そいつを入れるだけのびんは、きっとねえこったろうよ」

「しっ！　しっ！　サイクスさん」ユダヤ人はからだをふるわせながらいった。「そんなに大声を出すもんじゃないよ」

「さんづけはまっぴらだぜ」悪党はこたえた。「さんづけになるときにゃ、きっと胸に一物《いちもつ》があるときまってんだからな。おめえ、おれの名を知ってるじゃねえか。そいつでたのむぜ！　いざといやあ、その名に恥はかかせねえんだからな」

「うん、うん、わかった、そんなら――ビル・サイクス」いやにへいこらして、ユダヤ人はいった。「ビル、おまえはご機嫌斜めのようだな」

「らしいな」サイクスはこたえた。「おめえだって、だいぶ機嫌がわるかったんじゃねえか、白鑞《しろめ》の鍋を放り投げて、おしゃべりしてるときと同じに悪気がないというんならべつだがな――」

「おまえ、頭がおかしいんじゃないか？」この男の袖《そで》をとらえ、少年たちをさして、ユダヤ人はいった。

サイクス氏は左の耳の下で首をしばられ、右肩に頭をがっくりさせる恰好をまねるだけでここをすませたが、この無言の仕種《しぐさ》の意味を、ユダヤ人は十分に理解しているようだった。彼はそれから隠語で（彼の会話は一面にそれでいろどられ、ここでそれを伝えても、読者にはまったくわからなくなってしまうだろう）酒を要求した。

「それに毒を盛ることだけは、お断りだぜ」帽子をテーブルの上に載せて、サイクス氏はいった。

これは冗談でいったことだが、戸棚のほうに向いたとき、ユダヤ人が青ざめた唇を噛《か》んで浮かべた兇悪《きょうあく》な横目づかいをサイクスがながめることができたら、彼は、この注意がかならずしも不必要なものではなく、酒に巧妙な工夫を凝らそうとする（少なくとも）意志が、この老紳士の陽気な心にめばえかねなかったのを悟ったことだったろう。

二、三杯酒をあおったあとで、サイクス氏はようやく若い紳士たちのことに気づきはじめ、その情け深い行為はそこに会話をひき起こすことになったが、その会話で、オリバーが警察の手にとらわれたいきさつが、ぺてん師がその場でもっとも適当と考えた手心に真相が加えられて、詳細に語られた。

「心配なんだよ」ユダヤ人はいった。「やつがこっちにまずいことをしゃべりはせんかと

「そいつは、いかにもありそうなこったな」意地の悪い笑いを浮かべて、サイクスはやりかえした。「フェイギン、おめえはすっぱ抜かれちまうぞ」

「それにねえ、心配なんだよ」話を切られたことに気づかない語りかたで、相手をジッと見ながら、ユダヤ人はいいそえた——「心配だよ、こちらにことがまずくなったら、その被害を受けるやつはもっと出るだろうし、このわしより、おまえさんにもっとまずいことになりはせんかとね」

男はギクリとし、ユダヤ人のほうにふり向いた。だが、老紳士は耳のところまで肩をすくめ、その目は、うつろに向こう側の壁をみつめているだけだった。

ながい沈黙がつづいた。このりっぱな一座の全員がそれぞれ瞑想《めいそう》にふけっている感じだった。犬もその例外ではなく、なにか意地悪げに舌なめずりをして、外に出たとき最初に出逢《であ》った紳士なり淑女なりの足にどう飛びかかろうか、と考えこんでいるようすだった。

「警察《さつ》でどんなことが起こったか、だれかが調べにゃならんな」いままでにないほどグッと声を低くして、サイクス氏がいった。

ユダヤ人は、そうだといったふうに、うなずいた。

「やつが放りこまれても、泥をはかなかったら、出てくるまで、べつに心配はねえわけだ」サイクス氏はいった。「それから、こっちで、やつの世話は見てやるさ。とにかく、やつはおさえておかにゃならん」

ふたたびユダヤ人はうなずいた。

こうした行動方針が慎重なものであることは、たしかだった。だが、不幸なことに、それを実行するのに、ひとつの重大な障害があった。それは、ぺてん師、チャーリー・ベイツ、フェイギン、ウィリアム・サイクス氏らは、いずれもそろって、どんな口実にせよ、警察の近くにゆくことには激しい、根強い反感をもっていたということだった。

かならずしも愉快なものとはいえない不安定な状態で、どれほど彼らが、たがいに顔を見合わせて、座っていたかは、想像もつかない。しかし、この問題をあれこれと推測する必要はない。そこへ、以前オリバーが見かけた二人の若いご婦人が、この会話を新規まきなおしのものにしたからである。

「ちょうどいい！」ユダヤ人はいった。「ベッツィーがいってくれるよ。ねえ、おい、いってくれるだろう？」

「どこへ？」若い婦人はたずねた。

「ちょっと警察《さつ》までさ」ご機嫌をとりながら、ユダヤ人はいった。

これはこの若いご婦人にたいして当然はらうべきこととして申しあげなければならないが、彼女はズバリと、いきたくはない、といったわけではなく、いくなんてとんでもない、と強くしっかりと述べただけのこと、それは、この申し出にたいして慇懃《いんぎん》丁重なるいい逃れをしたわけで、このことは、仲間の者の要求を直接あからさまに拒否するに忍びないという生まれつきの育ちのよさを物語っているものだった。

ユダヤ人はがっくりした。このご婦人は赤いガウン、緑の編上げブーツ、黄色の毛巻き紙をつけて、豪華なことはいうまでもなく、なかなか陽気な装いをしていたが、ユダヤ人は、この彼女からもう一人の女性のほうに向きなおった。

「ナンシー」機嫌をとりながら、ユダヤ人はいった。「きみの意見はどうだね？」

「だめよ、フェイギン、そんなこと、したって、意味ないわ」ナンシーはこたえた。

「というのは、どういうことなんだ？」むっとして目をあげ、サイクス氏はいった。

「あたしのいったとおりのことだけよ、ビル」平然としてこの婦人はこたえた。

「いや、おめえがこの仕事にはうってつけなんだ」サイクス氏は説きつけた。「この辺ではだれも、おめえのことを知ってないからな」

「知ってもらいたくもないわ」前と同様、落ち着きはらった態度で、ナンシーはこたえた。

「ビル、あたしはね、承知するより、いやだといいたいとこね」

「フェイギン、ナンシーはいくよ」サイクスはいった。

「いいえ、フェイギン、ナンシーはいきません」ナンシーはいった。

「いや、いくとも、フェイギン」サイクスはいった。

そして、サイクスのいったとおりだった。脅迫したり、約束したり、金をやるとつぎからつぎへと責めたてられて、問題の婦人は最後に説きふせられ、その仕事を引き受けることになった。実際、彼女は、彼女の親しい友ベッツィーと同じ理由で、それをこばむ筋はなかった。遠くにある上品な郊外のラトクリフ地区から最近このフィールド小路の近くにうつってきたので、ベッツィーのように、友だちからそれと認められる心配はなかったからである。

そこで、ガウンの上にきれいな白いエプロンをまとい、巻き毛紙をわら帽子の下にたくしあげて――この二つの品物はユダヤ人の限りない所蔵品のなかから支給されたのだったが――ナンシー嬢はこの用件で出かけようとしていた。

「ちょっとお待ち」ふたのついた小さな籠《かご》を示して、ユダヤ人はいった。「これを片手にもっていきな。そのほうが立派に見えるからな」

「フェイギン、残りの手にもつ戸口の鍵《かぎ》をわたしてやれ」サイクスはいった。「それでまことしやかになるからな」

「うん、うん、そうだよ」この婦人の右手の人さし指に街路の戸の大きな鍵をかけてやって、ユダヤ人はいった。「さあ、これでうまく似合うぞ！　まったく、よく似合うな！」手をこすりながら、ユダヤ人は言葉をそえた。

「ああ、あたしの弟！　あたしのかわいそうな、かわいい、無邪気な弟！」わっと泣きだし、悲嘆のあまり小さな籠と鍵をひきねじって、ナンシーは叫んだ。「弟はどうなったたんでしょう！　どこに連れていかれたんです！　ああ、わたしをあわれに思い、みなさん、あのかわいい坊やがどうなったかを教えてください。おねがいします、みなさん、おねがいします！」

いかにも物悲しげな調子でこの言葉を語り、みなをひどく楽しませて、ナンシー嬢はちょっと立ちどまり、みんなにウィンクし、ニコニコと一同にうなずいて、姿を消した。

「ああ、あれは利口な娘だよ」若い友人たちのほうに向き、いま見た立派なお手本を見習えといわんばかりに頭を重々しくふって、ユダヤ人はいった。

「やつは女の鑑《かがみ》だな」コップに酒をつぎ、大きな拳《こぶし》でテーブルをドンとたたいて、サイクス氏はいった。「さあ、彼女の健康を祝い、みんなが彼女にならうように祈って、乾杯だ！」

このすぐれたナンシーにたいして、こうした称讃《しょうさん》、それ以上の礼讃《らいさん》がくりかえされているあいだに、その若い婦人は大急ぎで警察署に向けて足を運んでいた。街路を友もなくただ一人で歩いていったために多少ビクビクはしていたものの、彼女は、その後まもなく、無事に警察署に到着した。

裏道に進んでいって、彼女は、監房の戸をひとつ、鍵で静かにたたき、耳を澄ませた。部屋の中では、なんの音もしなかった。そこで彼女は咳《せき》ばらいをし、ふたたび耳を澄ませた。でも、なんの返事もなかった。そこで彼女はしゃべりはじめた。

「ノリー、いること？」やさしい声でナンシーはささやいた。「ノリー？」

その中にはみすぼらしい、靴をはいていない犯罪人のほかにはだれもいなかった。彼は、笛を吹いたために勾留《こうりゅう》され、社会にたいする罪がはっきりと証明されたので、ファング氏によって一ヶ月間の折檻院入りを命じられ、笛についやす呼吸力があるくらいなら、それを楽器よりもっと有益に踏み車に使ったほうがよいという、適切で興味深い判決を受けたのだった。州で利用するために没収されてしまった笛の損失を心底嘆いていたので、彼はなんの返事もしなかった。そこでナンシーはつぎの監房にうつってゆき、そこでまた、ノックをした。

「なんだね？」かすかな、弱々しい声が叫んだ。

「そこにまだ小さな少年がいますか？」泣きだしそうな声でナンシーはたずねた。

「いいや」その声はこたえた。「とんでもない！」

これは六十五歳の浮浪者、笛を吹かないことで、すなわち、街路で乞食をして、生計のためになにも努力をしていないことで、監獄送りになりそうになっている男だった。つぎの監房には、許可なしで錫《すず》のシチュー鍋を売り歩き、税務署にはおかまいなしに生計を立てていた罪で、同じ監獄に送られる予定のべつの男がいた。

だが、こうした男たちはオリバーの名を呼ばれても、それにこたえず、彼のことについてはなにも知っていなかったので、ナンシーはすぐ縞《しま》のチョッキを着た無愛想な職員のところにゆき、じつにあわれな嘆き声をあげ、戸の鍵と小さな籠を手早くたくみに操作して、そのあわれさをつのらせ、自分のなつかしい弟をかえしてくれ、と要求した。

「あいつは、ここにはいないよ」その老人はこたえた。

「あの子はどこにいるの？」狂乱状態になって、ナンシーは金切り声をあげた。

「うん、あの紳士が連れてったよ」役人はこたえた。

「紳士って、どの紳士？　ああ、おねがい！　どの紳士なの？」ナンシーは叫んだ。

このとりとめもない質問にこたえて、老人は深く動揺しているこの姉に、オリバーは警察署で病気になり、盗みはべつの勾留されていない少年によっておこなわれたことが証人によって証明された結果、放免され、告発人が意識を失ったその少年を自身の家に連れ去ったこと、その家に関してこの職員の知っていることは、馬車の御者に与えた言葉を耳にしたところでは、それがペントンヴィルのどこかにある家だ、ということを伝えた。

疑惑と不安のおそろしい状態につつまれて、この苦しみもだえる若い婦人は門のところまでよろめいて歩いてゆき、それから、フラフラした足取りをしっかりとした早い駆け足にかえて、このうえなく曲がりくねった複雑な道をぬって走りぬけ、ユダヤ人の家に到着した。

ビル・サイクス氏はこの探検報告の話を聞くとすぐ、急いで白犬を呼び、帽子をかぶって、一座の連中に別れの挨拶《あいさつ》もしないで、さっさとそこを飛びだした。

「やつがどこにいるかを調べにゃならん。そう、それを発見しなきゃならん」ユダヤ人はひどく興奮して叫んだ。「チャーリー、町を歩きまわって、やつの情報をなにかききだしてこい！　ナンシー、やつを見つけださにゃならんのだ。万事は、おまえとぺてん師にたのまなけりゃならん！　待て、待てっ！」ふるえる手で引きだしの錠をはずして、ユダヤ人はいいそえた。「ここに金がある。今晩、この店は閉めちまうからな。わしがどこにいるか、いずれ知らすことにする！　ここには一刻もグズグズしてるな。一刻もいかんぞ、えっ！」

こういって、彼はみなを部屋から追いだし、彼らが出たあとで、用心深く戸に二重の錠をかけ、栈をはめて、隠し場所から、彼がうっかりオリバーに示してしまった例の箱を引っぱりだした。それから彼は急いで時計や宝石を服の下にしまいはじめた。

これをしている最中、彼は戸をたたく音でギクリとした。「だれだね？」甲高い声で彼は叫んだ。

「おれだよ！」鍵の穴をとおしてぺてん師の声がこたえた。

「なんだ、いまごろ？」イライラしてユダヤ人は叫んだ。

「ナンシーが、オリバーをどこかほかの場所にさらってくのかっていってましたがね？」ぺてん師はたずねた。

「そうだ」ユダヤ人はこたえた。「彼女がどこでやつをつかまえてもな。やつをみつけろ、

みつけろ、みつけりゃいいんだ！　つぎにどうするかは、わしが考える。そんなことは心配せんでもいい」

少年はわかったという返事をつぶやき、仲間のあとを追って、あわただしく階段をおりていった。

「いままでのところ、あの少年は密告をしていない」ユダヤ人は自分の仕事をつづけながらいった。「新しい友だちにやつがわれわれのことをしゃべるつもりなら、その口をつぐませる手段もあるんだぞ」

第十四章

ブラウンロー家におけるオリバーの生活の詳細、ならびに、彼が使いに出たとき、グリムウィグ氏なる人物が彼について語った予言について

ブラウンロー氏の唐突な叫び声を聞いて発作的に気絶していたオリバーはまもなく回復したが、例の絵の話は、この老紳士とベドウィン夫人の二人によって、つぎに起きた会話からは用心深くとりのぞかれていた。その話は、実際、オリバーの過去や将来の見通しに関するものではなく、彼を興奮させずにただ楽しませる話題にかぎられていた。彼の体力はまだ弱っていて、朝食のときには起きあがれなかった。が、つぎの朝、家政婦の部屋におりていったとき、彼はまず最初に、そこに美しい婦人の顔を見られるものと思って、壁を熱心に見あげたのだった。しかし、その期待は裏切られた。絵はとりはずされていたからである。

「ああ！」オリバーの目の方向に気づいて、家政婦はいった。「あれははずしてしまいましたよ」

「ええ、わかっています」オリバーはこたえた。「どうして、はずしてしまったの？」

「あなたの気をいらだたせるようだから、とブラウンローさんがおっしゃったので、とり

はずしてしまったのです。あれは、あなたが元気になるのに邪魔物になるかもしれませんからね」老婦人は応じた。

「いいえ、そんなことはありません。ぼくの気をいらだたせはしませんよ」オリバーはいった。「ぼくは、あれを見るのが好きなんです。あれが大好きなんです」

「えーえ、えーえ！」上機嫌に老婦人はいった。「早く、早く元気におなりなさい。そうしたら、それをまたかけてあげますよ、さあ、そのことはお約束しますよ！　さあ、なにかほかの話をしましょう」

以上が、そのときオリバーが例の絵について得た情報のすべてだった。老婦人は彼の病気中とても親切にしてくれていたので、そのときさしあたって、このことはもう思うまいと彼は考えた。そこで、この老婦人が語ってくれた多くの話、やさしく美しい男と縁組みし、いまはいなかに住んでいるやさしく美しい彼女の娘の話、西インド諸島の商社につとめ、これもまた善良で、年に四回やさしい手紙を彼女に送り、その手紙のことを話しただけでもう涙が出てくる彼女の息子の話に、彼は注意深く耳を傾けた。老婦人が息子と娘、それに、二十六年前に悲しくも死んでしまった自分のやさしい善良な夫の美点をながながと述べたて終わったとき、もうお茶の時間になっていた。お茶のあとで、彼女はオリバーにトランプのクリベッジゲームを教えはじめたが、彼はすぐにその要領をおぼえた。その遊びは、とてもおもしろく熱心につづけられ、やがて時刻は少年が温めたワインを焼きパンといっしょに食べ、それから安らかな気分で床にはいる時間になった。

オリバーの回復期は、幸福な時期だった。すべてのものはとても静かで、きちんとし、秩序立っていて、すべての人はとても親切でやさしく、彼がそれまで暮らしていた物音と騒がしさのあとでは、まるで天国そのものといった感じだった。彼が着物を着られるくらい丈夫になるとすぐ、ブラウンロー氏は新しい服一揃い、新しい帽子、新しい靴を彼に与えた。オリバーは、古い服は自分の好きなようにしてよいといわれたので、とても親切にしてくれた下女にそれを与え、ユダヤ人に売って、そのお金を自分でとっておくように、と伝えた。彼女はすぐこの処分をおこなった。オリバーが客間の窓から外を見て、ユダヤ人がそれを巻いて袋に納め、家を出てゆくのをながめたとき、その服が無事に消えてしまったこと、それを二度と着る可能性がないことを思って、彼はとてもうれしくなった。その服は、実際、ひどいぼろ服で、オリバーはそのときまで、新しい服を着たことがなかったのだった。

絵の事件があってから一週間ほどたったある日の夕方、彼がベドウィン夫人と話をしていたとき、階下のブラウンロー氏から伝言があり、もしオリバー・ツイストの気分がよかったら、自分の書斎でオリバーと会い、少し話をしたいと伝えてきた。

「まあ、まあ、大変！　手をお洗いなさい。髪はわたしがきれいにわけてあげますよ」ベドウィン夫人はいった。「まあ、ほんとうに！　このことが前からわかってたら、服にきれいな襟をつけて、あなたをとてもきれいにしてあげられたのにね！」

オリバーは老婦人の命じたとおりにした。そして、彼女は、そのあいだ中、シャツの襟のひだをきちんとする時間がないことをひどく嘆いていたが、この重大な飾りが欠けていたにもかかわらず、彼はいかにもきちんと美しく見え、彼女は、いかにも満足したようすで、彼を頭の上から爪先までながめまわし、どんなに前からこのことを知らされていても、彼をこれ以上にもっと美しく見せることは不可能だろう、といった。

こう元気づけられて、オリバーは書斎の扉をトントンとたたいた。ブラウンロー氏からはいるようにと声をかけられてから、彼は自分が美しい庭を見おろしている窓のついた、本のいっぱいある小さな裏の部屋にいることがわかった。窓のところには引きよせたテーブルがあり、ブラウンロー氏は、そこで本を読みながら座っていた。オリバーの姿を見ると、彼は本をおしのけ、テーブルの近くにきて座るように、と彼に伝えた。オリバーはいわれたとおりにしたが、心の中では、世界をもっと賢明にするために書かれたと思われるこんなにたくさんの本を読む人がどこにいるのだろう、と考えていた。この驚きは、オリバー・ツイストよりもっと経験をつんだ人にとっても、その生涯を通じて毎日の驚きなのではあるが……。

「坊や、ずいぶんたくさん本があるだろう？」床から天井に達する本棚をオリバーが好奇心を燃やしてジロジロとながめているのを見て、ブラウンロー氏はいった。

「すごくたくさんありますね」オリバーはこたえた。「こんなにたくさんの本、見たこともありません」

「お行儀をよくしたら読ませてあげるよ」老紳士はやさしくいった。「そうすれば、見ているだけよりもっと好きになるはずだよ――といっても、場合によってはね。背と表紙が中味よりずっとりっぱな本もあるけれどね」

「その背と表紙の美しい本というのは、あそこにならんでいるずっしりとした本なのですね」背に金の飾りがたくさんついている大きな何冊かの四折判をさして、オリバーはいった。

「かならずしも、そうとはかぎらんね」オリバーの頭を軽くたたき、そうしながら微笑を浮かべて、老紳士はいった。「形こそもっとずっと小さいが、同じようにずっしりとした本もあるのだからね。きみは大きくなって利口な人間になり、本を書きたいとは思わんかな」

「書くより、読んだほうが楽しいでしょう」オリバーはこたえた。

「おや！　きみは物書きになりたくはないのかい？」老紳士はたずねた。

オリバーはしばらく考えこみ、本を売る人になったほうがずっといいと思う、と最後にいった。すると老紳士は陽気に笑いだし、なかなかうまいことをいう、とその言葉を批評してくれた。オリバーにはなんだかわからないながらも、そういわれたことがうれしかった。

「うん、うん」老紳士は真顔になっていった。「心配することはないよ！　きみを著者にすることはないからな。身につけるまともな商売、煉瓦《れんが》作りといったこともあるのだからね」

「ありがとうございます」オリバーはいった。その真剣なこたえかたに、老人はまた笑いだし、奇妙な本能についてなにか述べたが、これはオリバーにはわからないことだったので、彼はその言葉にたいして注意をはらわずにいた。

「さて」オリバーがいままで知っていたよりもっとやさしいが、それと同時に、もっとずっと真剣な態度になって、ブラウンロー氏はいった。「坊や、わしがこれからいおうとしていることを、よく注意して聞いてもらいたいのだ。遠慮はぬきにして、きみに話そう。ほかのもっと歳上の人と同じくらい、きみだってわしのいうことがわかるはずなのだからね」

「おお、ぼくをすててしまうなんてことは、どうかいわないでください！」老紳士が語りだした調子の真剣さにおびえて、オリバーは叫んだ。「ぼくをこの家から追いだし、浮浪児にしないでください。ぼくをここにおいて、召使いにしてください。ぼくが来たあのみじめな場所には、かえさないでください。あわれな少年を気の毒に思ってください！」

「坊や」オリバーがこうして急にたのみこんだその激しさに心を動かされて、老紳士はいった。「わしがきみをすてることなど、心配せんでもいいよ、悪いことさえしなければね」

「悪いことは絶対に、絶対にしません」オリバーはさえぎっていった。

「うん、そうあって欲しいものだ」老紳士はこたえた。「悪いことはせんと、わしだって信じているよ。以前、わしは助けてやろうと思った者から期待はずれの仕打ちを受けたこともある。だが、きみを信頼しようとするわしの気持ちは、とても強いのだ。そして、自分の心にも説明がつかんくらいに、きみのためを考えている。わしのこのうえない愛情をささげた人々は、墓の中に深く休んでいる。わしの生活の幸福とよろこびも、そこに埋められてはいるのだが、わしは自分の心を石の棺《ひつぎ》にし、親愛の情の上に永遠の封印をおしてしまったわけではないのだ。深刻な苦悩はそうした愛情をただ強め、もっと高めるものなのだからね」

老紳士はこの言葉をオリバーにというより自分自身にいって聞かせるように低い声で語り、その後しばらくのあいだ、だまったままでいたので、オリバーも静かにして座っていた。

「よし、よし！」前よりもっと明るい調子で、とうとう老紳士は口を切った。「わしがこうしたことをいったのは、ただきみが若い心の持ち主だからなんだよ。わしが大きな苦痛と悲哀を味わったと知れば、きみだって、たぶん、またわしの心を傷つけることがないようにと、より注意してくれるだろうからね。きみは、世界に友一人いない天涯《てんがい》の孤児だといっているね。わしもいろいろと調査をしたが、たしかにそのとおりだ。わしにきみの過去——どこの出身か、だれに育てられたか、わしが知っているあの連中とどうして仲間になったのか、を話してくれんかね？　事実ありのままを話すのだ。そうすれば、わしの生きているかぎり、きみにはちゃんと友がついていることになるのだからね」

オリバーのすすり泣きは、数分間、彼の話をとめてしまった。幼児預かり所でどんなふうに育てられたか、その後バンブル氏によって救貧院に連れてゆかれたいきさつを彼が話しだそうとしたとき、表の戸に妙にイライラとした小さな二重のノックの音が聞こえ、召使いが二階にかけあがってきて、グリムウィグ氏の来訪を告げた。

「二階にあがろうとしているのかね」ブラウンロー氏はたずねた。

「はい、そうです」女中はこたえた。「あの方はマフィンがここにあるかとおたずねになり、ございますとおこたえしますと、茶をご馳走《ちそう》になりにきた、とおっしゃいました」

ブラウンロー氏はにっこりした。そして、オリバーのほうを向いて、グリムウィグ氏はながらくつきあっている友人で、態度に少し粗野なところはあるが、気にすることはない、じつは、ほんとうはなかなかりっぱな人物なのだから、と説明した。

「ぼくは下にいっていましょうか？」オリバーはたずねた。

「いいや」ブラウンロー氏はこたえた。「むしろ、きみにはここにいてもらいたいのだ」

このとき、太いステッキで身をささえ、片足をひどくひきずっている老紳士が部屋にはいってきた。彼は青い上衣、縞《しま》のチョッキ、ナンキン木綿のズボンとゲートルを着け、わきがそりかえって緑の色地を見せている幅広の白い帽子をかぶっていた。とてもこまかに編んだシャツのひだがチョッキから突き出し、端に鍵《かぎ》しかついていないとてもながい鉄の時計の鎖がその下にダラリとさがり、白いネッカチーフの端はねじられて、オレンジくらいの大きな玉になっていた。彼の顔がねじられてつくりだされるさまざまな形相は、なんともいえないものだった。彼は話すときに頭を一方にねじる癖をもっていたが、それと同時に横目で人をながめ、その恰好《かっこう》は人におうむを思わせるものだった。彼が姿をあらわした瞬間、彼はしばらくこうした姿勢のまま、オレンジの皮の小さな切れ端をグイッと前に突き出し、いかにも不満げなうなり声で、こう叫んだ——

「ほれ！　これを見ろ！　人の家を訪問すれば、かならずそこの階段にはこのつまらぬ医者の友人がひかえてるということは、じつに妙な、とてつもないことじゃないかね？　わしはオレンジの皮でびっこにされた。きっといまに、わしの命とりになるぞ。それがまちがいだったら、このわしの頭を食ってもいいですぞ！」

この最後の言葉は、彼がなにかを主張するたびに、かならず出てくるきまり文句だった。議論の便宜上、科学が進歩して、紳士がその気になったら、自分の頭を食べることができるようになったとしても、これは、彼の場合、さらに奇妙なものになっていた。グリムウィグ氏の頭は特大のもの、厚くかけた髪粉はべつにしても、どんな楽天家でも、一回の食事でそれを平らげられるとは、とても考えられないことだった。

「このわしの頭を食ってもいいですぞ」床に太いステッキをドシンと突いて、グリムウィグ氏はくりかえした。「いやっ！　これは何者だ！」オリバーに気づき、一、二歩さがって、彼は叫んだ。

オリバーはお辞儀をした。

「これは、まさか、熱を出した少年だというのではあるまいね？」もう少しさがって、グリムウィグ氏はいった。

「ちょっと待て！　なにもいうな！　待て――」大発見で有頂天になり、熱の感染の懸念を急に消してしまって、グリムウィグ氏はつづけた。「これはオレンジをもっていた少年だ！　それがオレンジの持ち主で、皮の切れ端を階段に投げた少年でなかったら、わしはこの頭とあの坊主の頭を食ってもいいですぞ」

「いや、いや、彼はオレンジの持ち主ではない」ブラウンロー氏は笑いながらいった。

「さあ！　帽子をおき、この少年の友人と話をしたまえ」

「この問題は重大ですぞ」癇癪《かんしゃく》もちの老紳士は手袋をぬいでいった。「通りにはかならずオレンジの皮が投げすててある。そして、それは、街角にある医者のところの小僧の仕業なんだ。昨日の晩、ある若い女性がそれを踏んでころび、わしの家の庭のかきねにぶつかったんだが、起きあがるとすぐ、彼女は手をふって呼んでいる医者のいまいましい赤ランプのほうを見ていた。『あの医者のところにはゆきなさんな』わしは窓からどなったね、『やつは暗殺者だ！　人捕りわなだ』医者なんてそんなもんさ。もし医者がそうでなかったら――」ここで癇癪もちの老紳士はステッキで床をドンとやったが、これはそれで、言葉で表示されない場合には、彼の友人たちによって、例の癖の言葉をあらわすものといつも理解されていた。それから、まだステッキを手放さずに、彼は腰をおろし、幅のある黒いリボンを結びつけた折りたたみの眼鏡を開き、オリバーを観察しはじめたが、当のオリバーは、自分が検閲の対象になっていることを知って、顔をさっと赤らめ、ふたたびお辞儀をくりかえした。

「これが例の少年かね、えっ？」とうとうグリムウィグ氏は口を切った。

「うん、そうだよ」ブラウンロー氏はこたえた。

「気分はどうかね？」グリムウィグ氏はたずねた。

「ありがとうございます。とてもいいです」オリバーはこたえた。

ブラウンロー氏は、この風変わりな老人がなにか不愉快なことをいおうとしていると見てとって、オリバーに下におり、お茶はいつでも出してよい、とベドウィン夫人に告げるようにと命じた。オリバーは、この客の態度があまりおもしろくなかったので、よろこんでそれに応じた。

「かわいい子だろうが、どうだい?」ブラウンロー氏はたずねた。

「わからんな」気むずかしげにグリムウィグ氏は応じた。

「わからん?」

「そう。わからんな。わしの目から見れば、少年はみんな同じさ。少年には、二つの型しかないのだ。青っ白《ちろ》い坊主と頬ぺたのふくれた坊主だ」

「オリバーはどちらかね?」

「青っ白《ちろ》いほうだな。頬ぺたをふくらませた子をもってる友人を知ってるがね、世間ではきれいな少年といってるようだが、頭は丸く、頬は真っ赤、目はギラギラしてて、じつに鼻持ちならん少年だ。そのからだと手足は服の縫目をはじきとばしそうにふくらみ、声は水先案内の声、食いっ気は狼よろしくだな。わかってるさ! いやな子だとも!」

「ねえ」ブラウンロー氏はいった。「オリバー・ツイストは、ちがうよ。だから、彼のことを怒る必要はないわけだ」

「それは、たしかにそのとおり」グリムウィグ氏は応じた。「もっとひどいものかもしれんぞ」

ここで、ブラウンロー氏はいかにもじれったそうに咳払《せきばら》いをしたが、これはグリムウィグ氏を非常によろこばせたようだった。

「もっとひどいものかもしれんぞ」グリムウィグ氏はくりかえした「どこの生まれかね？　素性は？　身分は？　熱病にかかったんだな。それはどう解釈したらいい？　熱病は善良な人間ばかりがかかるもんではない、そうだろう？　悪人だって、熱病にはよくかかるもんだ。そうだろう？　ジャマイカで主人殺しの罪で絞首刑になった男を知ってるが、その男は六回も熱病にかかったぞ。だからといって、そのためにお情けは授からなかったがね。ふん！　バカな！」

さて、事実は、グリムウィグ氏は心の奥底ではオリバーの容姿と態度をすごく気に入っていたのだ。しかし彼は反対することがとても好きで、この場合には、オレンジの皮を見つけたために、なおいっそうのことだった。少年がかわいいか、かわいくないかの問題で他人の指図は受けまいと心中かたく決心して、彼は最初から友人に反対するつもりになっていた。彼が質問したどの点に関してもブラウンロー氏が満足のいく返事をすることができないこと、オリバーが元気になるまで、その経歴の調査は延期することになったことを知って、グリムウィグ氏は意地悪くクスクスッと笑った。そして彼は、冷笑を浮かべて、家政婦が、いつも夜、皿の数を勘定しているかとたずねた。というのは、彼女が、陽のさすある朝、スプーンが一、二本消えているのに気づかなかったら、うん、おれは……云々《うんぬん》というわけだった。

ブラウンロー氏自身も多少激しい気質の紳士だったが、友人の癖は心得ていたので、これを上機嫌に我慢し、お茶の席でグリムウィグ氏は大よろこびでマフィンをほめたてたので、事態はとてもなめらかに進行してゆき、このお茶に加わったオリバーも、この気性の激しい老紳士の前でいままで感じたことがないほど、気楽な気持ちになった。

「ところで、オリバー・ツイストの波瀾《はらん》に富む生涯の詳細な話を、いつ聞くつもりなのかね?」お茶が終わったとき、話をもとにもどし、オリバーを横目でにらみながら、グリムウィグはブラウンロー氏にたずねた。

「明日の朝にね」ブラウンロー氏はこたえた。「そのときは、二人だけで話そうと思っているよ。坊や、明日の朝十時にわしのところに来なさい」

「はい」オリバーはこたえたが、そこには多少とまどいの色がまじっていた。グリムウィグ氏があまりジッと自分をみつめているのにどきどきしてしまったからである。

「いいかね」この紳士はブラウンロー氏にささやいた。「明日の朝、彼はきみのところに来はせんよ。彼はなにかもじもじしてたな。きみ、きみはあの少年のぺてんにかかってるのだぞ」

「誓ってもいい、そんなことはないさ」むっとしてブラウンロー氏はこたえた。

「そうでなかったら」グリムウィグ氏は応じた。「わしは――」そして、彼はステッキで床をドンとたたいた。

「あの少年の誠実なことはわしの命をかけて保証してもいい!」テーブルをたたいてブラ

ウンロー氏は主張した。

「それなら、彼のいかさまに、わしの頭を賭《か》けよう！」これまたテーブルをたたいて、グリムウィグ氏が応じた。

「いずれわかるさ」こみあげてくる怒りを抑えて、ブラウンロー氏はいった。

「そうだ」いまいましい笑いを浮かべて、グリムウィグは応じた。「そうだとも」

ここで運わるくも、ベドウィン夫人が本の小さな包みをもちこんできたが、これは、すでに話題にのぼったあの本屋の主人から、ブラウンロー氏がその朝買ったものだった。それをテーブルの上にのせて、彼女は部屋を出てゆこうとした。

「ベドウィンさん、使いの子供を呼んでくれないかね」ブラウンロー氏はいった。「かえさなければならない本があるのでね」

「もう、いってしまいました」ベドウィン夫人はこたえた。

「彼を大声で呼びもどしなさい」ブラウンロー氏は命じた。「これは特に大切なことでね。なにしろ、本屋の主人は貧乏な男、まだ本の代金ははらっていないのだ。かえさなければならない何冊かの本もあるのだから」

通りに面する戸が開かれ、オリバーと女中はそれぞれちがった方向に走り、ベドウィン夫人は入口の階段のところで甲高い声で少年を呼んだが、少年はどこにも見当たらなかった。オリバーと女中は息せき切ってもどり、その少年がどこにいってしまったかわからない、と報告した。

「いや、まったく残念なことだった」ブラウンロー氏は叫んだ。「わしはあの本を今晩特にかえしたかったのだ」

「オリバーを使いに出して、それをかえしたらいいだろう」皮肉な微笑を浮かべて、グリムウィグ氏はいった。「彼なら確実にそれをわたすともさ」

「ええ、よろしかったら、ぼくにそれをさせてください」オリバーはいった。「とっとと走って用を足してきますから」

老紳士は、絶対にオリバーはいかせられない、といおうとしたが、そのときグリムウィグ氏のじつに皮肉な咳払いが聞こえてきて、老紳士の決心は急に逆転、少年に仕事を早く片づけさせ、少なくともその点に関しては、相手の疑惑が不当のものであることをすぐに証明してやろうと決心した。

「いかせてあげるよ、坊や」老紳士はいった。「その本はわしのテーブルのわきの椅子の上にある。それをもっていきなさい」

オリバーは自分が役にたてるのをよろこんで、大さわぎをしてその本をかかえてきて、帽子を手にして、どんな伝言をしたらよいのか聞こうと待っていた。

「こう伝えてほしいのだ」グリムウィグをグッとにらみつけて、ブラウンロー氏はいった。「きみがこの本をかえしにきた、そして、彼にわしが借りている四ポンド十シリングを支払う、と伝えてくれたまえ。五ポンドの紙幣をきみにわたすから、おつりは十シリングになるわけだね」

「十分もかかりません」オリバーは熱心にこたえた。その紙幣をジャケットのポケットに入れ、それにボタンをかけ、注意深く本を小脇にかかえて、彼は丁寧にお辞儀をし、部屋を出ていった。ベドウィン夫人は戸口のところまで彼についてゆき、いちばん近い道、本屋の名、通りの名についていろいろと指示を与え、オリバーはこれをぜんぶはっきりと知っているとこたえ、さらに老婦人は、風邪をひかぬように注意するのですよ、といいそえて、とうとう、家を出ることを彼に許した。

「あの子がどうか無事でありますように！」彼のうしろ姿を見送って、この老婦人はいった。「なんだか、あの子から目をはなすのが、とても心配でたまらないわ」

この瞬間、オリバーは陽気にあとをふりかえり、街角をまがる前に、コックリとうなずいて見せた。老婦人はこの挨拶《あいさつ》に微笑をかえし、戸を閉めて、自分の部屋にもどっていった。

「さてと、少年はどんなにかかっても、二十分もすれば、もどってくるだろう」懐中時計を引きだし、それをテーブルの上において、ブラウンロー氏はいった。「そのときまでには暗くなってしまうな」

「おお！　きみはほんとうに彼が帰ってくると思ってるのかい？」グリムウィグ氏はたず

ねた。

「そうは思わんのかね？」にっこりして、ブラウンロー氏はたずねた。

この瞬間、反抗精神がグリムウィグ氏の心に強くわき起こったが、それは、友人の自信満々な微笑によって、さらに強くあおりたてられていった。

「思わんね」拳《こぶし》でテーブルをたたいて彼はがんばった。「思わんとも。あの少年は新しい服を着こみ、わきには貴重な本を何冊もかかえ、ポケットには五ポンド紙幣をおさめてもってる。彼はむかしのなじみの盗人どものところにもどって、きみをあざ笑うことだろうよ。もしあの少年がこの家にもどったら、わしは自分の頭を食ってしまってもいいぞ」

こういって、彼は椅子をテーブルにもっと引きよせた。かくして、この二人の友人は、時計を真ん中にすえ、だまったまま結果を待って座っていた。

われわれが自身の判断にたいしてどんなに重きをおくか、それに、こうした軽率であわただしいひどい結論を、どんなに誇らしげに示すかの例として、つぎのことを一言申しておいても、むだではないだろう。すなわち、グリムウィグ氏は決して性《たち》の悪い人間ではなかったし、自分の尊敬している友人がひっかけられ、だまされているのを見たら、彼はうそ偽りなく気の毒に思ったことだろうが、オリバーがもどって来ないことを、彼は、このときには、ほんとうに心の底から望んでいた。

あたりは暗くなり、時計の文字盤の上の数字はほとんど見わけがつかなくなっていた。

だが、そこで二人の紳士は、懐中時計を中にはさんで、だまって座りつづけていた。

第十五章

例の陽気なユダヤ人とナンシー嬢がいかにオリバー・ツイストに好意をいだいていたかを示す

リトル・サフラン・ヒルのこのうえなく不潔な地区にある天井の低い居酒屋の薄暗い客間——冬のあいだ、一日中ユラユラとガス灯が燃え、夏には、太陽の光がぜんぜんさしこんでこない暗い陰気な小部屋で、小さな白鑞《しろめ》の桝《ます》と小柄なコップをジッとながめ、酒のにおいをプンプンさせ、ビロードの上衣、茶色の半ズボン、ハーフブーツと靴下を着けた一人の男が座っていた。この男は、経験のある警察官だったら躊躇《ちゅうちょ》なくそれと認めるウィリアム・サイクス氏その人だった。彼の足下には白毛の、赤い目をした犬が座り、両方の目で同時に主人のほうに目ばたきしたり、最近の喧嘩《けんか》の成果と思われる口の端の大きな、なまなましい傷をなめたりしていた。

「虫けらめ、静かにしてろ！　静かにするんだ！」急に沈黙を破って、サイクス氏はいった。彼の瞑想《めいそう》が深刻で、それが犬の目ばたきで邪魔されるのか、あるいは、彼の思考が彼に強烈な影響を与え、それを静めるのに罪もない犬を蹴《け》るのが救いになるかどうかは、議論と考慮の結果を待たねばならない。その原因はいかなるものにせよ、結果は犬が蹴られ、同時にののしられることになった。

犬というものは、主人が加えた危害にふつう復讐《ふくしゅう》をしないものである。だが、サイクス氏の犬は、主人と同じ性格の欠陥をもっていたのであろうか、それとも、このとき、強い危害意識に悩まされていたのであろうか、迷いもせず即座に一方の半長靴に嚙《か》みつき、それからそれを勢いよくひとふりし、うなりながらベンチの下にもぐりこんで、サイクス氏がその頭に投げつけた白鑞の桝をあやうくかわしたのだった。

「やる気か？」片手に火かき棒をもち、もう一方の手でゆっくりとポケットから出した折りたたみナイフを開いて、サイクスはいった。「出てこい、この生まれながらの悪党め！出てこい！　聞こえてるのか？」

犬はたしかに聞いていた。サイクス氏は耳ざわりといってもいいその最高の声をはりあげてしゃべっていたからである。だが、わけはわからずとも喉《のど》を切られるのはいやらしく、犬ははいった場所にうずくまりつづけ、前よりもっと猛烈にうなり、それと同時に、火かき棒の端をくわえ、それを野獣のように嚙みくだこうとしていた。

この抵抗はサイクス氏の怒りに油をそそいだ結果になり、彼はひざまずいて、激しくこの犬を攻撃しはじめた。犬は右から左、左から右へとからだをかわし――嚙みつき、うなり、吠《ほ》えまくった。男のほうは火かき棒で突き、ののしり、打ち、悪態をついた。そして、この闘争がいずれかの側に重大な結果をもたらしそうになったとき、戸が急に開かれ、犬は、ビル・サイクスの手に火かき棒と折りたたみナイフをにぎらせたまま、そこから飛びだしていった。

古い格言でもいっているが、一人では喧嘩にならない。サイクス氏は相手の犬をなくしてしまったので、喧嘩の怒りをこの新来の客にうつしていった。

「いったいどうして、おれと犬のあいだに飛びこみやがったんだ?」すごい剣幕でサイクス氏はいった。

「知らなかったんだよ、知らなかったんだよ」おとなしくフェイギンはこたえた。というのも、この新来の客というのは、ユダヤ人だったからである。

「知らなかったんだって、この腰抜けの泥棒野郎め!」サイクス氏はうなった。「あの音が聞こえなかったんか?」

「ビル、ぜんぜん聞こえなかったよ、ほんとうに」ユダヤ人はこたえた。

「うん、そうか! おめえには聞こえなかったとも、聞こえなかったともさ」はげしい冷笑を浮かべて、サイクスはやりかえした。「コソコソ出はいりして、だれもおめえの足音には気がつかんのだからな! フェイギン、ちょっと前に、おめえがあの犬だったらよかったのにな」

「どうしてだね?」つくり笑いをして、ユダヤ人はたずねた。

「やくざ犬の半分の勇気もないてめえのようなやつの命を大切にしてくれる政府が、犬なら、好きなように殺させてくれるからな」意味ありげな表情をしてナイフをたたみこみながら、サイクスはこたえた。「わけは、そういったもんさ」

ユダヤ人は手をこすって、テーブルに座り、この友人のおどけ話に笑っているふりをしていたが、内心不安な気持ちに襲われていることは明らかだった。

「ニヤニヤしてるがいい」火かき棒をもとにかえし、ひどい軽蔑《けいべつ》の表情を浮かべて相手をジロジロと見ながら、サイクスはいった。「ニヤニヤしてるがいい。だが、おれのことを笑うことはできねえぞ、てめえのかぶってるナイトキャップのうしろでならいざ知らずな。フェイギン、てめえにはいままでも負けていなかったし、畜生、今後も負けはしねえぞ。さあ！　死なばもろともなんだ。だから、おれのことは大切にしなよ」

「わかったよ、よし、よし」ユダヤ人はいった。「みんな、よくわかってるよ。ビル、おれたちは——おれたちは一蓮託生《いちれんたくしょう》——一蓮託生なんだからな」

「ふん」サイクスは自分のほうには割りがあわないといったふうにいった。「ところで、おめえはおれにどんな用事があるんだい？」

「品物はぜんぶ現金に換えたよ」フェイギンはこたえた。「これがおまえさんの分け前さ。おまえさんの分は水増ししてあるよ。だが、いずれ役にたってくれるだろう、それに——」

「でたらめ、ほざくな」この盗賊はイライラしながら口をはさんだ。「金はどこにある？

早くわたせ!」

「わかったよ、わかったよ、ビル。ちょっと、ちょっと待っておくれ」機嫌をとるようにして、ユダヤ人はいった。「さあ、これだ! ぜんぶそっくりな!」こういいながら、彼は木綿の古ハンカチを胸から引きだし、隅の大きな結びをほどいて、小さな褐色の包みを出した。サイクスはこれを彼からうばいとり、急いでそれを開け、そこにあるポンド金貨を勘定しはじめた。

「これでぜんぶか、えっ?」サイクスはたずねた。

「ああ、そうだよ」ユダヤ人はこたえた。

「おめえ、ここにやってくる途中、包みを開いて、一、二個ちょろまかしたんじゃあるめえな?」うさんくさそうに、サイクスはたずねた。「気を悪くしたような顔なんてするな。おめえ、その点では前科者なんだからな。チンとやりな」

このチンとやれというのは、ベルを鳴らせということだった。ベルで呼ばれてあらわれたのは、フェイギンより若いが、顔つきはそれに劣らず下品でいやな感じのするユダヤ人だった。

ビル・サイクスは、ただ空の桝をさしただけだった。このユダヤ人は、その意味をよくのみこんで、酒をとりに引きさがったが、その前にフェイギンと意識的な目くばせをした。フェイギンは、それを予期したように、一瞬目をあげ、こたえとして頭を横にふったが、その動作はほんのかすかで、注意深い第三者がいても、それと気づかないほどのものだった。それはサイクスには気づかれなかった。彼はそのとき犬に嚙み切られた靴ひもを結ぼうと、腰をかがめていたからである。このちょっとした合図を見たら、彼はそれを自分によからぬ前兆と考えたことであろう。

「バーニー、ここにだれかいるかい？」いまはもうサイクスが見ているので、床からは目をあげずに、フェイギンはたずねた。

「ふぃとはたれもいませんよ」バーニーはこたえたが、その言葉は、本心から出たものにせよ、そうでないにせよ、鼻から素通しのものだった。

「だれもいない？」驚いたといった口調でフェイギンはたずねたが、この口調はバーニーに、事実を伝えてもよい、という合図だったのかもしれなかった。

「ナンシーさん以外には、だれもね」バーニーはこたえた。

「ナンシーだって！」サイクスは叫んだ。「どこにいるんだ？　まったく、あの女はたいしたもんだぞ、あの頭はな」

「酒場で牛肉を食ってましたよ」バーニーはこたえた。

「ここに呼べ」酒をコップについで、サイクスはいった。「ここに呼べ」

バーニーは、許しを求める仕種《しぐさ》で、フェイギンのほうをおずおずとながめた。ユダヤ人はだまったまま、床から目をあげずにいたので、彼は引きさがり、ナンシーをともなって、やがてもどってきた。彼女は縁なし帽、エプロン、籠《かご》、戸の鍵《かぎ》ですっかり身づくろいをしていた。

「ナンシー、やつのあとをかぎつけたんだな、どうだい？」コップをさしだして、サイクスはたずねた。

「そうよ、ビル」コップの中を空にして、この若い婦人はこたえた。「それに、もううんざりよ。あの若いガキは病気になり、あの家にひきこもりよ。それに――」

「ああ、ナンシー！」目をあげて、フェイギンはいった。

さて、ユダヤ人がその赤い眉《まゆ》を特別にひそめ、くぼんだ目をなかば閉じたことが、ナンシー嬢にしゃべりすぎるのを注意したのかどうかは、ここでさして重要な問題ではない。われわれは、ここで、事実に注目すればよいのであって、その事実とは、彼女が急に話すのをやめ、何回か鷹揚《おうよう》にサイクス氏にほほえみかけ、話をほかのことに変えてしまったことだった。十分ほどたつと、フェイギン氏は咳の発作に襲われ、それを機会に、ナンシーはショールを肩にまきつけ、もうゆかなければ、といいだした。サイクス氏は自分も途中まで同じ方向にゆくことに気がついて、彼女といっしょにゆこうといい、二人は連れだって出ていったが、そのあとに、少し距離をおいて、主人の姿が消えると同時に裏庭からこっそりと姿をあらわした例の犬がついていった。

サイクスが出ていってから、ユダヤ人は部屋の戸から頭を突きだし、暗い通路を去ってゆくその後姿をながめ、しっかりにぎった拳《こぶし》をふり、ひどいののしりの言葉をつぶやき、それから、ぞっとするおそろしい笑いを浮かべて、テーブルにふたたび腰をおろし、夢中になって犯罪公報のおもしろい記事を読みはじめた。

話変わって、オリバー・ツイストは、自分が例の陽気な紳士のそんな近くにいるとは露知らず、本屋の店にゆこうとしていた。クラークンウェルにはいると、彼は偶然自分の道とはちがう小道にはいりこんでしまい、途中にゆくまでそのあやまちに気づかず、それが正しい方向に向かっているものと考えて、彼はもどる必要はないと思い、本を小脇にかかえて、道を大急ぎで進んでいった。

彼は歩いてゆきながら、あのあわれな子供のディックに一目あえたら、どんなにうれしく、心が満たされるか、そのためなら、なにをすてても惜しくはないと考えていた。あの少年は、いまこの瞬間、食事を与えられず、殴打され、ひどく泣いているのかもしれない。そうしたことを考えていたちょうどそのとき、彼は大声をあげて「まあ、弟だわ！」と叫ぶ若い女に出逢《であ》って、びっくりした。なにごとだろうと目をあげるかあげないかのうちに、彼は自分の首にまきつけられた二本の腕におさえられていた。

「よして」もがきながら、オリバーは叫んだ。「はなしてください。だれです？　どうして、ぼくをとめるんです？」

これにたいする唯一のこたえは、彼をだきしめた若い女から発せられた大声のおびただしい悲嘆の叫びだけだったが、その女は手に小さな籠と戸の鍵をもっていた。

「ああ、ありがたい！」この若い婦人はいった。「見つけたわ！　おお！　オリバー！　オリバー！　おお、この腕白坊《わんぱく》や！　あんたのことで、あたしをこんなに苦しめるなんて！　さあ、家へ帰りなさい、さあ。おお、見つけたわ。ほんとうにありがたい、ようやく見つけたわ！」こうしたとりとめもない叫びをあげて、この若い婦人はわっと泣きだし、ひどくヒステリックになってきたので、このときそこにやってきた二人の婦人もその情景をながめていた、脂《あぶら》で頭をテラテラさせている肉屋の小僧に、医者を呼びにいったらよいのじゃないか、とたずねたくらいだった。これにたいして、なまけ性とまではいえないにしても、のらくら好きの肉屋の小僧は、その必要はないと思う、とこたえた。

「おお、そう、そう、心配はいりませんよ」オリバーの手をつかんで、若い婦人はいった。「もう気分はいいんですから。さあ、すぐに家にもどりなさい、このひどい子ったら！　さあ！」

「どうしたんです！」女の一人がたずねた。

「おお、あなた」若い婦人はこたえた。「あの子はきちんと働き、りっぱな暮らしをしてる親のところから、一ヶ月前に、逃げだしちまい、泥棒、悪人の群れに仲間入りし、母親の心をおしつぶしちまったんです」

「ひどい子供ね！」一人の女がいった。

「ひどい坊や、さあ、家に帰るんですよ」他の女がいった。

「ぼくはちがいます」ひどくおびえて、オリバーはこたえた。「この女の人は知らない人です。姉も父も母もありません。ぼくは孤児です。ペントンヴィルに住んでいます」

「よくもあんなことをいってる、ちょいと聞いてください」若い婦人はいった。

「あっ、ナンシーだね！」オリバーは叫んだが、彼は、いまはじめて、彼女の顔を見たのだった。彼はひどくびっくりして、後退《あとずさ》りした。

「ほうら、あたしを知ってるでしょう！」わきで見ている人たちに訴えかけて、ナンシーは叫んだ。「やっぱり白状しちまったのね。おねがいです、この子を家に帰させてください。さもないと、父親も母親もこの子に殺され、あたしの心もおしつぶされちまいます！」

「いったい全体、なにごとだ？」白い犬を連れた男が、ビールの売店から飛びだしてきて、いった。オリバー坊主だな！　母さんのとこへ帰るんだ、このちび犬め！　すぐに家に帰るんだ」

「ぼくはあの人たちに関係はありません。知らない人です。助けて！　助けて！」この男にしっかりとつかまえられて、もがきながら、オリバーは叫んだ。

「助けてだって！」男は真似していった。「うん、この悪党め、おめえを助けてやるぞ！　これはなんの本だ！　盗んできたのか、えっ？　さあ、それをわたせ」こういって、男は彼がしっかりとつかんでいた本をうばいさり、彼の頭をひっぱたいた。「やつをまともにするには、なぐるよりほかに手はないんだ」

「なるほどね！」天井裏の窓に感心した目つきを投げて、眠そうな顔をした大工が叫んだ。

「それで薬がきくことよ！」二人の女はいった。

「もうひとつ食《くら》わしてやろう！」もう一撃し、オリバーの襟首をつかんで、男は応じた。

「注意しろ、この悪たれ小僧め！　おい、ブルズ・アイ（犬の名）、こいつをよく監視しろ！注意するんだぞ！」

病みあがりのために体が弱っているうえ、なぐられたこととあまりの突然さに茫然《ぼうぜん》となり、犬の激しいうなり声と男の残忍さにおびえ、周囲の人たちに言葉どおり子供の悪人だと信じこまれていることに度肝をぬかれて、このあわれな少年はなにもすることができなかった。あたりは暗くなっていた。そこのあたりは低俗な地区だった。助けは来ず、抵抗してもむだだった。つぎの瞬間に、彼は暗い、せまい小道の迷路にひきずりこまれ、わずかにあげる時おりの叫びもわからぬものにしてしまう早い歩調でひったてられていった。その叫びがわかろうとわかるまいと、それは、さして重大なことではなかった。それがどんなにはっきりしたものであろうと、それを気にする人はだれもいなかったからである。

＊

ガス灯はすでにつけられていた。ベドウィン夫人は心配そうに開いた戸のところで待っていた。女中は街路を二十回も走りまわって、オリバーの姿が見えないかと調べていた。そして、相も変わらず二人の老紳士は、あいだに懐中時計をおいたままの姿で、暗い客間にがんばって座りつづけていた。

第十六章

ナンシーにつかまったあとで、オリバーがどうなったかを語る

せまい街路と小路は、最後に、開けた場所になっていた。そこのあちらこちらに、獣の檻《おり》、その他、家畜の市場の痕跡《こんせき》が残っていた。ここに着いたとき、若い女のほうがいままでの早い歩調にとても追いつけなくなったので、サイクスはその歩調をゆるめた。オリバーのほうに向きなおり、彼は荒々しく、ナンシーの手をとれ、と命じた。

「聞こえたのか?」オリバーがもじもじし、あたりを見まわしているのを見て、サイクスはうなった。

彼らは、暗い街角、まったく人通りのないところにいた。抵抗しても役にたたないことを、オリバーは、はっきりしすぎるほど、さとった。彼は自分の手を出し、ナンシーはそれをしっかりと自分の手ににぎった。

「残りの手をこっちによこせ」オリバーのもう一方の手をとって、サイクスはいった。

「こら、ブルズ・アイ!」

犬は目をあげ、ううっとうなった。

「おい、いいか！」一方の手をオリバーの喉にあてがって、サイクスはいった。「ちっとでもこいつが声を立てたら、ガブリとやっちまえ！　いいか！」

犬はふたたびうなり、その唇をなめ、即刻彼の喉首に嚙《か》みつきたいといった気配で、彼をジロジロと見ていた。

「あの犬は人間のようによくいうことをきくやつだ、まったくな！」気味の悪いほど残忍なようすで感心しながら、サイクスは犬をながめた。「さあ、坊主、どう覚悟したらいいか、わかったわけだな。だから、どんなにでも、どなってみろ、あの犬がすぐそれをとめてくれるんだぞ。さあ、坊主、いくんだ！」

ブルズ・アイは、こうしたふだんにないやさしい言葉がわかったといわんばかりに、尾をふり、オリバーのためにもう一度警告のうなり声をあげて、先頭に立って進んでいった。

彼らのとおっていたのはスミスフィールドだったが、それはオリバーの目から見れば、グロブナー・スクウェアも同じだった（スミスフィールドは下層民の住むところ。これに反してグロブナー・スクウェアは上流階級の住む地区）。その夜は暗く、霧がたれこめていた。店の灯《あか》りは濃い霧にさまたげられ、それは刻一刻濃さをまし、街路と家々を暗闇の中につつみ、オリバーの目には、この縁のない土地をさらに縁のないものにし、彼の不安な気持ちをいっそう暗くし、気の滅入るものにした。

彼らが数歩あわただしく歩いていったとき、教会の太い鐘の音が時を伝えた。それが打ちだされると、彼の護送者二人は足をとめ、その音がひびいてきた方向に顔を向けた。

「ビル、八時よ！」鐘が鳴り終わったとき、ナンシーはいった。

「そういったからって、なんの役にたつんだ？　おれの耳にだって、あれは聞こえてるんだ！」サイクスはこたえた。

「ねえ、あの人たち、あれを聞いてるのかしら！」ナンシーはいった。

「むろんだ」サイクスはこたえた。「おれがぶちこまれたときには、聖バルトロメオ祭の日（八月二十四日）でな、その祭の市《いち》で鳴らすおもちゃのラッパのピーピーいう音がみんな耳にひびいてきやがった。一晩そこですごしたら、外のさわぎであのえらく古い監獄もシーンとした感じで、おれは頭を戸の鉄板にたたきつけてやりたくなったぜ」

「かわいそうな人たち！」鐘が鳴った方向にまだ顔を向けたまま、ナンシーはいった。「おお、ビル、あんなにかわいい若い人たちがねえ！」

「うん、女どもが考えるのは、そのくらいのもんさ」サイクスはこたえた。「かわいい若い人たちだって！　うん、やつらはもう死んだも同然、だから、どうでもいいじゃねえか」

　こうした慰めの言葉で、サイクス氏はむかむかとわき起こってくる嫉妬《しっと》の情をおし殺しているようすだった。それから、前よりもっとしっかりオリバーの腕首を押さえて、彼に歩けと命じた。

「ちょっと待って！」若い婦人はいった。「八時の鐘がつぎに鳴ったとき、絞首刑を受けに引きだされるのがあんたの番だったら、あたし、さっさとそこをとおってはゆけないわよ。雪がどんなに深く地面に積もり、ショール一枚着けていなくったって、あたし、倒れるまで、そこを歩きまわるわよ」

「そして、それが、なんの役にたつっていうんだ？」感傷の気分はいささかもないサイクスはたずねた。「やすり一本、それに二十ヤードのしっかりとしたロープを放りこまなけりゃ、五十マイル歩いたって、一歩も歩かなくったって、おれの身には変わりはないんだ。さあ、いこう。そこで立って、説教なんかするな」

若い女は急に笑いだし、ショールをしっかり身にまとい、一同はそこを立ち去っていった。だが、オリバーは彼女の手にふるえを感じ、ガス灯の下をとおったとき、彼女の顔をのぞきあげて、それが真っ青になっているのに気がついた。

三人は人通りのほとんどない、きたない道を約三十分も進んだが、人とはほとんどゆきあわず、出逢《であ》った人は、その様相から、サイクスと同じ社会的立場に立っている者のように見えた。とうとう、一同はとても不潔なせまい道にまがっていったが、そこの店は、ほとんど古着屋ばかりだった。犬は、もう警戒する必要のないことをさとったとみえて、一見して借家人のいない、閉じられたある店の戸の前にとまった。家はいまにも崩れそうで、戸には板が打ちつけてあり、貸し家であることを示していたが、その板は、もう何年間も、そこにさげられているようだった。

「ようし」あたりを用心深く見まわして、サイクスが叫んだ。

ナンシーは鎧戸《よろいど》の下に身をかがめ、オリバーはベルが鳴るのを耳にした。彼らは通りの反対側にゆき、しばらくランプの下に立っていた。ガラスの上げ下げ窓がそっとあげられるような音がし、まもなく戸が静かに開かれた。それからサイクス氏はおびえた少年の襟首を手荒らくつかみ、一同三人は、さっと家の中にはいりこんだ。

廊下は真っ暗で、いれてくれた人が戸に鎖と桟をかけるまで、彼らは待っていた。

「だれかいるのか?」サイクスはたずねた。

「いいや」オリバーが聞いたことがあるような声がこたえた。

「老人はここにいるか?」盗人はたずねた。

「うん」声はこたえた。「そして、えらくがっくりしてたぜ。おまえと会って、よろこぶかな? うん、そんなことはあるまいよ!」

この返事をした声ばかりか、その返事の仕方が、なにか、オリバーには聞きおぼえのある感じだった。が、暗闇の中では、その話し手の姿をとらえることすら不可能だった。

「灯《あか》りをつけろ」サイクスはいった。「そうしねえと、首の骨をたたき折るか、犬を踏んづけるか、どっちかだ。踏んだら、足にガップリくいつかれるまでのこったぞ!」

「ちょっと静かにしてくれ、そいつをもってくるからな」声がこたえ、それが奥にはいってゆく音がしてから、一分ほどすると、別名ぺてん師のジョン・ドーキンズ氏の姿があらわれた。彼は右手に、割れた棒きれにさした獣脂《じゅうし》ろうそくをもっていた。

この若い紳士は、ニヤリとふざけた笑いをした以外には、オリバーを認めたようすを示さず、クルリと向きを変えて、階段をついておりてくるようにとさしまねいた。一同は、ガランとした台所をとおりぬけ、小さな裏庭に建てられたように思われる低い、土くさい部屋の戸を開くと、わっという笑い声で迎えられた。

「ああ、これはしたり！　これはしたり！」チャールズ・ベイツは叫び、その胸からは、笑いの声がほとばしり出てきた。「いるぞ、これは、これは、いるぞっ！　おお、フェイギン、彼の姿を見なよ！　フェイギン、あの姿を見なよ！　こりゃたまらん。じつにおもしれえぞ、こりゃたまらん。だれか、おれを押さえてくれ、腹の皮をよじりぬくまでな」

この抑えられぬおかしさの爆発で、ベイツは床の上に倒れこみ、こっけいなよろこびで有頂天になって、五分間ほど、痙攣《けいれん》的に足をバタバタさせていた。それから、彼は飛びあがって立ち、ぺてん師から割った棒きれをうばいとり、オリバーのところに近づき、グルリグルリとまわりをめぐって、彼の姿を調べはじめた。一方、ユダヤ人は、ナイトキャップをぬぎ、あっけにとられているオリバーに何回も何回も丁重なお辞儀をくりかえした。陰気な性分で、仕事となるとめったに笑うことのないぺてん師は、せっせとオリバーのポケットをさぐっていた。

「フェイギン、あの服を見ろよ！」オリバーに火傷《やけど》をさせるほど新しいジャケットのそばに灯りをよせて、チャーリーはいった。「あの服を見なよ！　極上の服地、すごく気取った裁《た》ち方だ！　おお、大変、こいつはおもしれえぞ！　それに本までもってらあ！　まったく紳士さまさまだね、フェイギン！」

「坊ちゃま、りっぱなお姿になったのを拝見して、喜ばしく存じます」わざとヘコヘコお辞儀をして、ユダヤ人はいった。「その晴れ着を汚すといけませんから、ぺてん師からべつの服をおわたしするようにいたしましょう。どうしてお出でくださることを、一本手紙でお知らせねがえなかったのでしょう？　なにか温かい夕食でも準備いたすところでしたのに……」

これを聞いて、ふたたびベイツはわっと笑いこけ、その声があまり大きかったので、フェイギンの顔までほころび、ぺてん師さえニヤリとしたほどだった。が、この瞬間に、ぺてん師は五ポンドの紙幣を引っぱりだしたので、彼の笑いを起こしたのは、その冗談か、あるいはこの発見かをきめるのは、ちょっと困難だった。

「おい！　それはなんだ？」ユダヤ人がその紙幣をつかんだとき、サイクスはさっと出てきてたずねた。「フェイギン、それはおれのもんだぞ」

「ちがう、ちがう」ユダヤ人は応じた。「わしのもんさ、ビル、わしのもんさ。おまえには本をやろう」

「それがおれのもんじゃないんだって！」きっとした態度で帽子をかぶって、ビル・サイクスはいった。「そいつはおれとナンシーのもんさ。さもなけりゃ、この坊主は連れ帰してしまうからな」

ユダヤ人ははっとした。それとはまったく別の理由で、オリバーもはっとした。このあらそいで、最後は自分が連れもどされることになるかもしれない、と彼は考えたからである。

「さあ！　わたせ、どうだ？」サイクスはいった。

「これはひどいな。ひどいよ。そうじゃないかい、ナンシー？」ユダヤ人はたずねた。

「ひどかろうが、ひどくあるめいが」サイクスはやりかえした、「とにかく、それをわたせ！　おめえがとっつかまえるガキを追いまわし、そいつをさらうこと以外に、この大切な時間のつぶしようがないとでも、ナンシーとおれのことを思ってるのか？　さあ、この強欲な老いぼれの骸骨《がいこつ》め、そいつをわたせ。さあ、ここによこせ！」

こうしたおだやかな抗議をして、サイクス氏はユダヤ人の人さし指とおや指のあいだからその紙幣をとり、老人の顔をまともに冷静に見すえながら、それをこまかにたたみ、ネッカチーフの中にしまいこんだ。

「これは、おれたちの骨折り賃さ」サイクスはいった。「その半分にもたりねえくらいだ。もし本を読みたかったら、その本はそっちにとっときな。その気がなかったら、売りとばすんだな」

ちいった。

「とてもきれいな本だな」チャーリー・ベイツはこういったが、彼はしかめっ面をいろいろにつくって、問題の本のうちの一冊を読むふりをしていたのだった。「オリバー、美しい本じゃねえか？」自分を苦しめている人たちをオリバーがながめている当惑した表情をながめて、敏感な滑稽《こっけい》感の持ち主のベイツは、前よりもっとさわがしい有頂天の発作にお

「それは、あの老紳士のものです」手をしぼりながら、オリバーはいった。「熱で死にそうになったとき、ぼくを自分の家に入れてくれ、ぼくを看護させてくれた、あの人のよい、親切な老紳士のものです。おお、おねがいです、その本をあの人に送りかえしてください。本とお金をかえしてください。ぼくは、生涯ここにおかれてもかまいません。でも、どうか、どうか、それはかえしてください。老紳士は、ぼくがそれを盗んだと思うでしょう。あの老婦人――ぼくにとても親切にしてくれたみんな――は、ぼくがそれを盗んだと思うでしょう。おお、お願いだから、それを送りかえしてください！」

激しい悲しみをこめて語られたこうした言葉とともに、オリバーはユダヤ人の足下にひざまずき、すっかり絶望感に打たれて、手を打ち合わせていた。

「この少年のいうとおりだ」まわりをそっと見まわし、もしゃもしゃ毛の生えた眉《まゆ》をかたい結び目のようによせて、フェイギンはいった。「オリバー、おまえのいうとおりだぞ、そのとおりだ。彼らはおまえが盗んだと思うだろう。はっ！　はっ！」手をすりあわせて、

ユダヤ人はクスクスッと笑った。「機会をねらったにしても、これほどうまくはいかなかったろうな」

「むろん、そうさ」サイクスはこたえた。「本をかかえてやつがクラークンウェルをやってきたときすぐ、おれはそう考えたんだ。うん、うまくいったのさ。やつらは心のやさしい信心家、さもなけりゃ、やつを家に入れるわけはねえからな。それに、やつをさがしまわることも、しねえだろうよ、告発して、やつを監獄にたたきこむことになるのもいやだろうからな。やつのことは、もう心配ねえさ」

こうした言葉が語られているとき、まるで自分が混乱し、まわりで起こっていることがわからぬようなようすで、オリバーは、みなの顔をつぎからつぎへと見わたした。だが、ビル・サイクスの話が終わったとき、彼は急にパッと立ちあがり、ガランとした陋屋《ろうおく》の屋根までひびく、助けてえ、という悲鳴をあげ、部屋からすごい勢いで走りだした。

「ビル、犬をつかまえて！」ユダヤ人とその二人の弟子が追跡に飛びだしたとき、扉の前に走りより、それを閉めて、ナンシーは叫んだ。「犬を外に出さないで！　あの犬はあの坊やを嚙《か》みくだいてしまうわよ」

「当然の罰というもんさ」だきつく女から身をはなそうともがきながら、サイクスは叫んだ。「おれにさわるな。さもなけりゃ、てめえの頭を壁にたたきつけてやるぞ」

「そんなこと、かまわないわ、ビル、かまわないわよ」男と激しくあらそって、女は金切り声で叫んだ。「あの子を犬にズタズタにさせるんなら、それより先に、あたしを殺してちょうだい」

「それをしてはいけないだって！」歯がみをしながら、サイクスはいった。「おれをはなさなけりゃ、それをしてやるぞ」

この盗人が女をふりはなして部屋の向こうに放りだしたとき、ユダヤ人と二人の少年がオリバーを引きずりながら、もどってきた。

「これは、どうしたことだい？」あたりを見まわして、フェイギンはたずねた。

「あの女、どうやら気がくるったらしいんだ」サイクスは激しい調子でこたえた。

「いいえ、そんなことはないわ」つかみあいで息を切らせ、青くなって、ナンシーはいった。「いいえ、そんなことはないのよ、フェイギン。そうは考えないでちょうだい」

「そんなら、だまってたらどうだ？」おそろしい剣幕で、ユダヤ人はいった。

「いいえ、だまってもいないわ」声を大きくして、ナンシーはこたえた。「さあ、声を大きくしたけど、これをどう思う？」

フェイギン氏はナンシーが属しているあの女性という特殊な種族の風俗習慣を十分に心得ていて、彼女相手の話をこれ以上ながびかせたら危険だ、と感じていた。一座の人たちの注意をそらそうと、彼はオリバーのほうにからだを向きなおった。

「するとおまえは逃げだしたかったわけだな？」炉の隅にあったこぶだらけの棍棒《こんぼう》をとり

あげて、ユダヤ人はいった。「そうかい？」

オリバーはなんの返事もせず、ユダヤ人の仕種《しぐさ》をただジッと見守り、激しい息づかいをしていた。

「助けを求め、警察を呼ぼうとしたんだろうな？」少年の腕をとらえて、ユダヤ人はせせら笑った。「この坊主め、わしがそいつをなおしてやろう」

ユダヤ人は棍棒でしたたかオリバーの肩を打ちすえ、ついで第二撃を加えようとしたとき、例の若い女が飛びだしてきて、棍棒を彼の手からうばってしまった。彼女はそれを炉の中に投げこんだが、その勢いはそうとう激しく、燃えた石炭の粉が部屋に舞いあがるほどだった。

「あたしがわきにいて、そんなことはさせるもんか、フェイギン」この女は叫んだ。「あの子供をつかまえたのに、それ以上、なにを望むの？——手を出しちゃだめ——手をだしちゃだめ——さもないと、この若さであたしが絞首台送りになるくらい、ひどい仕打ちをしてやるからね」

こうして脅しをきかせたとき、この女は激しく床を踏みしめ、唇をかたく結び、両手をにぎりしめて、ユダヤ人ともう一人の盗人を交互ににらみつけたが、その顔はしだいにたかまっていく怒りの興奮で真っ青になっていた。

「いやあ、驚いた、ナンシー！」ちょっと間をおいたあとで——そのあいだに、彼とサイクス氏はいかにも狼狽《ろうばい》したふうに顔を見合わせていたのだが——機嫌とりの口調で、ユダヤ人はいった。「おまえは——今日の晩は、ふだんよりもっとみごとな演技ぶりだったよ。はっ！　はっ！　おまえの演技はみごとなもんだよ」

「そう？」女はいった。「その演技をあたしがやりすぎないように、注意したほうがいいことよ。それをすれば、フェイギン、損をするのは、おまえさんのほうなんだからね。だから、早いとこ、あたしから注意してあげとこう、あたしにはさわらないほうがいいんだよ」

怒りに燃える女をそそのかそうとする男などめったにいない。その怒りに向こうみずと絶望の激しい衝撃がそえられたときはなおさらである。ナンシー嬢の怒りの原因についてこれ以上誤解をよそおっても、それがむだなことを、ユダヤ人はさとり、われ知らず数歩後ずさりして、話をこの先つづけるのはサイクスが最適といわんばかりに、半ば懇願的な、半ば臆病《おくびょう》そうなまなざしで彼をながめた。

サイクス氏は、こうたのみこまれ、自分の誇りと権威がナンシー嬢をとり静めることにあり、とおそらく感じたのであろう、何回も何回ものののしりと脅迫の叫びをあげたが、すみやかにそうした言葉をはいたことは、いかに彼が発明の才に恵まれているかを物語るものだった。しかし、そうしたののしりが相手になんの効果もあげなかったので、彼はもっと確実な議論の方法をとることにした。

「こんなことして、いったいなんのつもりなんでえ？」とサイクスはたずねたが、この言葉には応援として、人間の顔形《かたち》のうちでもっとも美しい目についての呪いがそえられていた。ついでながら、もしこの言葉が地上で語られる五万回のうち一回でも天にとどいたら、盲目ははしかと同じようにふつうの病気になったことだろう。「そいつはなんのつもりなんでえ？　こん畜生！　おめえがだれか、どんな立場にある女か、おめえは知ってるのか？」

「ええ、ええ、みんな知ってるわよ」ヒステリックふうに笑い、無関心をへたによそおって、頭を横にふりながら、女はこたえた。

「うん、そんなら、静かにしてろ」犬にいつも使っているうなり声を立てて、サイクスはやりかえした。「さもなけりゃ、これから先ながいこと、おめえをだまらせてやるからな」

女は前よりもっと落ち着きを失って、ふたたび笑い、ソワソワしたまなざしをサイクスに投げ、顔をそむけ、血がにじむほど下唇をかたく噛んだ。

「おめえは感心なやつさ」軽蔑《けいべつ》したように彼女をジロジロながめて、サイクスはいいそえた。「やさしくお上品な側に味方するとはな！　おめえのいうあの子が味方にするには、打ってつけの代物さ！」

「まったく、そのとおりよ！」女は激しく叫んだ。「あの子をここに連れてくるのに手を貸すくらいなら、自分自身が道で打ち殺されるか、さもなけりゃ、今日の晩その近くをとおったあの人たちにかわったほうがいいくらいよ。あの子は今晩から泥棒、うつそき、悪魔、すべての悪者《わるもん》になるのよ。それでもう、あの老いぼれには十分じゃないの、べつにながらなくってもさ」

「さあ、さあ、サイクス」ユダヤ人は、いかにも困るといった態度で彼に訴え、できごと一切を熱心に見守っていた少年たちのほうに身ぶりをして、いった。「わしたちは丁寧な言葉をつかわにゃならんのだよ――丁寧な言葉をな、ビル」

「丁寧な言葉だって！」はた目にもおそろしいふうに怒りたって、女はいった。「丁寧な言葉だって、この悪党め！　そう、じゃああたしからそうした言葉をおまえにあげるわよ。この子の半分の歳にもならないときから、あたしはおまえのために盗みをしたんだからね」彼女はオリバーをさしていった。「それから十二年間、あたしの商売は少しも変わらず、同じ主人づとめをしてたわね。それを知らないのかい？　さあ、おこたえ！　それを知らないのかい？」

「わかった、わかった」なだめようとして、ユダヤ人はこたえた。「だが、そうだとしても、それは、おまえの生きる道なんだぜ！」

「ええ、そうよ！」話すというより、激しい叫びの連続で言葉をはきちらすようにして、女はやりかえした。「それがあたしの生きる道よ、それに、寒い、ジメジメした、汚い通りが自分の家になってね。そして、ながいこと、昼も夜も、昼も夜も、あたしが死ぬまで、あたしをずっとそこに追いたてる当人は、おまえ自身なんだよ！」

「ひどい目にあわせるぞ！」こうした非難にむっとして、ユダヤ人は言葉をさえぎった。「これ以上そんなことをいうと、もっとひどい目にあわしてやるぞ！」

若い女は、もうなにもいわず、狂乱状態で髪と服をむしりながら、すごい勢いでユダヤ人に飛びかかっていった。もし彼女の腕首が、ちょうど間に合って、サイクスにつかまれなかったら、きっと、ユダヤ人に復讐《ふくしゅう》のひどいあざをつくりだしていたことだろう。彼に腕首を押さえられると、彼女は無力にもちょっと身もだえし、それから気を失ってしまった。

「これで、この女は大丈夫だ」彼女を隅に寝かせて、サイクスはいった。「ああして飛びかかると、あの女の腕っぷし、すごく強いもんだな」

ユダヤ人は額をぬぐい、さわぎが終わってやれやれといったようすで、ニヤリとした。だが、彼も、サイクスも、犬も、少年たちも、これを商売につきものの、べつに珍らしくもない事件と考えているようすだった。

「こいつが、女を相手にするとき、いちばん厄介なことなんだ」棍棒をもとにかえして、ユダヤ人はいった。「だが、女どもは利口なもんでな、女がいなけりゃ、商売はやってけねえんだ。チャーリー、オリバーを寝台に案内してやれ」

「明日、あの晴れ着は着ないほうがいいんじゃないかい、フェイギン？」チャーリー・ベイツはたずねた。

「むろん、そうだ」チャーリーがニヤリと笑ってした質問に、同じようにニヤリと笑って、ユダヤ人は応じた。

この役目をひどくよろこんでいるようすのベイツは、割った棒切れをとりあげ、オリバーをとなりの台所に連れていったが、そこには、彼が前に眠ったことのある二、三台の寝台があり、ベイツは抑え切れない笑い声を立てて、オリバーがブラウンロー氏の家でそれから逃れたのをとてもよろこんでいた例のぼろ服を引っぱりだしてきた。このぼろ服が、偶然それを買いとったユダヤ人によってフェイギンに見せられ、それがオリバーの所在を知る最初のきっかけになったのだった。

「そのハイカラな服は脱ぎな」チャーリーはいった。「フェイギンにわたして、大切にしまっといてもらおう。まったく、こいつはおもしれえぞ!」

あわれなオリバーは、いやいやながら、これに応じた。ベイツはその服をまいて小脇にかかえこみ、オリバーを暗闇に残して、戸の錠をかけ、部屋を出ていった。

チャーリーのひどく大きな笑い声、それに、たまたま好都合に帰ってきて、ナンシーの回復のために、その顔に水をかけたりと優しい世話をしていたベッツィー嬢の声がする中、オリバーよりもっと恵まれた環境にある人々なら眠れなかったであろう。だが、彼は病気でつかれていたので、ぐっすりと眠りこんでしまった。

第十七章

オリバーの運命は不幸つづき、彼の評判を傷つけるために、偉大なる人物がロンドンにやってくる

ベーコンの側面に赤と白の縞々《しましま》の層があるように、悲劇と喜劇がきちんと入れかわりになって示されることが、血なまぐさいメロドラマの傑作では、舞台上のおきまりである。主人公は足かせと不幸の重荷でぐったりとし、わらの床にくずおれる。つぎの場面では、それを知らない忠実な家来が喜劇的な歌で観客を大いに楽しませる。傲慢《ごうまん》で無情な男爵にとらえられた女主人公がその貞操も生命も危くなって、命を代償に操を守ろうと短剣を抜くところを、われわれは胸をワナワナさせながら見ている。観客の期待が最高潮に達したとき、笛がひと吹き吹き鳴らされ、われわれはすぐに城の大広間にうつされる。そこでは灰色の頭をした家老が、奇妙なコーラスを、それよりもっと奇妙な家臣の一団と歌いだす。この家臣たちは、教会の納骨堂から宮殿まで、どこにでも自由に出没し、たえず楽しげに歌を歌い、群れをなしてさまよい歩く。

こうした変化はバカらしく見えるが、事実は、一見してそう思うほど不自然なものではない。盛りだくさんな食卓から死の床へ、葬儀の服から祭の晴れ着へと現実生活でうつっ

てゆくのは、いささかも驚くべきことではなく、ただそこで、われわれは、受動的な観客の立場からいそがしい役者に変わるまでのこと、そして、この変化がじつに大きな相違をきたすことになる。物まね芝居の役者は情熱、あるいは感情の激しい変転や唐突な衝動に盲目で、単なる観察者の目の前にうつしだされると、それは、ただちにひどい、途方もないものとして、非難を受けることになる。

場面の急激な移り変わり、時と場所の急速な変化は、本の場合に、ながい慣習によって認められているばかりでなく、著者の腕の見せどころと考えられているが——こうした批評家によれば、作者の腕は、章の終わりに作者が登場人物をおとしこむ苦境によって、主として判断されるのだが——そうした事情に関するこの章の簡単な前置きは、不必要と思われるかもしれない。もしそうだとすれば、読者諸君には、オリバー・ツイストが生まれた町へまっすぐ連れてゆかれることを、この物語の語り手がそこはかとなくお知らせしたものとして、ご解釈ねがいたい。読者諸君には、そうした旅をするりっぱな筋が当然あるものと、そうでなかったら、こうした旅行に読者をさそうことは起こり得ないのだから、と思っていただきたい。

ある朝早く、バンブル氏は救貧院の門から飛びだし、威厳ある態度と堂々とした足どりで大通りをノッシノッシと進んでいった。彼は教区吏員の身分の最高潮の華かさを示していた。彼の三角帽と上衣は陽光にギラギラと輝き、健康と権力のたくましさで、ステッキをにぎりこんでいた。バンブル氏はいつも頭《ず》を高くしている人物だったが、今朝、それはいつもよりもっと高くなっていた。目には茫然《ぼうぜん》とした気配、態度には昂然《こうぜん》としたところがあって、観察力のある見知らぬ人がこれを見たら、この教区吏員の心中に言葉ではいいつくせぬ偉大な考えがわき起こっていることを知らせたであろう。

バンブル氏は、進んでゆく途中、立ちどまって、うやうやしく話しかけてきたつまらぬ店主やその他の人と話すようなことはしなかった。彼はただ手をふって彼らの挨拶《あいさつ》にこたえただけ、その堂々たる歩調は変わらず、ついに彼は、マン夫人が教区の配慮で貧乏人の子供たちを預かっている幼児預かり所に到着した。

「いやな教区吏員のやつ！」よく知っている庭の門をゆする例の物音を耳にして、マン夫人はいった。「朝っぱら、こんなときにやってくるのは、あの男にきまってるよ！　まあ、バンブルさん、おいでくださったのが、あなたただなんて！　まあ、まあ、ほんとうにうれしいことですわ！　さあ、どうぞ客間におはいりください」

この最初の言葉はスーザンに話したもの、そして、よろこびの間投詞の連続は、マン夫人が庭の門の錠をはずし、細心の注意をはらってうやうやしく彼を家の中に連れこんだとき、バンブル氏に語られたものだった。

「マン夫人」つまらぬきざなしゃれ男が座席にドシンと腰を落とすのとはちがい、寛大にゆっくりと椅子に身を沈めて、バンブル氏はいった。「マン夫人、おはよう」

「まあ、おはようございます」ニコニコ満面笑みをたたえて、マン夫人はこたえた。「あなたはお元気でしょうね？」

「まあ、まあね、マン夫人」教区吏員はこたえた。「教区の生活は薔薇《ばら》の床とは申せませんからな、マン夫人」

「ああ、まったくそのとおりですわ、バンブルさん」夫人は応じた。もし子供の収容者たちがこの返事を聞いたら、彼らはそれに声を合わせたことだったろう。

「夫人、教区の生活は」テーブルをステッキでたたいて、バンブル氏はつづけた。「悩み、焦燥、苦難の生活でしてなあ。だが、公務にたずさわる者はみな、まあ、迫害に苦しめられねばならんのです」

マン夫人は教区吏員がいおうとしていることがわからず、いかにも同情したふうに両手をあげ、溜《た》め息をもらした。

「ああ、あんたが溜め息をもらすのも、当然のこってすな、マン夫人！」教区吏員はいった。

偶然ながら的ははずさなかったとさとって、マン夫人はまた溜め息をもらしたが、これは明らかに、公務にたずさわる者にとっては満足のゆくことだった。この公務員は、三角帽をきびしくにらみつけることでわき起こる満悦感のほほえみをグッと抑えて、こういった――

「マン夫人、わしはロンドンへいってきますぞ」

「まあ、バンブルさん！」びっくりして、マン夫人は叫んだ。

「ええ、ロンドンへね」剛直な教区吏員はつづけた。「駅馬車で。わたしと救貧院の者二人でね、マン夫人！　彼らの定住について、裁判が開かれるんですが、委員会はわし――わしですぞ、マン夫人――を任命して、クラークンウェルで開かれる裁判でそのことを証言させることになったんです。そして、たぶん」グイッと身をそらせて、バンブル氏はいいそえた。「クラークンウェルの裁判所は、わしの証言が終わらぬうちに、大変なまちがいをしでかしたと思うことでしょうよ」

「おお、裁判所にあまり強く当たってはいけませんよ」なだめるようにして、マン夫人はいった。

「それも、クラークンウェルの裁判所の身から出た錆《さび》というもんですな、夫人」バンブル氏はこたえた。「そして、クラークンウェルの裁判所が思ったほどうまくゆかんと気がついても、クラークンウェルの裁判所は、自業自得といったわけですわ」

バンブル氏がこうした言葉を語ったいかめしい態度には、大いなる決意と意図の深さがひめられていたので、マン夫人はそれに完全に圧倒されたようだった。とうとう彼女はいった――

「駅馬車でお出でになるんですね。収容員は荷馬車で送るのがふつうかと思ってましたけど……」

「マン夫人、それは病気のときのこってす」教区吏員はいった。「雨の日には救貧院の者はおおいのない荷馬車に乗せるんです、風邪をひかんようにとね……」

「まあ！」マン夫人はいった。

「競争相手の駅馬車がこの二人の契約をしてくれましてな、安く乗せてくれるんです」バンブル氏は説明した。

「彼らは健康状態が非常にわるく、埋葬するより移動させたほうが二ポンド安あがりになるんです――というのは、われわれへの仕返しに、やつらが道中死んだら話はべつで、他の教区にやつらを放りだした場合には、ということなんですがね。そして、この移動はきっとうまくいくと、わしは思ってるんです。はっ！　はっ！　はっ！」

しばらくのあいだ、バンブル氏が笑っていたとき、彼の目はふたたび三角帽にゆき当たり、重々しい態度に彼はひきもどされた。

「仕事のことを忘れてましたな、夫人」教区吏員はいった。「これが今月のあんたの俸給です」

バンブル氏は、紙入れから紙にまるめたいくらかの銀貨を引きだし、受領書を請求し、マン夫人はそれを書いた。

「ずいぶん汚くなっちまいましたけど」幼児預かり人のマン夫人はいった、「でも、形式どおりのもんだとは思います。バンブルさん、ありがとう、お礼を申しますよ」

バンブル氏は、マン夫人のお辞儀をそれと認めて、おだやかにうなずき、子供たちはどうか、とたずねた。

「ありがたいことです！」マン夫人は感動をこめていった。「とっても元気です！　もちろん、先週死んだ二人の子供と、それにディック坊やはべつですけどね」

「あの少年はよくなってはいないのかね？」バンブル氏はたずねた。

　マン夫人は頭をふった。

「やつは性根の悪い、悪意のある、いけない教区の子供だ、あいつは」怒ってバンブル氏はいった。「やつは、どこにいる？」

「すぐにお連れしますよ」マン夫人はこたえた。「さあ、ディック！」

　しばらく呼んだあとで、ディックが見つかった。ポンプの下で顔を洗い、マン夫人のガウンでそれをふかれて、彼はおそろしい教区吏員バンブル氏の面前に引きだされてきた。

　少年は顔を青ざめさせ、痩《や》せていた。その頬はくぼみ、目は大きく輝いていた。自分の貧困を物語るお仕着せの教区支給の服は、彼の弱々しいからだにダラリとさがっていた。そして、彼の若い肢体は、老人のように、やつれ果てていた。

　バンブル氏の視線のもとでふるえ、床から目をあげることもできず、教区吏員の声を聞くことさえこわがってふるえていた子供の状態は、こうしたものだった。

「この意固地者《いこじ》、おまえはあの紳士のおかたを見ることもできないのかえ？」マン夫人はたずねた。

子供はオズオズと目をあげ、バンブル氏と目を合わせた。

「教区《バローキアル》（バローキアルには「偏狭な」の意がひそんでいる）の子供のディック、具合はどうだね？」じつに間のいい冗談をとばして、バンブル氏はたずねた。

「べつに何でもありません」かすかに子供はこたえた。

「そうでしょうとも」もちろん、バンブル氏のしゃれに声を立てて笑っていたマン夫人はいった。「なにも不足はさせてませんからね」

「ぼくはおねがいしたいんですが――」どもりながら、子供はいった。

「まあ！」マン夫人は口を突っこんだ。「あんたはいま、なにか欲しいといおうとしたのね。まあ、このガキが――」

「やめっ、マン夫人、やめなさい！」権威あるふうに手をあげて、教区吏員はいった。「なにが欲しいのかい、えっ？」

「ぼくはおねがいしたいんですが」子供はどもっていった、「だれかものを書ける人に、ぼくのために、ほんのちょっとした言葉を紙に書いてもらい、それをたたみ、封印をし、ぼくが埋められたあと、ぼくのために、それをとっておいてほしいんです」

「いや、これはなんのこった？」バンブル氏は叫んだが、この子供の真剣な態度と青ざめた顔は、それに馴《な》れていたとはいえ、彼に強い印象を与えずにはいなかった。「それはなんのこったね?」

「ぼくは、あのかわいそうなオリバー・ツイストにぼくからの挨拶《あいさつ》の言葉を残したいんです」子供はいった。「だれも友だちがいなくて彼が暗い夜の中をさまよい歩いているのを考え、ぼくが一人で座ってどんなに泣いたか、彼に知らせてやりたいんです。それに、知らせてやりたいんです」その小さな手をしっかりと結び、ひどく熱をこめて話しながら、子供はつづけた、「とても幼いときに死ぬのを、ぼくはよろこんでいると、知らせたいんです。だって、もしぼくが大人になるまで生き、年よりになったら、天国にいるぼくの妹はぼくを忘れてしまうか、ぼくに似ない人になってしまうでしょう。それに、二人とも子供でいっしょに天国にいたほうが、ずっと幸福でしょうからね」

バンブル氏は、得もいわれぬ驚きで、この子供の語り手を頭の上から足の先までながめまわし、マン夫人のほうに向いていった。「やつらはみんな同じ手合いですな、マン夫人。あの図々しいオリバーが、彼ら全員を堕落させちまったんです!」

「この話を聞かなかったら、信じられないことですわ!」両手をあげ、悪意をこめてディックをにらみつけながら、マン夫人はいった。「こんなに意固地なガキって、見たことがありませんよ!」

「夫人、この子を向こうに連れてゆきなさい」バンブル氏は高飛車な調子で命じた。「これは、マン夫人、委員会に報告せねばなりませんな」

「わたしに落度はないことを、みなさんはわかってくださるでしょうね？」悲しげに鼻をシクシクいわせて、マン夫人はたずねた。

「委員会にわかってもらうようにしてあげますよ。委員会にはことの実情を知らせねばなりませんからな」バンブル氏はいった。「さあ、彼を連れてゆきなさい。こんなやつの姿は見てもおられんからね」

ディックはすぐに連れだされ、石炭小屋に閉じこめられた。バンブル氏は、その後まもなく、旅行の準備をするために、ここを立ち去った。

翌朝六時にバンブル氏は三角帽をまるい帽子に替え、肩マントのついた青い大外套《がいとう》を着け、その定住地域が紛争の種になっている二人の犯罪人をともなって、駅伝馬車の階上の所定の席におさまり、やがてロンドンに到着した。彼は、道中、この二人の収容員の片意地な態度から発する妨害以外には、なんの妨害も受けなかった。というのも、彼らは、バンブル氏曰《いわ》く、大外套を着ていながらも彼に歯を鳴らさせ、気持ちを悪くするようないやな態度で、身をふるわせ、寒さを訴えつづけていたからであった。

こうした兇悪《きょうあく》な者たちをやすませてから、バンブル氏は駅馬車がとまった宿屋で腰をおろし、ビフテキ、かきソース、黒ビールといったささやかな夕食をとった。お湯割りのジンを一杯炉かざりの上に載せて、彼は椅子を火のところに引きよせ、不満と不平のおびただしいこの世の罪について教訓的な想いに頭をめぐらせながら、新聞を静かに読みはじめた。

バンブル氏の目が最初にとまった言葉はつぎのような広告記事だった。

賞金五ギニー

木曜日夕刻、名はオリバー・ツイストなる少年、ペントンヴィルの家より失踪《しっそう》、あるいは誘拐《ゆうかい》され、その後、消息不明。このオリバー・ツイストの発見の手がかり、あるいは、広告人が多大な関心をいだくその前歴に関し、多少とも光を投げる情報をもたらした人には、何人にせよ、右の金額を贈呈する。

そのうしろに、オリバーの服、からだつき、外貌《がいぼう》、その出現、失踪の顚末《てんまつ》の一切が記され、ブラウンロー氏の住所氏名がはっきりとそえられてあった。

バンブル氏は目をかっと開き、この広告をゆっくりと注意深く三回読み、それから五分少しして、興奮のあまり、お湯割りのジンを飲むのも忘れて、ペントンヴィルに向けて出発した。

「ブラウンロー氏は家においでですか?」戸を開いた少女にバンブル氏はたずねた。

この質問にたいし、その少女は、「わかりません。どこからおいでです?」というよくある、つかみどころのない返事をした。

バンブル氏が、自分の用事の説明のために、オリバーの名を口にするかしないうちに、客間の戸のところで耳を澄ませていたベドウィン夫人は、息もつけない状態になって、廊下に急いで出てきた。

「おはいりなさい――おはいりなさい」老婦人はいった。「なにか彼の消息はあるものと思っていました。かわいそうに！　消息はあるものと思っていましたよ。それを確信していました。あの子に祝福が授かりますように！　わたしはずーっとそればかり口にしていたのです」

こういって、このりっぱな老婦人はあわただしく客間にもどり、ソファの上に腰をおろして、わっと泣きだした。それほど感受性の強くない女中は、そのあいだに、二階にかけあがり、バンブル氏を案内せよという命令を受けてもどり、バンブル氏は彼女についていった。

彼は小さな裏の書斎に案内されたが、そこには、ブラウンロー氏とその友人グリムウィグ氏が、前にワインのびんとコップをおいて座っていた。グリムウィグ氏はすぐ大声で叫びはじめた――

「教区吏員だ！　教区吏員だ！　そうじゃなかったら、わしは自分の頭を食ってしまうぞ」

「どうか、いまは邪魔をせんでくれたまえ」ブラウンロー氏はいった。「どうぞお座りください」

バンブル氏は、グリムウィグ氏の態度の奇怪さに度肝をぬかれながら、腰をおろした。ブラウンロー氏は、はっきりとこの教区吏員の顔を見すえるために、ろうそくを移動させ、それから、ちょっとイライラしながら、こういった――

「さて、新聞の広告を読んでおいでになったのですな？」

「はあ」バンブル氏はいった。

「そして、おまえは教区吏員だな、そうだろう？」グリムウィグ氏はたずねた。

「みなさん、わたしは教区の吏員です」傲然《ごうぜん》としてバンブル氏は応じた。

「もちろん」グリムウィグ氏は、友人にそっといった、「わしはそうと知っていたんだ。どこからどこまでも教区吏員だからな」

ブラウンロー氏は静かに頭をふって友人に沈黙を命じ、話をつづけた――

「あのかわいそうな少年がどこにいるかをご存じですか？」

「ぜんぜん知りません」バンブル氏はこたえた。

「では、彼について、どんなことをご存じなんです？」老紳士はたずねた。「なにか話していただけることがあったら、どうかお話しください。彼について、どんなことをご存じなのです？」

「彼のよいことは、なにも知らんのだろう、どうだい？」バンブル氏の顔をためつすがめつながめてから、グリムウィグ氏は辛辣《しんらつ》にいった。

バンブル氏はその質問をさっととらえ、不吉な重々しさをこめて、頭をふった。

「どうだ、わかったろう？」誇らしげにブラウンロー氏をながめて、グリムウィグ氏はいった。

ブラウンロー氏は心配そうにバンブル氏のしかめた顔をながめ、オリバーに関して知っていることを、できるだけ簡単に伝えるように、彼にたのんだ。

バンブル氏は帽子をおき、上衣のボタンをはずし、腕組みをし、むかしを思い出す仕種《しぐさ》で頭をかたむけ、しばらく考えこんだあげく、その話をしはじめた。

この教区吏員の話は、話すのに約二十分もかかったのだから、彼の言葉をそのままここに伝えたら、退屈なものになるだろう。だが、その要点はつぎのとおりになる。オリバーはいやしい、腹の黒い両親から生まれ、生まれたとき以来、いかさま、恩忘れ、悪意以上のよい性格を示したことはない。罪のない若者を狂暴、卑怯《ひきよう》にも襲い、主人の家から夜逃げだして、その出生地での短い経歴に終止符を打った。バンブル氏は、彼自身の述べている身分の証《あか》しにと、彼がロンドンに持参した書類をテーブルの上にならべ、また腕組みをして、ブラウンロー氏の発言を待った。

「その話は、真実すぎるほど真実の話でしょう」書類を見とおしてから、老紳士は悲しげにいった。「このお礼は、あなたのお知らせにたいして、わずかなものです。それがあの少年に好都合のものだったら、この金額は三倍にしても惜しくはないのですがね」

話をはじめる前にバンブル氏がこのことを知っていたら、オリバーの物語はもっと色彩のちがったものになっていただろうことは、十分に考えられる。しかし、それをするには、時期がもうおそすぎた。そこで彼は重々しく頭をふり、五ギニーの金をふところにして、退去していった。

ブラウンロー氏は、数分間、部屋をあちらこちら歩きまわっていたが、この教区吏員の話でひどく驚いていることは明らかで、グリムウィグ氏さえ、彼をこれ以上いらだたせるのを差しひかえていた。

とうとう、彼は足をとめ、荒々しくベルを鳴らした。

「ベドウィン夫人」家政婦が姿をあらわしたとき、ブラウンロー氏はいった。「あのオリバーという少年は、いかさま師だよ」

「そんなはずはありません。そんなはずはありません」老婦人はきっぱりといいきった。

「いや、そうなのだ」老紳士はやりかえした。「はずはないときみはいっているが、それはどういうことなのかね？　われわれはたったいま、彼の誕生以来の話を十分に聞いたのだが、彼はずっと徹底的な小悪党だったのだ」

「わたしは絶対にそれを信じませんよ、旦那《だんな》さま」老婦人はしっかりとこたえた。「絶対に信じません！」

「きみたち、お婆さん連は、やぶ医者と嘘っぱちの物語以外にはなにも信じないんだな」グリムウィグ氏はうなった。「そいつは、よーくわかってるさ。どうして最初にわしの忠告どおりにしなかったんだい？　熱病にかかってなかったら、忠告どおりにした、と言うんだろう、えっ？　やつはなかなかおもしろい少年だったよ、そうじゃなかったかい？おもしろいだって！　バカな！」こういって、グリムウィグ氏は、手をふりまわして、炉の火をかきほじった。

「あの子はかわいい、感謝の気持ちの強い、やさしい子でしたよ」ベドウィン夫人はプリプリしてやりかえした。「わたしは、子供がどういうものか、知っています、この四十年間もね。そして、それをいえない人は、子供についてなにもいう資格はないのですよ。わたしはそう考えています！」

これは、グリムウィグ氏にとって、つらい一打ちだった。彼は独身だったからである。こういっても、相手の紳士がだまりこくっているばかりなので、老婦人はツンと頭をそらせ、もう一言いってやろうと、エプロンのしわをのばしたとき、彼女はブラウンロー氏にとめられてしまった。

「だまりなさい！」心に感じてもいない怒りをよそおって、老紳士はいった。「これから先、あの少年の名前は一切口にせぬように。わしがベルを鳴らしたのは、それを伝えるためだったのだ。どんなことがあっても、絶対に、絶対にいかん、いいかね！　ベドウィン夫人、もう下がってもよろしい。このことは忘れないようにな！　わしは本気でいっているのだよ」

その夜、ブラウンロー氏の家では、みなが悲しい心をいだいていた。

親切な自分の友人たちのことを思ったとき、オリバーの心も沈んでいた。彼らがどんな情報を耳にしたかを彼が知らなかったのは、好都合なことだった。知れば、その場で彼の心は打ちくだかれてしまったことだろうから。

第十八章

オリバーが評判のよい、ためになる友人たちとつきあって時をすごすいきさつ

つぎの日の昼ごろ、ぺてん師とベイツがいつものおきまりの仕事をしに出かけたとき、フェイギン氏はその機会をとらえて、恩を忘れることの大罪について、オリバーにながい説教をしはじめた。オリバーが心づかいをしてくれる友人たちの仲間をすて、さらにもっとひどいことに、彼をとりもどすのに多大の労力と出費をかけたのに、なお逃げだそうとしている点で、彼が大それた罪をおかしていることを、はっきりと証明した。彼は、自分がちょうど間に合って助けてやらなかったら、オリバーが空腹で死亡してしまったかもしれないときに、彼を引きとり、彼の世話をみてやった事実を大いに強調した。そしてさらに、同じ事情のもとにある、ある若い子供を救ってやったが、彼の信頼を裏切って警察に密告をくわだて、不幸にも、ある朝、オールド・ベイリーで絞首刑になった者のおそろしい、あわれな物語を話して聞かせた。フェイギン氏は、その悲劇的な結果に自分も関係があることをかくそうとはしなかったが、問題の子供が要領悪く不実を働き、そのために、彼は裁判所のある証言の犠牲になってしまったいきさつを、目に涙を浮かべて、嘆いた。

その証言は、かならずしも真実のものではなかったが、彼（フェイギン）とそのすぐれた友人たちの身の安全のためには、どうしても必要なものだった。フェイギン氏は、結びの言葉として、絞首刑の不快さについて、とてもいやな感じの言葉で、それを描写し、じつに親切で丁寧な態度で、この不愉快な処刑にオリバー・ツイストをどうしてもかけたくはない、と述べ立てた。

ユダヤ人のこの話を聞いたとき、子供のオリバーの血は凍り、その言葉で伝えられたおそろしい脅迫を漠然と了解した。罪のない者が罪のある者と偶然いっしょになっているとき、裁判所自身も黒白を混同してしまうことを、彼はもうすでに心得ていた。事情を不都合にも知り、あるいは、口が軽すぎる人間を殺してしまう陰険な計画がいままでに何回となくこの老ユダヤ人によってたくらまれ、実行にうつされていたことは、このユダヤ人の紳士とサイクス氏のあいだでかわされ、以前のなにか陰謀とかかわりあいのある口論の全般的な調子からみても、十分あり得ることのように、オリバーには思われた。彼がおずおずとして目をあげ、ユダヤ人のさぐるようなまなざしに出逢《であ》ったとき、この用心深い老紳士が彼の青ざめた顔とふるえる手足にちゃんと気づき、それを楽しんでいることが、彼にはわかった。

ユダヤ人は、ニヤリと恐ろしい笑いを浮かべた。そして、オリバーの頭を軽くたたいて、彼が静かにし、仕事に精を出せば、仲間もきっと仲よしになるだろう、と彼に伝えた。それから、帽子をとり、古いつぎはぎだらけの大外套《がいとう》でからだをつつんで、外に出てゆき、そのあと扉に鍵《かぎ》をかけてしまった。

こうしてオリバーは、その日一日中、それからの何日かの日々の大部分、家にいることになったが、それは、朝から真夜中まで人っ子一人にも会わず、このながい時間をただ物思いに暮れてすごすだけだった。その思いは、かならず親切な友人たち、そして、彼らがとっくにいだいているにちがいない自分についての悪い評判を思うと、彼はすっかり悲しくなった。

一週間かそのくらいたってから、ユダヤ人は部屋の鍵をかけなくなり、彼は自由に家の中を歩けるようになった。

その家はとても汚かった。二階の部屋には高い木造の炉かざりと大きな扉があり、壁には羽目板がはられ、天井には蛇腹《じゃばら》がつけられていて、それは、手入れもされず、塵《ほこり》をあびて黒くなってはいたものの、さまざまに飾りたてられていた。こうした特徴から、これはずっと以前、老ユダヤ人が生まれる前には、もっとりっぱな人の住居であり、いまは陰気でわびしいものではあっても、かつては華かで美しいものであったのだろうと、オリバーには思われた。

蜘蛛《くも》が壁と天井の隅に巣をつくり、オリバーがそっと部屋にはいってゆくと、ときどき、ねずみが床の上をさっと走り、おびえて、穴にかけもどっていった。こうしたものは例外で、それをのぞけば、ここには生きたものの姿も物音もなく、暗くなって、部屋から部屋へ歩いてゆくのにあきてしまったとき、彼はときどき、街路のそばの廊下の隅にうずくまり、できるだけ生きている人のそばによろうとし、ユダヤ人と少年たちがもどってくるまで、時を報ずる鐘の音を数えて、耳を傾け、じっとしていた。

どの部屋でも、くずれかけた鎧戸《よろいど》がしっかりと閉ざされ、それを押さえていた桟は、きちんと木枠にねじこまれていた。上のまるい穴越しにはいってくるほんのわずかな光は、部屋をいっそう陰気にし、そこを奇妙な物陰でいっぱいにしていた。外に錆《さ》びた桟のついた裏の屋根裏部屋の窓だけは、鎧戸がなく、ここからオリバーは、わびしげな顔をして、何時間も外をながめていた。だが、そこから見えるものは、入りくんでゴタゴタとした屋根、黒ずんだ煙突、切妻の端だけだった。ときおり、たしかに、灰色の頭が遠くの家の手すりの壁越しに外をながめているのが見かけられたが、それはすぐにさっと引っこめられた。オリバーの観測所の窓は釘《くぎ》で打ちつけられ、長年の雨と煙でくもっていたので、こちらが見られたり聞かれたりもせずに彼ができることといえば、外のさまざまなものの形を見きわめることだけだった――といっても、彼の姿が見られたり、彼の声が聞かれたりするチャンスは、彼がセント・ポール寺院の円屋根にとじこめられた場合と同様、ほとんど起こり得ないことだった。

ある午後、ぺてん師とベイツは、その晩、外でやる仕事があったので、ぺてん師は自分の身づくろいに少し配慮を示そうという気になり（これは、公正にいって、彼の欠点では決してなかったのだが）、この意図をもって、彼は、親切にも、すぐ身づくろいの手伝いをするように、とオリバーに命じた。

オリバーは自分がなにか役に立てるのを大よろこびし、どんなにひどい顔でも、だれかながめる顔のあるのがとてもうれしく、道をはずさずにできることなら、自分のまわりの人たちの機嫌をどんなにしてでもとりたく思っていたので、この提案に異議なく応じた。そこで、彼はすぐその仕事にとりかかり、ぺてん師がテーブルに座っているとき、床にひざまずいて、その足を膝《ひざ》にかかえようとし、ドーキンズ氏が「足の入れ物をピカにする」といっていた仕事をやりはじめた。このドーキンズ氏の言葉をふつうの言葉に換えれば、「靴をみがく」ということになるのだった。

人がテーブルの上にパイプをくゆらせながら楽々と座りこみ、足を無造作にユラユラとさせ、靴をぬぐ面倒もなく、それをはく先々の心配もなく、まったく気持ちを乱されずに、それをみがいてもらうとき、理性をもった動物が感ずるかもしれない自由と独立の気分のためか、あるいは、ぺてん師の気持ちをやわらげたタバコのありがたみのせいか、さらにまた、彼の気分をなごやかにしたおだやかなビールの霊験あらたかなためかはわからないが、彼はこのとき、明らかに、しばらくのあいだ、彼には珍らしいロマンスと情熱の気分にうっとりしていた。彼は、考えこんだ顔つきをして、ややしばらくオリバーを見おろし、それから頭をあげ、やさしく溜《た》め息をついて、半ば茫然《ぼうぜん》と、半ばベイッに向かって、こういった――

「やつがやらなくって残念なこったなあ！」

「ああ！」チャールズ・ベイツはこたえた。「やつは自分のためになることを知らないのさ」

ぺてん師はふたたび溜め息をもらし、チャーリー・ベイツと同様、パイプをまたすいはじめた。二人は数秒間だまってタバコをすっていた。

「やるってなんだか、そいつは、おまえにはわからんだろうな？」悲しそうにぺてん師はいった。

「知っていると思います」目をあげて、オリバーはこたえた。「それはどろ――。あなたはそれなんでしょう、えっ？」言葉を途中で抑えて、オリバーはたずねた。

「そうだよ」ぺてん師はこたえた。「それ以外のものなんて、まっぴらさ」ドーキンズ氏は、その意見を述べてから、グイッと帽子をあみだにし、ベイツがなにか反対意見でももちだしてくれれば感謝感激といったようすで、彼のほうに目をやった。

「そうだよ」ぺてん師はくりかえした。「チャーリーもそう、フェイギンもそう、サイクスもそう、ナンシーもそう、ベッツィーもそうなんだ。みんなそうなんだ、犬までな。あの犬はいちばんの腕達者だからな」

「それに、密告の心配はいちばんないしな」チャーリーがいいそえた。

「自分のしっぽを出しちゃ大変と、やつは証人台でワンともいわんさ。そこにしばりつけ、二週間も食いものをやらなくったって、しゃべりはするもんか」ぺてん師はいった。

「ぜんぜんいいっこなしだね」チャーリーは応じた。

「やつはおかしな犬さ。仲間といっしょにいると、どんな知らぬ男が笑ったって歌ったって、おっかない顔もしないんだからな！」ぺてん師は語りつづけた。「バイオリンの音を聞いたって、うなりもせん！　自分とはちがう犬を憎みもせずにな！　うん、まったくそうなんだ！」

「やつは徹底した紳士さ」チャーリーはいった。

この言葉は、単にこの犬の讃辞《さんじ》のつもりでいわれたものだったが、ベイツがそれと気づいていたら、べつの意味でも、それは適切な言葉だった。徹底的な紳士淑女と称しているりっぱな紳士淑女が世の中にはたくさんいて、この彼らとサイクス氏の犬とのあいだには、じつに驚くべき相似点がいくつかあったからである。

「うん、うん」こうぺてん師はいい、彼の行動すべてを動かしている職業意識で、わき道にそれた話をもとにもどしていった。「そんな話は、この青小僧とは関係のないこった」

「そうさ」チャーリーはいった。「どうして、オリバー、おまえはフェイギンの子分にならないんだい？」

「そしてすぐにひと稼ぎするってえか？」ニヤリと笑って、ぺてん師はいいそえた。「そして、これはおれもするつもりなんだけど、その財産をもとにして引退し、四年向こうのつぎの閏《うるう》の年か、四十二回目の聖霊降臨祭の火曜日には、お上品な暮らしをおっぱじめることもできるんだぜ」

「ぼくは、いやなんです」おずおずしながら、オリバーはこたえた。「ぼくを放してくれたらいいのになあ。ぼくは——ぼくは——ここから出たいんです」

「ところが、フェイギンは出したがらないとな！」チャーリーはこれに応じた。

オリバーはこれを知りすぎるほどよく知っていたが、自分の気持ちをこれ以上はっきり述べるのは危険と感じて、ただふっと溜め息をもらし、靴をみがきにかかった。

「出たいだって！」ぺてん師は叫んだ。「あれっ、元気はどこへいっちまったんだ？　おまえは自分に誇りはもっていねえのかよ？　おまえは逃げだして、自分の友だちにたよりてえのか？」

「ちぇっ、バカらしい！」ポケットから二、三枚の絹ハンカチをとりだし、それを戸棚の中に投げこんで、ベイツはいった。「そいつは下劣なこったぜ、下劣な」

「おれはそんなこと、できねえな」昂然《こうぜん》とした嫌悪の態度で、ぺてん師はいった。

「だけど、きみは友人をすてて」ちょっと薄笑いを浮かべて、オリバーはいった、「自分のしたことで、その友人が罰せられても平気なんですね？」

「そいつは」パイプをひとふりして、ぺてん師は応じた――「そいつは、フェイギンのためをはからってのことさ。ポリ公はおれたちがぐるなのを知ってて、おれたちがずらからなけりゃ、あいつがとっつかまっちまうとこだったんだからな。あれは策略だったんだ、なあ、チャーリー？」

ベイツは賛成してうなずき、それからベラベラとしゃべるところだったが、オリバーが逃げだしたことをいきなりふっと思い出し、その結果、吸いこみかけていた煙が笑いといっしょくたにからまり、それが頭にツンとき、ついで喉《のど》をくだっていって、約五分間、咳《せき》とじたばたする発作がひき起こされることになった。

「おい、いいか！」手に一杯シリングと半ペニーの金をつかんで、ぺてん師はいった。「こいつは楽しい暮らしだぜ！　さあ、とりな。この金があったとこには、もっともっとあるんだぜ。とらねえんかい、えっ？　おお、このひどいあほうめ！」

「そいつはいけねえこったよ、なあ、オリバー？」チャーリー・ベイツはたずねた。「やつは、ダラリンになるんだからなあ？」

「その意味がぼくにはわからないんですが……」オリバーはこたえた。

「おい、こんなことになるってえことさ」チャーリーはいった。こういいながら、彼はハンカチの端をとりあげ、それをまっすぐに空中に立て、頭を肩に落とし、歯のあいだから妙な音をもらしていたが、彼は、この無言劇の演技によって、ダラリンと絞首刑がまったく同一物であることを示した。

「これが、その意味さ」チャーリーはいった。「ジャック、見ろよ、やつは目をむいてるぜ！　このガキほどりっぱな仲間は見たことねえぜ。きっと、こいつのお蔭《かげ》で、おれは死ぬことになるだろうよ、きっとな」チャールズ・ベイツはふたたび陽気に笑って、目に涙を浮かべながら、タバコをすいだした。

「おまえの育ちがわるいんだ」オリバーが靴をみがきあげたとき、それをいとも満足げにながめて、ぺてん師はいった。「だが、フェイギンがおまえを一人前の者にしてくれるだろうよ。さもなけりゃ、やつが骨を折って損をした見当ちがいの最初の男に、おまえがなるわけだ。すぐに、やりはじめたほうがいいぜ。あっという間に商売にとりかかることになるからな。オリバー、おまえは時間を損してるだけなんだぞ」

ベイツは、自分自身の説教的な教訓で、この忠告の応援をした。その話の種がつきてから、彼とその友人のドーキンズ氏は、自分たちが送っている生活にともなう数多くの楽しみを美しく説明して、ここでオリバーがすべき最上のことは、これ以上ぐずぐずせずに、彼ら自身がやった手段でフェイギンの好意を獲得することではないか、といろいろとほのめかした。

「それに、こいつはいつも頭に入れといたほうがいいぜ、オリバー」ユダヤ人が上の戸の錠を開けているのが聞こえてきたとき、ぺてん師はいった。「もしおまえがハンやチクタク、をかっぱらわねえと――」

「そんな話し方をしたって、通じねえよ」ベイツがさえぎった。「やつには、おまえのいってることが、わかってねえんだからな」

「おまえがハンカチや時計をかっぱらわなくたって」オリバーに話がわかるようにして、ぺてん師はいった。「だれかほかのやつが、かっぱらっちまうんだ。そして、そいつをぱくられたやつは、それでひでえ目にあう。そいつをぱくったやつ以外には、だれも得をしねえことになる――しかも、おまえもひでえ目にあう。おまえにだって、それをとる権利はちゃんとあるんだからな」

「そうだ、そうだ！」オリバーには気づかれずにはいってきたユダヤ人はいった。「要するにそういうことさ。つまるところ、ぺてん師のいうとおりさ。はっ！　はっ！　はっ！　やつは商売の理論をちゃんと心得てるんだ」

老人がこうした言葉でぺてん師の理論を確証したとき、彼はうれしそうにもみ手をし、自分の弟子の熟練ぶりに悦に入って、クスクスと笑っていた。

この話は、このとき、これ以上進まなかった。ユダヤ人がベッツィー嬢と、それにオリバーがそのときまで会ったことはないが、ぺてん師がトム・チトリングと呼んでいた紳士をともなって帰ってきたからである。この紳士は、ベッツィーとちょっと艶《つや》のある話を階段の上でかわしてから、いまその姿をあらわしたのだった。

チトリング氏はぺてん師より歳上で、たぶん十八歳くらいだったろう。しかし若い紳士にたいする彼の態度には、ある程度敬意がこめられていて、これは商売上の天才、技能の点で自分がいささかおとっているのを、彼が意識していることを物語っていた。彼の目は小さく、キラキラと輝き、その顔はあばた面《づら》、毛皮の帽子、黒みの勝ったコーデュロイのジャケット、油で汚れたビロードのズボン、それにエプロンを着けていた。彼の服は、事実、修理がよくゆきとどいているとはお世辞にもいえなかったが、この言い訳として、自分が一時間前に釈放されたこと、過去六週間軍服を着せられていたので、自分の私服にはかまってなどいられなかったことを、彼はみんなに説明した。チトリング氏は、いかにもイライラしたふうに、あそこでの新式の服の消毒法はひどく憲法を軽視したもの、服に焼け穴はつくるし、州に損害賠償を訴えることもできない、とつけ加えていた。髪を規定の形にかることにも、同じことがいえると、彼は考えていたが、それを、彼ははっきりと違法と断定していた。チトリング氏の最後の言葉は、四十二日間の重労働中、自分は酒一滴にもふれなかった、まったく石灰の籠《かご》のように喉はカラカラに干《ひ》あがっているということだった。

「オリバー、あの紳士はどこからきたと思うかね？」ほかの少年たちがテーブルの上に酒のびんをおいたとき、ニヤリとしてユダヤ人はたずねた。

「ぼくには――ぼくには、わかりません」オリバーはこたえた。

ねた。

「あいつはだれだい？」軽蔑《けいべつ》したようなふうにオリバーを見て、トム・チトリングはたず

「わしの若い友だちさ」ユダヤ人はこたえた。

「そんなら、やつは幸福者だよ」意味深な一瞥《いちべつ》をフェイギンに送って、この若い男はいっ

た。「若いの、おれがどっからきたか、気にすることはねえぜ。一クラウン賭《か》けてもいい、

おめえもすぐそこにゆくことになるだろうからな！」

この皮肉に、少年たちは声を立てて笑った。それから、同じことで何回か冗談を重ねたあとで、彼らはフェイギンとちょっとささやきをかわし、そこから引きしりぞいていった。最後にやってきた男とフェイギンが、少しはなれたところで、数語話し合ったあとで、みんなは椅子を炉に引きよせ、ユダヤ人はオリバーにそばにきて座るように命じ、聞くものの興味をそそりたてるふうにうまくたくらんだ話を語りはじめた。その話題は、この商売の大きな利点、ぺてん師の腕達者ぶり、チャーリー・ベイツの愛嬌《あいきょう》ぶり、それに、このユダヤ人自身の気前のよさといったものだった。とうとう、こうした話題も種がつきた徴候を見せはじめ、チトリング氏も同じ徴候を示しだした。矯正院《きょうせいいん》の生活を一、二週間もつづけることは、なかなか疲れるものだからである。そこでベッツィー嬢は帰り、残った連中も休むことになった。

この日以後、オリバーは一人でいることはほとんどなくなり、例の二人の少年といつも

いっしょにいることになった。そして彼らはおきまりの遊びを、毎日、ユダヤ人を相手にしてやっていたが、それが彼ら自身の身のためか、オリバーのためかは、フェイギン氏だけがいちばんよく知っていることだった。それ以外のときには、老人は自分が若いころにおこなった窃盗の話をし、それにじつに愉快で奇妙な話を織りまぜて語ったので、オリバーは心から笑い、自分の良心の問題はべつにして、その話を興味深く思っていることを示さずにはいられなかった。

要するに、この陰険なユダヤ人は少年に網をかけ、孤独と陰鬱《いんうつ》の力によって、こうしたわびしい場所で一人悲しい思いに沈んでいるより、人といっしょにいるほうがよいと思わせ、彼の魂を真っ黒にして、その色を永遠に変えてしまう毒を、いまゆっくりと、オリバーの魂の中にそそぎこんでいたのである。

第十九章

注目すべき計画が論議され、決定される

ある寒々とした、湿りっ気の強い、風の吹きすさぶ夜、ユダヤ人はしなびたからだに大外套《がいとう》をしっかりとまきつけてボタンをかけ、顔の下半分をかくそうと、襟を耳のところまですっぽりと立てて、その隠れ家から出てきた。戸に錠をかけ、出たあとに鎖を入れながら、彼は階段に立ちどまり、少年たちがしっかりと戸を閉め、奥にはいってゆく足音が聞こえなくなるまで耳を澄ませてから、コソコソと大急ぎで通りを去っていった。オリバーが連れこまれた家は、ホワイトチャペルの近くにあった。ユダヤ人はそこの街角にちょっと足をとめ、心配そうにあたりを見まわして、道路を横切り、スピトルフィールズの方向に進んでいった。

泥が厚く道の石の上に積まれ、黒い霧が街路におおいかぶさっていた。雨はジトジトと降り、すべてのものにふれるとひんやり、じっとりしていた。その夜は、このユダヤ人のようなものが外に出るのに、いかにもふさわしい夜だった。壁と戸口に身をかくして、彼が忍び足でコソコソと道を進んでいったとき、このおそろしい老人は、なにか無気味な爬《は》虫類《ちゅう》のように見え、そのうごめいている泥と暗黒の中に生まれ、夜に、なにか獲物をとろうと、こってりとしたくず肉をさがし求めているようだった。

いくつかまがりくねった、せまい道をとおりぬけて、彼はベスナル・グリーンに到着し、そこから急に左にまがって、そのびっしりと家のたてこんだ地区によくある低俗な、汚い迷路のように入りくんだ街路に吸いこまれていった。

ユダヤ人は自分のとおっている場所をよく心得ていて、夜の暗さ、道の複雑さにとまどいはしなかった。彼はいくつかの小道や街路を急いでとおりぬけ、とうとう、ずっと先のところに灯《あか》りがひとつしかついていない街路にはいっていった。この通りのある一軒の家の戸口のところで、彼はノックをし、それを開いてくれた男となにかブツブツとわずかな言葉をかわしたあとで、二階にあがっていった。

彼が部屋の戸の取手に手をふれたとき、犬がうなり、男の声が、だれだ？　と叫んだ。

「ビル、おれさ。おれなんだよ」中をのぞきこみながら、ユダヤ人はいった。

「そんなら、中にへえれ」サイクスはいった。「このバカ犬め、寝ておれ！　大外套を着てるときにゃ、おめえにはあの悪魔がわからねえのか？」

犬がフェイギン氏の大外套でごまかされていたことは、とにかく、明らかだった。ユダヤ人がボタンをはずし、それを椅子の背に投げかけたとき、犬は自分が起きあがってきた隅のところにもどり、十分に納得したところを示そうと、もどる途中、尻尾《しっぽ》をふっていたからである。

「うん、なんの用だね？」サイクスはいった。

「うん、ビル」ユダヤ人はこたえた――「あっ、ナンシーかい？」

このあとの叫びはいかにも当惑したようにあげられ、その存在が好ましくないことを暗に示していた。彼女がオリバーのためにとりなしをして以来、フェイギンとこの若い女は逢《あ》ってはいなかったからである。この問題に関する疑念を彼がもっていたとすれば、それはすぐ、この若い女性の態度によってとりのぞかれた。彼女は炉にかざしていた足を引き、自分の椅子をさげ、なにもいわずに、フェイギンに椅子を前に出すようにすすめたからである。たしかに、その夜は寒い夜だった。

「ナンシー、冷えこむね」しわだらけの手を炉にかざしながら、ユダヤ人はいった。「寒さがからだを突きぬけるようだ」脇腹を押さえて、老人はいいそえた。

「それがおめえの心臓を突きぬけたら、まさにきりといえるんだがな」サイクス氏はいった。「ナンシー、なんか飲み物をやつにやれ。大急ぎでな！　あの老いぼれの痩《や》せたからだが、墓からまい出てきた汚らしい幽霊のように、あんなにふるえてるのを見ると、まったく胸《むな》くそが悪くなるからな」

ナンシーは素早く、たくさんのびんがならんでいる戸棚から、一本のびんをとりだした。その戸棚には、びんの姿が種々さまざまなところから判断して、いろいろな酒がぎっしりとつめこまれているようすだった。サイクスはブランデーをコップについでから、ユダヤ人にそれを飲めといった。

「もう十分だ、もう、ありがとう、ビル」唇をちょっとコップにつけただけで、それを下におき、ユダヤ人はこたえた。

「なんだって！　おれたちにやられるとでも心配してんのかよ、えっ？」ユダヤ人の上に目をすえて、サイクスはたずねた。「ちぇっ！」

しゃがれ声を立て、いかにも軽蔑的にうなって、サイクス氏はそのコップをとりあげ、残った酒を灰の上にまきちらしたが、これは自分用にとそのコップに酒をつごうとする前準備で、彼はそれをすぐにやってのけた。

二杯目の酒を相手があおっているとき、ユダヤ人は部屋を見まわしたが、これは好奇心からではなく、彼の習慣になっている落ち着かぬ疑い深さのためだった。というのも、彼はこの部屋をもう何回か見ていたからである。そこは粗末な設備の部屋で、押し入れの品物はべつにして、そこにあるものはすべて、その住民が労働者であることを示し、見えるところにあるいかがわしいものといえば、ただ二、三本の重くて短い棍棒《こんぼう》、それに炉かざりにかけられた先に分銅をつけた革ひもだけだった。

「さあ」舌を鳴らして、サイクスはいった。「話を聞かせてもらおう」

「商売のかい？」ユダヤ人はたずねた。

ダヤ人はいった。

「商売のだ」サイクスはこたえた。「だから、おめえの用件をいいな」

「チャーツィーの家のことかい、ビル？」椅子を前に引きだし、声をグッと低くして、ユダヤ人はいった。

「うん、それがどうだっていうんだ？」サイクスはたずねた。

「あれっ、おまえはわしのいってることを、わかってるくせに」ユダヤ人はいった。「なあ、ナンシー、あの男はわしのいってることがわかってるんだ、どうだい？」

「いや、わからんよ」サイクス氏はせせら笑った。「さもなけりゃ、わかろうとしてない、といっても同じこったな。はっきりと話し、ちゃんと名をあげて、ものをいうんだ。この盗みについて考えてたのはてめえじゃございませんといった面《つら》をして、目をパチパチ、キョトキョトさせ、遠まわしにものをいったりして、そこに座ってたりはせずにな。さあ、なんのことなんだ？」

「しっ、ビル、しっ！」相手の怒りの発作を抑え切れなくなったユダヤ人はいった。「だれかに聞こえちまうじゃないか。だれかに聞こえちまうじゃないか」

「聞かせてやれば、いいじゃねえか！」サイクスはいった。「おれはかまわねえよ」とはいうものの、考えてみれば、かまわないどころじゃなかったので、彼は声を落としてしゃべりだし、前より静かになった。

「そう、そう」機嫌をとるようにして、ユダヤ人はいった。「ただ用心のためだけさ。さて、チャーツィーのあの家のこったが、いつ例のことはやるんだい、えっ？　いつやるんだい？　金銀のすげえ食器類、すげえもんがあるんだぜ！」手をこすり、期待で有頂天になり、眉《まゆ》をあげて、ユダヤ人はいった。

「ぜんぜんだめだな」冷たくサイクスはこたえた。

「ぜんぜんだめだって！」椅子にのけぞりかえって、ユダヤ人は相手の言葉をくりかえした。

「うん、ぜんぜんだめ」サイクスは応じた。「少なくとも、期待したとおりにうまくゆく仕事じゃねえな」

「じゃ、やりかたが悪いんだ」怒りで青ざめて、ユダヤ人はいった。「つべこべいう必要はない！」

「だが、おれはいうぞ」サイクスはやりかえした。「いう必要がないなんて、大きなことをぬかすてめえは、いったい、だれだ？　いいか、二週間のあいだ、トビー・クラキットがその家のまわりをうろつきまわり、召使いのだれとも話がつかねえ始末なんだ」

「じゃ、こういうつもりなんかい、ビル？」相手がむくれてくると、ユダヤ人のほうがおだやかになって、いった。「あの家の二人の使用人のどっちも、だきこめねえんかい？」

「そう、そのとおりだ」サイクスはこたえた。「老婦人はその二人をこの二十年間やとってて、あの二人に五百ポンドくれてやったって、まずやつらは落とせねえな」

「だが、女のほうもだめだとは、まさか、いうんじゃないんだろう？」ユダヤ人がやりかえした。

「ぜんぜんだめさ」サイクスはこたえた。

「達者なトビー・クラキットでもかい？」信じられないといったふうに、ユダヤ人はたずねた。「ビル、女がどんなもんか、考えてもみなよ」

「いや、達者なトビー・クラキットでもだめなんだ」サイクスはこたえた。「やつの話では、そこをうろついてるあいだじゅうずっと、まがいの頬ひげをつけ、カナリア色のチョッキを着ていったそうだが、結局だめだったんだ」

「ロひげと軍服のズボンを着けてたらよかったんにな」ユダヤ人はいった。

「そいつもしたさ」サイクスは応じた。「だが、それも、ほかの策略と同じこと、だめだったとよ」

こう知らされて、ユダヤ人はポカンとしてしまった。顎《あご》を胸にうずめて数分間考えこんでいたあとで、彼は頭をあげ、深い溜《た》め息をもらし、もしあの達者なトビー・クラキットの報告に誤りがなければ、もうこの計画はどうしようもないな、といった。

「だが、しかし」手を膝《ひざ》に落として、老人はいった。「せっかくねらいをつけたのに、あんな宝物が手にはいらないなんて、まったく残念なこったな」

「まったくな」サイクス氏はいった。「運がついてねえのさ」

ながい沈黙がつづいたが、そのあいだに、ユダヤ人は深い物思いに沈み、その顔はしわだらけで、完全に悪魔のすごい形相に変わっていた。サイクスは、ときどき、そっとこの彼をながめていた。ナンシーは、明らかに、この盗人の気持ちをいらだたせまいとして、まるでいままでの話が聞こえなかったように、火の上に目を釘《くぎ》づけにして座っていた。

「フェイギン」そこを支配していた沈黙を破って、サイクスはいった。「外からこの仕事をうまくやってのけたら、金貨五十枚を余計に出すかな？」

「うん」急に身を起こして、ユダヤ人はいった。

「それで手を打つかい？」サイクスはたずねた。

「うん、いいともさ、サイクス」この質問がひき起こした興奮で、目をギラギラさせ、顔のすべての筋肉を動かして、ユダヤ人はこたえた。

「そんなら」軽蔑《けいべつ》したふうに、ユダヤ人の手をはらいのけて、サイクスはいった。「できるだけ早く、それをやるんだ。トビーとおれは、おとといの晩、庭の塀を乗り越え、戸と鎧戸《よろいど》の羽目板を調べてあるんだ。あの家は、夜には、監獄のようにしっかり戸締りをおろしてあるが、安全にそっと破れる場所が、ひとつだけあるんだ」

「それはどこだい、ビル？」ユダヤ人はむきになってたずねた。

「うーん」サイクスは耳打ちした。「芝生を切って進むと――」

「そう、そう」頭を前に出し、目をそこから飛びださんばかりにして、ユダヤ人はいった。

「ふふん！」若い女が、頭をほとんど動かさずに、目をグルリとまわし、一瞬ユダヤ人の顔をさすようにしてながめたので、話を途中で切って、サイクスは叫んだ。「それがどこだって、いいじゃねえか。おれがいなかったら、おめえにできっこねえんだからな。おめえを相手にするときにゃ、安全第一でいくのがいちばんの策と決まってるんだ」

「いいようにしな、いいようにしな」ユダヤ人はこたえた。「おまえとトビーだけで、ほかに助けはいらんのかね？」

「いらん」サイクスはいった。「まわし錐《ぎり》と子供一人以外にはな。まわし錐はこっちでもってる。残りのほうは、おめえに見つけてもらわにゃならんな」

「子供だって！」ユダヤ人は叫んだ。「うん、そんなら羽目板をはずすんだな、えっ？」

「なんだって、いいじゃねえか！」サイクスはこたえた。「子供が一人いるんだ。大きなやつは困るぜ。ああ！」サイクス氏はジッと考えこんでいった。「あの煙突掃除人のネッドのとこの小僧がいたらいいのになあ！　やつはその小僧をわざと小さくしておいて、賃貸しで貸しだしをしてたんだ。だが、おやじはたたきこまれちまい、ついで、少年犯罪協会の連中がやってきて、もうけになる商売からやつを切りはなし、読み書きを仕込み、やがてやつを徒弟奉公に出しちまったんだ。協会のやつらは、そんなことをしてやがるんだ」自分が受けた虐待を考えて怒りをつのらせながら、サイクス氏はいった。「そんなことをしてやがるんだ。そして、もしやつらに十分の金があったら（それがないのが、もっけの幸いというもんだが)、一年か二年もすると、この商売に使える子供は五、六人を割っちまうことになるんだぜ」

「そんなもんだな」相手が話しているあいだじゅうジッと考えこみ、最後の言葉しか聞きとっていなかったユダヤ人はうなずいていった。「ビル!」

「なんだい?」サイクスはたずねた。

ユダヤ人はまだ火をジッと見つめているナンシーのほうに頭をコクリとさせ、その合図で、この女性を部屋から去らせたほうがよいと知らせた。サイクス氏は、その用心は不必要といったふうに、イライラしたようすで肩をすくめたが、ナンシー嬢にビールのジョッキをもってきてくれとたのんで、ユダヤ人の要求に応じた。

「ビールに用はないじゃないの」腕組みをし、落ち着きはらって座りつづけて、ナンシーはいった。

「用があるといってるんだ!」サイクスはやりかえした。

「バカいわないで!」冷静に若い女は応じた。「話をおつづけ、フェイギン。ビル、あたし、あの男がなにをいおうとしているのか知ってるよ。あたしのことなんか、気にすることはないじゃないの」

ユダヤ人はまだもじもじしていた。サイクスは、ちょっと驚いて、二人の顔を見くらべた。

「いや、フェイギン、おめえはこの女のことを気にしてるんじゃあるまいな、どうだい？」彼はとうとうたずねた。「この女のことは十分によく知ってて、信頼もできるはずなんだぞ。ひでえ話だ。やつはしゃべる女じゃない。ナンシー、どうだい？」

「まあ、話さないわね！」椅子をテーブルに引きよせ、そこに肘《ひじ》をついて、若い婦人はこたえた。

「うん、うん、おまえがそんな女じゃないことは知ってるさ」ユダヤ人はいった。「だが――」こういって、老人は話を途切らせた。

「だがどうだというんだ？」サイクスはたずねた。

「この前の晩のように、彼女の具合が悪くなりゃせんかと心配してただけのことさ」ユダヤ人はこたえた。

この告白を聞いて、ナンシー嬢は大声で笑いだし、ブランデーを一杯グイッとあおって、いかにも挑戦的態度で頭をふり、「さあ、話をつづけて！」とか、「弱音をはいてはだめ！」とか、いろいろとわめきだした。こうした言葉は、二人の紳士を安心させる効果をあげた。ユダヤ人は満足げに頭をうなずかせて、座りなおし、サイクス氏も同様の仕種《しぐさ》をしたからである。

「さあ、フェイギン」笑いながら、ナンシーはいった。「オリバーのことを、すぐビルに話してよ！」

「えっ！　おまえは利口な女だな。いままで会ったこともないほどのすごい女だ！」彼女の首を軽くたたいて、ユダヤ人はいった。「わしがいおうとしてたのは、たしかに、オリバーのことさ。はっ！　はっ！　はっ！」

「やつがどうだというんだ？」サイクスはたずねた。

「やつはおまえ向きの小僧だということさ」手を鼻の片側に当て、おそろしい笑いをニヤリと浮かべ、しゃがれたささやき声で、ユダヤ人はこたえた。

「やつだって！」サイクスは叫んだ。

「ビル、あの子を使いなさいよ！」ナンシーはいった。「もしあたしがあんただったら、あの子を使うわね。ほかの子のようには使えないかもしれないけど、戸を開けるだけだったら、使える、使えないは問題じゃないでしょう。そう、たしかに、あの子なら安全だわ、ビル」

「たしかに、そうだな」フェイギンはこたえた。「ここ何週間も、やつはりっぱな訓練を受けてるし、自分の食いぶちかせぎに、もう仕事をはじめてもいい時期なんだ。それに、ほかの連中は、でかすぎるよ」

「そう、やつはちょうどいいでかさだな」考えこんで、サイクス氏はいった。

「それに、ビル、おまえの望むことは、なんでもしてくれるよ」ユダヤ人は口をはさんだ。「そうせずにはおれんのだ。しっかりやつをおどかしてやればのこったが……」

「おどかすだって！」サイクスは相手の言葉をくりかえした。「いいか、いい加減なおどかしかたじゃねえんだぞ。仕事をおっぱじめてやつが妙な素振りでも見せたら、毒食らわば皿までということになるんだぜ。フェイギン、やつとは二度と生きてお目にかかれなくなるんだぞ。やつを出す前に、そのことをじっくり考えるんだな。よーくおれの言葉に注意しろよ！」寝台の下から引きだしたかなてこをもちあげて、盗賊はいった。

「うん、よく考えてるさ」強くユダヤ人はいい切った。「わしはな、わしはな、あの小僧に目をかけてきたんだ、注意深く――注意深くな。一度やつがおれたちの仲間になったと感じたら、自分が盗人だという考えで頭がいっぱいになったら、やつはおれたちのもんさ！ 生涯おれたちのもんさ。こんなにうまい話って、ないだろう」老人は腕を組み合わせ、頭と肩をひとつにまとめて、文字どおり、よろこびで自分のからだをだきしめた。

「おれたちのもんだって！」サイクスはいった。「おめえのもんってえことなんだろう」

「たぶん、そうだな」甲高くクスクスッと笑って、ユダヤ人はいった。「もしよかったら、ビル、わしのもんだよ」

「ところで、どうして」愛想のいい友にたいしてひどい渋面をつくって、サイクスはいった。「よりどりみどり五十人の子供たちが毎夜公園でグズグズ遊んでるのに、どうしてあの顔の青っ白《ちろ》いガキの世話をそうまでやくんだね」

「やつらは、わしにはなんの役にもたたん」いささか狼狽《ろうばい》して、ユダヤ人はこたえた。

「世話をみる値打ちがないもんな。やつらは、とっつかまったら、その顔つきだけで罪をおかしてることがわかっちまう。そして、こっちは丸損になるわけだ。あの子供の場合、うまく使えば、くだらんガキら二十人使ってもできんことを、わしはやれるだろう。そのうえ」冷静をとりもどして、ユダヤ人はいった。「もしやつがわしたちのとこからまたずらかるようなことでもあったら、やつはわしたちを押さえちまう。だから、やつを一蓮托《いちれんたく》生《しょう》の立場に追いこまなければならんのさ。どうしたらそうなるかは、問題じゃない。やつが泥棒をしさえすりゃ、わしはやつを自由に使えるようになるんだ。そうなりさえすりゃ、こっちに文句はなくなるよ。さて、あの小さな坊主をやっつけてしまわにゃならんことになるより——こいつは危険をともなうし、そのうえ、損にもなるこったからな——そっちのほうがずっと得になることじゃないかな？」

「いつやるの？」フェイギンが人情家ぶったところを示そうとしたことをひどくきらって、サイクス氏が発したさわがしい叫びを抑えて、ナンシーはたずねた。

「ああ、そのとおり」ユダヤ人はいった。「ビル、そいつをいつやることになるんだい？」

「トビーと相談したんだが、あさっての晩だ」むくれた声で、サイクスはこたえた。「おれのほうから変更の連絡をしなければな」

「うまいな」ユダヤ人はいった。「月も出ないし」

「そうだ」サイクスは応じた。

「獲物の運びこみの手はずはできてるんだろうな、えっ？」ユダヤ人はたずねた。

サイクスはうなずいた。

「で、それから——」

「おお、ぜんぶ計画は立ててあるんだ」相手をさえぎって、サイクスはこたえた。「こまかなことは心配するな。明日の晩、ガキを連れてきたほうがいいぞ。夜が明けてから一時間して、おれは出発する。そうなったら、おまえは口をつぐんで、るつぼ（盗品を売りさばくこと）の用意をしさえすりゃいいんだ」

三人がそれぞれ活発な意見を出した議論のあとで、つぎの晩、夜の帳《とばり》がおりたときに、ナンシーがユダヤ人の家にゆき、オリバーを連れてくることが決められ、フェイギンは狡《こう》猾《かつ》に、もしオリバーがこの仕事を好まぬようすだったとしても、最近自分をかばってくれたナンシーとならば、だれよりよろこんでいっしょにゆくだろう、と述べた。さらに、この計画された遠征の目的のために、あわれなオリバーの身柄は無条件にウィリアム・サイクス氏の配慮と保護にゆだねられること、このサイクスが適当と思われるふうに少年をあつかってもよいこと、その身に起きるかもしれぬ災害や不幸、あるいは彼に加えねばならなくなる処罰にたいして、ユダヤ人からその責任を問われることは一切ない事実が、厳粛にとりきめられた。そして、この最後の項目に関する契約を有効にするために、帰還のさいのサイクス氏による報告は、重要なすべての点で、トビー・クラキットの証言で確認されなければならないと了解された。

　こうした予備的な話がきめられると、サイクス氏はすごい勢いでブランデーを飲みはじめ、おそろしいふうにかなてこをふりまわしだし、同時に荒々しいののしりの言葉をまぜて、すごい調子はずれの歌を歌いだした。とうとう、職業的な情熱の発作にかられて、彼は家におしこむ道具のはいった箱をもちだすといいはじめ、それをヨロヨロッともちこみ、そこに入れてあるさまざまな道具の特性や能力や構造の特別な美しさを説明しようと、それを開いたとたん、彼は床の上の箱に倒れこみ、倒れたまんま、そこに寝こんでしまった。

「ナンシー、おやすみ」前どおりしっかりとからだをつつんで、ユダヤ人はいった。

「おやすみ」

　二人の目が合い、ユダヤ人は彼女をしげしげとながめた。若い女は少しもひるんだようすを示さなかった。彼女はこの仕事には、トビー・クラキットに劣らず、誠実で真剣だったからである。

　ユダヤ人はふたたびおやすみの挨拶《あいさつ》をいい、彼女の背が向けられているときに、サイクス氏の倒れた姿に陰険にも一蹴《ひとけ》りを加えて、手探りで階下におりていった。

「いつも同じこった！」家路についたとき、ユダヤ人はひとりでつぶやいた。「こういう女のいちばん困る点は、ほんのちょっとしたことで、ながいこと忘れてたことをふっと思い出すこと、そして、いちばんありがたい点は、それが絶対にながつづきしないこった。

はっ！　はっ！　一袋の金をとろうと、一人前の男と子供が争うわけか！」

こうした愉快な回想で心をまぎらわせながら、フェイギン氏は、泥とぬかるみの道をとおって、自分の陰気な家へもどっていったが、そこではぺてん師が、彼の帰りをイライラしながら待って、まだ起きていた。

「オリバーは寝てるのか？　わしはやっと話をしたいんだ」が、彼らが階段をおりていったとき、彼が最初に語った言葉だった。

「何時間も前にね」扉をパッと開けて、ぺてん師はこたえた。「ここにいますぜ！」

床の粗末な寝台の上に、少年はぐっすりと眠っていた。不安と悲痛とこの牢獄《ろうごく》の息苦しさで、その顔は真っ青、死んだようなようすだったが、その死は、経帷子《きょうかたびら》と棺《ひつぎ》の中で示されている死ではなく、生命がたったいま消えたときの姿、若くてやさしい魂が一瞬天国に飛び去り、この世のよごれた空気がその清めた亡骸《なきがら》に息をはきかける暇《いとま》がないときの姿だった。

第二十章

オリバーはウィリアム・サイクス氏の手にわたされる

オリバーが翌朝目をさましたとき、しっかりとした厚い靴底がはられた新しい靴が自分の寝台のわきにおかれてあり、自分の古靴の姿が消えているのに気がついて、彼はひどくびっくりした。これに気づいたとき、彼は最初よろこんだ。自分が釈放される予報と考えたからである。しかし、ユダヤ人といっしょに朝食の食卓についたとき、こうしたあまい考えは、もう消えていた。ユダヤ人が、彼の恐怖心を増大させる語調と態度で、彼がその夜ビル・サイクスの家に連れてゆかれることを知らせたからである。

「そこに――ながく――泊まるのですか？」心配そうにオリバーはたずねた。

「いや、いや、ながく泊まらせはせんよ」ユダヤ人はこたえた。「おまえを失いたくはないからな。心配することはない、オリバー、いずれここにもどってくるんだからな。はっ！　はっ！　はっ！　わしたちは、おまえをここから放りだしちまうほど、そんなに情けなしじゃないんだ。おお、とんでもない、とんでもない！」

パンを焼きながら炉の上にかがみこんでいた老人は、こうしてオリバーをからかったとき、あたりを見まわし、相手がまだ、できたらここから逃げだしたく思っていることを、こちらも承知といったふうに、クスクスッと笑った。

「わしは思うんだがな」目をオリバーの上にすえて、ユダヤ人はいった、「おまえはどんな用件でビルんとこにゆくのか、知りたいんだろう——えっ、どうだい？」

オリバーは、老盗人が自分の心中を見破っているのを知って、われ知らず顔を赤くしたが、思いきって、ええ、それを知りたい、とこたえた。

「なんのためだと、おまえは思う？」相手の言葉をさらりとかわして、フェイギンはたずねた。

「ほんとうに、わからないんです」オリバーはこたえた。

「ふん！」少年の顔をジッとにらみつけていた視線をそらし、がっかりとした表情でそっぽを向いて、ユダヤ人はいった。「そんなら、ビルに教えてもらうまで、待つことさ」

オリバーがこの問題にこれ以上たいして好奇心を示さぬので、ユダヤ人はイライラしているらしかったが、事実は、オリバーにはそうした気持ちが強くはありながらも、彼は熱をこめた狡猾《こうかつ》そうなフェイギンの顔つきと自分の頭の中の考えにすっかり狼狽し、それ以上なにも質問などできない状態にあった。その夜、彼には、それ以上質問をするチャンスはめぐってはこなかった。ユダヤ人がひどく不機嫌で、むっとだまりこんでいたからである。そして、彼は外に出てゆこうとした。

「ろうそくを燃やしてもいいぞ」ろうそくをテーブルの上において、ユダヤ人はいった。「それに、ここにおまえの読む本があるから、それを読んで、みんながここにくるまで、待ってるんだ。さあ、おやすみ！」

「おやすみなさい！」オリバーはおだやかにこたえた。

ユダヤ人は、歩きながら肩越しに少年をながめて、扉のところまでゆき、そこで急に足をとめて、彼の名を呼んだ。

オリバーが目をあげると、ユダヤ人はろうそくをさして、それに火をつけろと、身ぶりで伝えた。彼は命じられたとおりにした。彼がろうそく台をテーブルの上においたとき、ユダヤ人が眉《まゆ》をよせ、しかめ面《つら》をして、部屋の暗いところから、彼をジッとみつめているのに気がついた。

「用心しろよ、オリバー！　用心しろよ！」なにかの前兆のように、彼の目の前で右手をふって、老人はいった。「やつは荒らっぽい男だぞ。頭に血がのぼってると、血を流すことなんか、なんとも思わん男なんだ。どんなことが起きても、なんにもいわず、命じられたとおりしていればいいんだ。いいか！」最後の言葉を強くいってから、彼の顔はだんだんとほぐれて、おそろしいニヤリとした薄笑いになり、頭をひとつコクリとやって、部屋を出ていった。

老人の姿が消えたとき、オリバーは、頬杖《ほおづえ》をつき、胸をドキドキさせて、自分がたったいま聞いた言葉のことを考えた。ユダヤ人の注意について考えてみればみるほど、そのほんとうの意図と意味がわからなくなった。自分をサイクスのところにやって、なにか悪い目的が達成できるものとは考えられなかった。フェイギンのところにいても、それは不可能だったからである。そして、ながいこと考えこんでいたあげく、あの盗賊のためになにかつまらぬ仕事をするのに自分が選ばれ、もっと目的にふさわしいべつの少年がやとわれれば、それは終わるのだときめつけてしまった。彼は苦痛に馴《な》れっ子になり、自分がいまいるところでも非常に苦しんでいたので、変化の予想をひどく嘆き悲しむ心のゆとりはなかった。彼は数分間物思いに沈み、それから、ふっと深い溜《た》め息をもらして、ろうそくの芯《しん》を切りなおし、ユダヤ人がわたしてくれた本をとりあげて、それを読みはじめた。

最初彼は無造作に本のページをめくっていたが、彼の注意をひく箇所にゆきあたって、彼はまもなく熱心にそれに読みふけっていった。それは有名な犯罪人の生涯と裁判をあつかった話で、紙面は、何回も読んだために、汚れ、いたんでいた。ここで彼は血を凍らせるおそろしい犯罪、人通りのないわびしい路傍でおこなわれた秘密の犯罪、深い穴や井戸の中に入れられて人目からはかくされていた死体、それがいかに深かろうと、死体はそのままではおらず、何年かたってそれがあばきだされ、その光景に接して殺害者たちは狂乱状態におちいり、恐怖にかられて罪を白状し、自分たちの胸の苦しみを絶つために、絞首台送りを叫び求めるといった話を読んだ。また、真夜中に寝台で横になっていたとき、自分の兇悪《きょうあく》な考えに誘惑され（と書いてあるのだが）、それにつき動かされて、思っただけでも鳥肌がたち、手足がすくんでしまうおそろしい流血犯罪をおかすことになった男の話を読んだ。そのおそろしい描写は、真に迫り、なまなましく、浅黄色の本のページは血のかたまりで赤くなったようで、そこに書いてある言葉は、死者の霊によって、うつろなボソボソ声で語られる低いささやきのように、彼には思えた。

恐怖による激しい発作で、少年は本を閉じ、それをわきに投げだした。それから、ひざまずいて、こうした行為から自分を救ってくれるよう、生きながらえてそうしたぎょっとするおそろしい犯罪をおかすくらいなら、いますぐ死んでしまったほうがよいと、神に祈った。しだいに彼は冷静さをとりもどし、低いとぎれとぎれの声で、さしあたっての危険から自分が救われること、友人や親類の愛情を味わったことのないあわれな、打ちすてられた少年のために、なにか援助が与えられるのなら、わびしく、人からはかえりみられずに、悪事と犯罪の最中《さなか》にただ一人で立っているいまこそ、その援助を欲しいと、神にねがった。

彼は祈りを終え、まだ顔を手に埋めていたとき、サラサラという衣《きぬ》ずれの音が彼をびっくりさせた。

「なんだろう！」パッと起きあがり、扉のそばに立っている人の姿に気づいて、彼は叫んだ。「だれです、そこにいるのは？」

「あたしよ、あたしなのよ」ふるえる声がこたえた。

オリバーは頭上に高くろうそくをかざし、扉のほうを見た。それはナンシーだった。

「灯《あか》りを下におきなさい」顔をそむけて、この若い女はいった。「目がいたいから」

オリバーは彼女の顔が真っ青なのに気がつき、おだやかに、具合でも悪いのではないか、とたずねた。この女は、背を彼のほうに向けて、ドカリと椅子に座りこみ、手を握りしめていたが、なんの返事もしなかった。

「ああ、ごめん！」しばらくして、彼女は叫んだ。「こんなことって、思ってもいなかったわ」

「なにか起きたんですか？」オリバーはたずねた。「ぼくなんかでも力になれますか？ぼくでできることなら、なんでもしますよ。ほんとうに、なんでも」

彼女はからだを前後にゆさぶり、喉元《のどもと》を押さえ、ゼイゼイいってあえいだ。

「ナンシー！」オリバーは叫んだ。「どうしたんです？」

女は手で膝《ひざ》を、足で床をたたき、それから、急にそれをするのをやめて、ショールをからだにしっかりとまきつけ、寒さでからだをガタガタいわせた。

オリバーは火をかきたてた。椅子を炉のそばすぐのところに引きよせ、彼女はなにもいわずに、しばらくのあいだ、ジッとそこに座っていたが、とうとう頭をあげて、あたりを見まわした。

「ときどき、自分のからだに襲ってくるもんがなんだか、わからなくなっちまうことがあるのよ」せっせと服の乱れをなおすといった仕種《しぐさ》をして、彼女はいった。「それは、どうやら、この湿りっ気の多い、汚れた部屋のせいらしいわね。さあ、オリバー、あんた、準備できてること？」

「ぼくはあなたといっしょにゆくんですか？」オリバーはたずねた。

「そうよ。あたし、ビルのとこからきたの」女はこたえた。「あんたは、あたしといっしょにいくのよ」

「なんのために？」飛びさがって、オリバーはたずねた。

「なんのためですって？」目をあげ、それが少年の目と合ったとき、ふたたび目をそらせて、女は相手の言葉をくりかえしていった。「おお！　べつに心配することはないのよ」

「ぼくは信じません」彼女をじっと見ていたオリバーはいった。

「じゃ、勝手にお考えよ」笑うふりをして、女はこたえた。「でも、なんのためにもならないわよ」

オリバーは、自分がこの女の良心にたいして働きかける力をもっていることを感じ、一瞬、自分のあわれな立場にたいして、彼女の同情を求めようかと考えた。しかし、まだ時刻が十一時にもなっていないこと、多くの人がまだ街路に出ていて、彼の話を信じてくれる人もだれかいるだろうという考えが、彼の心を走った。この考えが胸に浮かんだとき、彼は前に歩みだし、ちょっと咳《せ》き込んで、自分の用意はできていると伝えた。

このちょっとした考えも、その目的も、相手にははっきりとつかまれていた。彼女は、彼が話しているあいだ、彼をジロジロとながめまわし、頭の中で考えてることはわかってるよ、というかにも悟りすましたまなざしを彼に投げた。

「しっ！」彼の上にかがみこみ、あたりを用心深く見まわしながら、扉をさして、女はいった。「あんたは、自分をどうにもできないのよ。あたしだって、あんたのためにずいぶんやってみたけど、結局だめだったの。あんたがここから逃げだすことがあるとしても、いまはそのときじゃないの」

その熱のこもった態度に打たれ、オリバーはびっくりして彼女の顔を見あげた。彼女は真実を語っているようだった。彼女の顔は青く、興奮し、その真剣さで、彼女のからだはふるえていた。

「あんたが虐待されるのを、あたしは一度助けてあげたことがあるし、これからも助けてあげるわ。いまもそうしてるのよ」女は大声でつづけた。「あたしが連れに来なかったら、かわりに来た人は、きっとあたしよりもっともっとあんたを荒らっぽくあつかったでしょうよ。あんたを静かにおとなしくさせると、あたし、約束したの。もしそうならなかったら、あんたは自分ばかりか、あたしにも迷惑をかけ、たぶん、あたしを殺すことにもなるの。いいこと！　神さまがごらんになったっていいわ、もうあたしは、あんたのために、こんな傷まで受けてるのよ」

彼女は、急いで、首と腕の鉛色の傷痕《きずあと》を示し、ひどい早口で、こうつづけた――

「いいこと！　いまはもうこれ以上、あんたのためにあたしを苦ませないでちょうだい。あんたを助けてあげることができるのなら、そうしてあげる。でも、あたしには、その力がないの。なにをあんたがさせられても、それはあんたが悪いからじゃないわ。しっ、あんたがどんなことをいわれても、あたしには、自分が打たれてるように思えるのよ。さあ、手をこっちにちょうだい。急いで！　あんたの手よ！」

オリバーが本能的にさしだした手を彼女はつかみ、灯《あか》りを消して、彼を階段の上に引きあげていった。戸は暗闇につつまれた何者かの手でさっと開かれ、彼らがとおったあと、同じようにさっと閉められた。一頭立て二輪の貸し馬車が待っていて、女は、前に彼に話しかけたのと同じ猛烈さで、彼をそこに引き入れ、カーテンをしっかりと閉めてしまった。御者は指図を受けずに馬に鞭《むち》をあて、すぐ全速力で走りだした。

女はまだ彼の手をしっかりとにぎり、彼女がすでに伝えた注意と保証をくりかえして伝えた。すべてが目まぐるしく、あわただしかったので、彼は自分がいまどこにいるのか、どこに着いたのかを考える時間の余裕もなかったが、馬車は前夜ユダヤ人の足が向けられた家の前で急にとまった。

ほんの一瞬、オリバーはあわただしく人気のない通りをながめまわし、救いを求める叫びが喉に出かかってきた。しかし、女の声が彼の耳にひびき、それはいかにも苦しげに彼女のことを忘れぬようにと求め、その結果、彼は救いを求める声が出せなくなってしまった。彼がもじもじしているあいだに、そのチャンスは消えていった。彼はもう家の中におり、扉は閉ざされていたからである。

「こっちよ」にぎっていた手をはじめて放して、女はいった。「ビル！」

「やあ！」ろうそくをもって、階段の上のところに姿をあらわして、サイクスはこたえた。「うん、うまくやったな。あがって来い！」

これは、サイクス氏のような気質の人間から発せられたにしてはとても強い称讃《しょうさん》の言葉、めったにない心のこもった歓迎の挨拶《あいさつ》だった。ナンシーは、いかにもうれしそうに、彼にやさしく挨拶をした。

「ブルズ・アイはトムといっしょに帰ったぞ」彼が灯りで彼らを二階に案内したとき、彼はいった。「あいつは邪魔になるからな」

「わかったわ」ナンシーはこたえた。

「すると、おめえはガキを連れてきたんだな」みなが部屋にはいったとき、話しながら戸を閉めて、サイクスはいった。

「ええ、ここにいるわ」ナンシーはこたえた。

「おとなしくきたかい？」サイクスはたずねた。

「羊のようにね」ナンシーは応じた。

「そいつはありがてえ」オリバーをぐっとにらみつけて、サイクスはいった。「やつの若いからだのためにもな。いうことをきかなけりゃ、ひでえ目にあうことになるんだからな。若いの、ここに来な。おまえにひとつ説教をしてやろう、そいつは、すぐにやっちまったほうがいいからな」

こうして新弟子に声をかけて、サイクス氏はオリバーの帽子を剝《は》ぎとり、それを部屋の隅に投げ、それから彼の肩を押さえ、自分はテーブルのわきに腰をおろして、少年を自分の前に立たせた。

「さて、まず第一に、おめえはこれがなにか知ってるか？」テーブルの上にあった小型ピストルをとりあげて、サイクス氏はたずねた。

オリバーは、知っている、とこたえた。

「うん、そんなら、ここを見な」サイクスはつづけた。「これは火薬、こいつは弾《たま》、それに、これは、火薬のおくりに入れる古帽子の切れっぱしだ」

オリバーは示されたいろいろのものを自分が理解していることをつぶやき、サイクス氏はじつにたくみに、慎重に、このピストルの装弾をはじめた。

「さあ、弾はつまったぞ」それが終わると、サイクス氏はいった。

「はあ、わかります」オリバーはこたえた。

「さて」オリバーの腕首をしっかりととらえ、銃身をオリバーにふれるほどこめかみに近づけて、この盗賊はいったが、オリバーは、その瞬間、ギクリとせずにはいられなかった。「おれといっしょに外に出てから、おれが話しかけたとき以外に、たった一言でも余計なことをいったら、この弾がいきなりてめえの頭に飛びこむことになるんだぞ。だから、許可なしで話そうというんなら、その前にお祈りの言葉でもいっといたほうがいい」

その効果を増大させるため、この注意を与えた相手に苦虫をかみつぶしたような顔をしてみせて、サイクス氏は語りつづけた——

「おれの知ってるとこでは、おめえが片づけられたって、特におめえをうるさくさがしまわるやつはいねえんだ。てめえの身のためを思わなかったら、こんなつまらねえ面倒は、する必要のねえことさ。わかったか？」

「おまえさんのいうことをかいつまんでいゃあ」とても力をこめて語り、よく聞けといわんばかりに、オリバーのほうにちょっと渋面をつくって、ナンシーはいった。「もしあんたが、いまかかろうとしている仕事で、あの子に邪魔をされたら、あの子の頭をぶちぬき、あとで勝手なことをいう舌根っ子を押さえちまい、その結果、ブ、ラ、ン、コになってもかまわないというわけなのね、生まれてこのかた毎月のこと、仕事でブランコになるようなことは、たんとしでかしてはいるけどね」

「そのとおりだ！」意を得たといわんばかりに、サイクス氏はいった。「女というものは、いつもことを簡単にしゃべりやがるもんだな――文句をいうときはべつで、そのときにゃ、ながながとしゃべりまくるがな。さあ、やつがすっかりのみこんだんだから、飯にしようや。出かける前に一眠りしてえしな」

この要求に応じて、ナンシーは食卓をととのえ、数分間姿を消してから、やがて黒ビールのびんと料理した羊の頭をもってもどってきた。この料理はサイクス氏に愉快なしゃれをひき起こすことになったが、それは、ジェミーという言葉が羊の頭の料理と共通の流行語であり、しかも、奇妙な偶然で、それが、彼の商売で使う精巧な道具にも通じるということだった。実際、このりっぱな紳士は、たぶん、これから仕事にとりかかるということで興奮していたのだろうが、すごく元気がよく、上機嫌で、その証拠に、これはここでいってもいいだろうが、彼はふざけてビールを一息で飲み乾し、食事中に、大まかに数えたところ、ののしり言葉は八十語を上まわることはなかった。

食事が終わると――オリバーがたいして食欲を感じなかったことは容易に想像つくが――サイクス氏は水割り酒を二杯あおり、五時に起こせ、それをしなかったらひどい目にあわすぞ、とナンシーにさんざん悪態をついて、床にからだを投げだした。オリバーは、同じく命令で、床の上の布団の上に服を着たまままころがり、若い女は、炉の火の手入れをして、定められた時間に一同を起こすようにと、炉の前に座っていた。

ながいこと、オリバーは目をさましたまま床の上に横になり、ナンシーがこの機会を利用して、さらに注意をささやいてくれるかもしれないと考えていた。だが、この若い女は、ときおり火の手入れをする以外には、ジッと動かず、火をながめて、考えこんでいた。こうして目をさましていることと不安とで疲れ果てて、彼はとうとう寝こんでしまった。

彼が目をさましたとき、テーブルには茶器がならべられており、サイクスは、椅子にかかっていたさまざまな道具を大外套《がいとう》のポケットに突っこみ、ナンシーは、せっせと朝食の準備をしていた。まだ夜は明けておらず、ろうそくは燃えていて、外は真っ暗だった。そのうえ、強い風が窓ガラスを打ち、空は黒々とした曇り模様になっていた。

「さあ！」オリバーが飛び起きたとき、サイクスはうなった。「もう五時半だぞ！　急げ、さもなけりゃ、朝飯にありつけねえぞ。もう、いまでももう、おそいんだからな」

オリバーは身づくろいに時間はかからず、少し食事をとってから、サイクスからの不機嫌な質問にたいして、もうすっかり用意ができました、とこたえた。

ナンシーは、少年のほうにはほとんどふり向かずに、首にまきつけるハンカチを彼に投げつけ、サイクスは、肩につける大きな、粗末な肩マントを与えてくれた。こうしたいでたちで、彼は盗賊のほうに手をさしだし、盗賊はただ立ちどまって、彼に脅迫的な身ぶりをして見せ、自分の大外套のわきのポケットにはさっきのピストルがあるのを示し、少年の手をしっかりとにぎり、ナンシーと別れの挨拶をかわして、彼を外に連れだした。

戸口のところにいったとき、若い女が見てくれていることを期待して、オリバーは一瞬ふりかえったが、彼女は火の前のもとの席にもどって、身じろぎもせず、その前に座りつくしていた。

第二十一章

遠征

二人が通りに出たとき、雨と風は強く、雲はどんよりとして嵐模様の、わびしい朝だった。夜半の雨は強いものだった。道には大きな水溜《た》まりができ、どぶはあふれていた。空にはおとずれる昼間のかすかなきざしがあらわれていたが、それはあたりの景色の暗さを救うどころか、いっそうひどいものにしていた。陰鬱《いんうつ》な光は、街路灯が与えていた光をただ青白くし、ぬれた家の屋根やわびしい街路に暖かい、明るい光を投げなかったからである。町のこの地区では、だれもまだ動きだしてはいないようで、家々の窓はかたく閉ざされ、二人がとおった街路は音もなく静まりかえっていた。

彼らがベスナル・グリーン通りへまがってはいるときまでに、朝はかすかに明けはじめていた。多くのランプはもう消され、わずかながら田舎からの荷車がゆっくりとロンドンに向けて進み、ときおり、泥をかぶった駅馬車がガラガラと音をたてて勢いよく走りぬけ、御者が鈍感な荷車ひきに注意の一鞭《ひとむち》をくれていた。荷車ひきが道のまちがった側を進み、時間より十五分もおくれて事務所に着こうとしていたからである。ガス灯を中で燃やしている居酒屋は、もう店を開いていた。しだいにほかの店の戸も開かれはじめ、何人かのまばらな人影に彼らは出逢《であ》った。ついで、仕事にゆこうとバラバラに進んでくる労働者の群れがあらわれ、そのあとには、頭に魚の籠《かご》を載せた男女、野菜を積んだロバ車、生きた家畜や屠殺《とさつ》した家畜を満載した軽装馬車、桶《おけ》をもった乳しぼりの女が姿を見せ、それがさまざまな食料をもってロンドンの東郊外に向けて歩いてゆく途切れのない人の流れになっていた。彼らが街の中心に近づくと、交通のさわがしさは、しだいに増大していった。ショーディッチとスミスフィールドの街路を縫うようにしてとおっていくと、それは、音と雑踏の轟音《ごうおん》にふくれあがった。夜がふたたびやってくるまで、あたりはすっかり明るくなり、ロンドンの人口の半分のあわただしい朝が、もうはじまっていた。

サン通り、クラウン通りをまがり、フィンズベリ広場を横切って、サイクス氏はチズウェル通りを経由して、バービカンにはいり、そこからロング小路とスミスフィールドにはいっていったが、このスミスフィールドからは、オリバー・ツイストの度肝をぬく耳ざわりなさわぎがわき起こっていた。

その日は、市《いち》の立つ朝だった。地面は、ほとんど膝《ひざ》まで、汚物と泥でおおわれ、湯気が家畜のからだからたえず立ちのぼり、煙突のてっぺんに停止している感じの霧と入りまじっている濃い厚い蒸気は、頭上にずっしりと垂れこめていた。広い場所の中にある囲い、それに空地という空地に建てられた一時的な囲いは、羊で満たされ、溝のほうの柱には三、四列のながい列になった獣類、牛がしばりつけられていた。いなかの人、肉屋、家畜を市場に追ってくる人、呼売り商人、少年、盗人、のらくら者、あらゆる階層の浮浪者が一団になってまじりあっていた。家畜追いの口笛、犬の吠《ほ》え声、牛の鳴き声と飛び跳ねる音、羊の鳴き声、豚がうなりキーキーいう声、呼売り商人の叫び、四方八方で起こる叫び、ののしり声、喧嘩《けんか》、すべての居酒屋から発せられる鐘の音やうなり声、おしあいへしあい、家畜を追い、打ちたたき、わめき、どなる物音、市場のあらゆる隅から湧いてくるおそろしい不協和音、たえずかけまわり、出入りしている群集は不潔で、ひげをそらない、汚い、みずぼらしい姿で、それらは感覚をすっかり麻痺《まひ》させてしまう驚くべき光景をあらわしていた。

サイクス氏はオリバーをひきつれ、いちばん人の込んだところをかきわけて進み、少年の肝をつぶした数多くの情景や物音には、ほとんどなんの注意もはらわないでいた。彼はゆきずりの友人に、二度か三度、うなずいて挨拶《あいさつ》し、朝酒を一杯という招待も断わって、ずんずんと進んでゆき、とうとう、このさわぎの場所をとおりぬけ、ホジア小路をとおって、ホーバーンにはいろうとしていた。

「おい、チビ公!」セント・アンドリュー教会の時計を見あげて、サイクスはいった。「もうすぐ七時だぞ! とっとと歩け。さあ、なまけ者め、グズグスおくれて歩くな!」

サイクス氏は、この言葉とともに、その小さな同伴者の腕首をグイと引っぱり、オリバーは、足を早めて早足とかけ足をまぜた一種の早歩きで、できるだけ盗賊の早い大股《おおまた》の歩きと調子を合わせた。

二人はこの歩調で進んでゆき、とうとうハイドパークの隅をとおりすぎ、ケンジントンにさしかかろうとしていたとき、サイクスは歩調をゆるめ、少しおくれてついてきた空荷馬車が、やがて彼らに追いついた。その上に書かれてある「ハウンズロー」の文字を見て、彼は、できるだけ慇懃《いんぎん》な態度で、イズルワースまで乗せてくれないか、と御者にたのんだ。

「乗りな」男はいった。「あれは、おまえの子かい？」

「うん、そうだ」オリバーをにらみつけ、ピストルがはいっているポケットになに気ない態度で手を突っこんで、サイクスはこたえた。

「おやじの足は、おまえには早すぎるだろう、どうだい？」オリバーが息を切らせているのを見て、御者はいった。

「そんなこと、あるもんか」口をはさんで、サイクスはこたえた。「やつは馴《な》れてるんだ。さあ、ネッド、おれの手をつかめ。ほれ、乗れ！」

こうオリバーに呼びかけ、彼は手をかして少年を車に乗せたが、御者は、袋の山をさして、そこに横になり、休むように、といってくれた。

いくつか里程標《マイルストーン》をとおりすぎていったとき、相手が自分をどこへ連れてゆこうとしているのだろう、という気持ちが、オリバーの心にだんだんとつのっていった。ケンジントン、ハマースミス、チジック、キュー橋、ブレントフォードはぜんぶとおりぬけたが、まだ二人は、まるでいま旅行がはじまったといわんばかりに、ずんずんと進んでいった。とうとう、馬車は『駅馬車と馬』という居酒屋までやってきて、そこを少しいったところで、べつの道にわかれているようだった。ここで荷馬車はとまった。

サイクスはさっと素早く車からおりたが、そのあいだじゅう、オリバーの手は放さなかった。そして、すぐ彼をだきおろして、すごい勢いで彼をにらみ、意味ありげに、拳《こぶし》でわきのポケットをたたいた。

「坊や、あばよ」男はいった。

「やつは機嫌が悪くてね」彼をひとゆすりして、サイクスはこたえた。「機嫌が悪くてね。このチビ犬め！　こいつのことは、かまわんでください」

「うん、わかったよ！」荷馬車に乗りこんで、相手はこたえた。「なんといっても、天気は上々だしな」こういって、彼は車を走らせていった。

サイクスはこの車がかなりゆきすぎるまで待ち、それから、あたりを見まわしたければ見てもいいぞ、とオリバーにいい、ふたたび彼を連れて歩きだした。

二人は、居酒屋を少しいったところで、左にまがり、ついで右手の道をとって、ながいあいだ歩きつづけ、道の両側にある多くの庭や紳士の家をとおりすぎ、立ちどまったのはちょっとビールを飲むためだけで、とうとうある町に到着した。ここで、ある一軒の家の壁に、大きな字で『ハンプトン』と書かれてあるのに、オリバーは気がついた。二人は、何時間も、野原のところでぐずぐずしていた。最後に彼らは町にもどり、汚い看板のついた古い居酒屋にはいり、厨房《ちゆうぼう》の炉のそばで、夕食を注文した。

この厨房は古い、天井の低い部屋で、天井の中央に一本の大きな梁《はり》がとおり、高い背もたれのついたベンチがいくつか炉のそばにあって、酒を飲み、タバコをくゆらせながら、何人かの野良着姿の荒らくれ男がそこに座っていた。彼らはオリバーにはぜんぜん、サイクスにもほとんど注意をはらわず、サイクスのほうでも彼らを気にしていなかったので、彼とその若い仲間は、他人にわずらわされず、二人だけで隅に座っていた。

彼らは夕食に冷たい肉を食べ、その後ながいことそこに座り、サイクス氏はパイプを三、四服くゆらせていたので、オリバーはこれ以上先へは行かないものと考えていた。朝早く起き、その上歩いたためにひどくつかれていたので、彼は最初ウトウトし、ついで疲労とタバコの煙に我慢できなくなって、ぐっすりと寝こんでしまった。

サイクスにひと突きされて彼が目をさましたときには、あたりはもう真っ暗になっていた。しっかりと目をさまし、座りなおしてあたりを見ると、彼と同行のあのお偉方の人物は、ビールを飲みかわして、一人の労働者と仲よくなり、盛んに話をしていた。

「じゃ、おめえはロウァ・ハリフォードにゆくんだな、えっ」サイクスはたずねた。

「うん、そうだ」男はこたえたが、彼は酒を飲んでちょっと気分を悪く――あるいは、ひょっとしたら、気分をよく――しているらしかった。「それも、ぐずぐずせずな。馬には、朝とちがって、もどりの荷はついていねえんだからね。だから、そこにゆくのに、手間暇かからねえよ。さあ、あの馬に乾杯だ！　まったく、あいつはいい馬だからな」

「そこまで、坊主とおれを車に乗せてってくれるかい？」ビールを新しいこの友人のほうにさしだして、サイクスはたずねた。

「すぐなら、かまわねえぜ」ビールの壺《つぼ》からサイクスのほうを見て、男はこたえた。「ハリフォードにゆくんかい？」

「シェパートンにゆくんだ」サイクスは応じた。

「ああ、おれが行くとこまでは、かまわねえぜ」相手はこたえた。「ベッキー、勘定はすんだかね？」

「ええ、あの方がおしはらいです」女はこたえた。

「いやあ！」酔った真顔になって、男はいった。「そいつはいけねえな」

「どうして、いけねえんだ？」サイクスは応じた。「おめえはおれたちを乗せてくれるんだろう。そうしたら、その礼に、一パイントやそこらおごったって、どうだというんだい？」

この見知らぬ男は、えらく深刻な顔をして、この反論に考えこみ、納得すると、サイクスの手をとって、おめえはほんとうにいい男だなあ、といった。これにたいして、サイクス氏は、冗談いうな、とこたえたが、相手がしらふだったら、それはたしかに冗談ともいえるものだった。

さらに少し挨拶をかわしてから、サイクスとこの男は一座の人たちに別れの言葉を告げて出発し、給仕の少女は、彼らがそうしているあいだに、壺やコップを集め、手にものを一杯もって、一行の見送りにと、ゆっくり扉のところまで出てきた。

知らないところで自分の健康に乾杯されていた馬は、馬車につけられて、すぐにも出発できるようになっていた。オリバーとサイクスは遠慮なく車の中にはいりこみ、馬の持ち主の男は、さらに一、二分かけて自分の馬を「ほめあげ」、酒場の馬丁と人々に、この馬にかなう馬があったら出してみろ、と挑戦していた。それから馬丁が馬を放すことを命じられ、こうして放されると、馬はその許可を不快なふうに利用し、いかにも傲然《ごうぜん》と頭を高くあげ、道をつっ切って店の窓に向かって走りこみ、こうした放れ業をやりながら、後ろ脚でしばらくのあいだ立ちあがり、それがすむと、すごいスピードで飛び出し、いかにも華やかに町から姿を消していった。

その夜はとても暗かった。しっとりとした霧が川とあたりの沼地からわき起こり、わびしい野原の上にひろがっていた。そのうえ、身をつんざくほどの寒さで、あたりは陰気で真っ暗だった。御者は眠くなっていたし、サイクスは相手を話にひきこむつもりになっていなかったので、一言も話をしなかった。オリバーは、恐怖と心配で度を失って車の隅にうずくまって座り、このわびしい景色を奇妙に楽しんでいるかのように枝をユラユラとおそろしくあちらこちらに揺らしている痩《や》せこけた木の中に、ふしぎな姿を想像していた。

サンベリー教会をすぎたとき、時計は七時を知らせた。向こう側の渡し舟の小屋の窓には灯《あか》りがついていたが、その光は道路を横切って流れ、墓の上に立っている黒々としたいちいの木を、さらに陰気な物蔭《ものかげ》にしていた。近くに水の落ちる鈍い音がひびき、老木の葉は、夜風にゆられて、ゆっくりと動いていた。それは、まるで、死者の安息のためにかなでられている静かな音楽のようだった。

サンベリーの町をとおりすぎ、二人はふたたびさびしい道路に出た。さらに二、三マイル進んで、荷馬車はとまった。サイクスは車からおり、手をとってオリバーをおろし、二人はふたたび歩きだした。

疲れた少年の期待に反して、二人はシェパートンのどの家にもはいらず、泥と暗闇の中を、小道をとおり、寒々とした開けた荒野を切って歩きつづけ、とうとう、ほど遠くない町の灯りが見える場所にやってきた。じっと目をこらして前をながめると、川が彼らのすぐ下を流れ、自分たちが橋のたもとに向かって進んでいることが、オリバーにはわかった。

サイクスはずんずんとまっすぐに進み、やがて、彼らは橋のたもとに着いたが、彼は急に方向を変えて、左手の堤をおりていった。

「水だ!」恐怖で胸をむかつかせながら、オリバーは考えた。「彼がこのさびしい場所にぼくを連れてきたのは、ぼくをここで殺すためなんだ！」

彼は地面にからだを投げ、幼い命を助けてくれるようにたのもうとしたが、そのとき、自分たちが荒涼とした一軒家の前に立っていることに気がついた。こわれかけた入口の両側に窓があり、二階があったが、光はぜんぜん見えなかった。この建物は暗く、装具はとりはずされ、見たところ、人が住んでいる気配はなかった。

サイクスは、まだオリバーの手をにぎったままで、そっと低い玄関に近づき、掛け金をひきあげた。扉はおすとそのまま開き、二人はいっしょに中にはいっていった。

第二十二章

押しこみ強盗

「おい！」彼らが廊下に足を踏みこむとすぐ、大きなしゃがれ声が叫んだ。「そんなに大きな声をたてるな」扉に桟をして、サイクスはいった。「トビー、ろうそくをくんな」

「ああ！　仲間だ！」同じ声が叫んだ。「バーニー、灯りだ、灯りだ！　バーニー、その紳士をご案内しろ。できたら、まず目をさますんだな」

この話し手は、相手が眠りこんでいるのを起こすために、靴べらか、なにかそういったものを投げたらしかった。なにか木製のものが、激しい勢いで投げだされるのが聞こえ、半ば眠り半ば起きている男がむにゃむにゃいっている声が聞こえてきたからである。

「聞こえたのか？」同じ声が叫んだ。「ビル・サイクスが廊下においでだというのに、だれもご挨拶もせず、おめえは、まるで阿片《あへん》を飲み、かまうもんかといったふうに、そこに眠ってるのか？　さあ、少しは頭がはっきりしたか？　それとも、しっかり目をさますのに、鉄のろうそく立てでもいるというのか？」

こうした質問を浴びせられたとき、だらしなく引きずる足音が敷物のない部屋の床にひびき、右手の戸口のところから、最初にほの暗いろうそく、ついで、鼻からぬけて話す癖に悩んでいるといままで伝えられ、サフラン・ヒルの居酒屋で給仕の役をしていたあの人物が姿をあらわした。

「サイクスふん」ほんとうかうそかわからぬが、いかにもうれしそうに、バーニーが叫んだ。「おへえり、おへえり」

「おい、おめえが先にはいれ」オリバーを前に突きだして、サイクスはいった。「もっと急ぐんだ！　さもねえと、てめえのかかとを踏んづけちゃうじゃねえか」

ブツブツとオリバーのおそいのをののしって、サイクスは彼を前におしだし、二人はくすんで燃えている火、二、三のこわれた椅子、テーブル、とても古びた長椅子のある天井の低い、暗い部屋にはいっていった。そして、その長椅子の上に、ながい土製のパイプをくゆらしながら、一人の男がながながと寝そべっていた。彼は大きな真鍮《しんちゅう》のボタンのついたスマートな型の黄褐色の上衣、オレンジ色のネッカチーフ、粗末な、けばけばしいショール模様のついたチョッキ、それにくすんだ鳶《とび》色の半ズボンを着こんでいた。クラキット氏（この人物は彼だったのだが）は、頭にも顔にも髪はたいして生えておらず、残った毛は、赤味がかった色をし、ながいせん抜き型にカールし、その髪を、彼は大きな、下品な指輪でかざられたとてもきたない指で、ときどきしごいていた。彼は中背より少し高く、足がそうとう弱っていることは明らかだったが、足が弱いからといって、自分の長靴の美しさに打たれる彼の気持ちは、少しも鈍ってはいずに、足を高いところに載せて、いかにも満足げに自分の長靴に見入っていた。

「ビルだな！」戸のほうに頭を向けて、この姿はいった。「よく来てくれた。おめえがこの計画をすてちまったんじゃねえかと、心配してたぜ。おめえがやめたら、おれ一人でもやるとこだったんだけどな。あれっ！」

　彼の目がオリバーの上にとまったとき、ひどくびっくりしたふうにこの叫び声を発し、トビー・クラキット氏は姿勢をあらためて座りなおし、それはだれかとたずねた。

「ガキさ。ガキにすぎんよ！」椅子を火に近づけて、サイクスはこたえた。

「フェイギンさんとこの弟子のふとりだね」ニヤリとして、バーニーは叫んだ。

「フェイギンのだって、えっ！」オリバーをながめて、トビーは叫んだ。「礼拝堂のお婆ちゃん専門にしたら、やつはすげえもんになるぜ！　あの面《つら》はやつにひともうけさせてくれるだろうからな」

「そんな話——そんな話はやめにしろ」イライラして、サイクスは口を突っこみ、横になっている友人の上にかがみこんで、その耳に数語ささやいた。するとクラキット氏はすぐに笑いだし、名誉なことに、ひどくびっくりした目つきで、ジッとオリバーをにらみつけていた。

「さて」自分の席にもどって、サイクスはいった。「待ってるあいだに、なにか食い物と飲み物を出してもれえたら、おれたち——とにかく、おれ——の元気は出るんだがな。おい、小僧、火のそばに座って、からだを休めろ。あんまり遠くもないが、今晩また、おめえは出かけなくっちゃならねえんだからな」

無言の、おずおずした驚きで、オリバーはサイクスをながめ、椅子を火のところにもってゆき、痛む頭をかかえて、そこに座ったが、彼は、自分がどこにいるのか、なにが身のまわりで起きているのかは、ほとんどわかっていなかった。

「さあ」若いユダヤ人が食事の残飯とびんをテーブルの上におくと、トビーはいった。「こんどの計画の成功を祈って乾杯！」彼はこの乾杯に敬意を表して立ちあがり、注意深く空のパイプを隅において、テーブルのところに進み、酒をコップに満たし、グイッと一杯あおり、サイクス氏もそれにつづいた。

「あの坊主のためにも乾杯だ」コップに半分酒をついで、トビーはいった。「無邪気な坊や、そいつを飲みな」

「ほんとうに」がっくりとした様子で男の顔を見あげながら、オリバーはいった。「ほんとうに、ぼくは——」

「飲むんだ！」トビーはくりかえした。「おめえのためになるものを、おれが知らんとでも思ってるのか？　ビル、やつに飲めと言ってくれ」

「おめえは飲んだほうがいいんだ！」ポケットにパッと手を当てて、サイクスはいった。
「まったく、やつは、ぺてん師一族よりもっとやっかい者《もん》だ。飲め、この片意地なガキめ、飲め！」

二人の男の脅迫的な態度におびえて、オリバーは急いでコップの中のものを飲み乾《ほ》したが、すぐにひどい咳《せき》の発作にむせてしまった。これはトビー・クラキットとバーニーをよろこばせ、むっとしていたサイクス氏でさえ、つい微笑をもらしたくらいだった。

このあと、サイクス氏は食べたいものを食べて（オリバーは彼らが飲みこませたパンの小さな皮しか食べられなかったが）、二人の男は、少しウトウトするために、椅子の上にからだを横にした。オリバーは火のそばに自分の椅子をおきつづけ、バーニーは、毛布に身をつつんで、炉のすぐそばのところで床の上にゴロリと横になった。

一同は、しばらくのあいだ、眠り、あるいは、眠っているふうに見えた。一度か二度、炉に石炭をくべるために起きたバーニー以外には、だれもからだを動かさなかった。オリバーは重苦しい眠りに落ち、自分が陰気な小道をさまよい歩き、暗い教会の墓地を歩きまわり、あるいは、過去のあれやこれやの場所にもどっていったように思ったが、やがて彼は、もう一時半だぞ、と叫んだトビー・クラキットの声に起こされた。

すぐにほかの二人も立ちあがり、全員あわただしく準備にとりかかった。サイクスとその相手は、首と顎《あご》を大きな、薄黒いショールに埋め、大外套《がいとう》を着こんだ。一方、バーニーは戸棚を開き、いくつか道具を引っぱり出し、それを急いでポケットの中に詰めこんだ。

「バーニー、おれのピストルをたのむぞ」トビー・クラキットはいった。

「ほれ、ここにあるよ」一対のピストルを出し、バーニーはこたえた。「弾込めは、あんた自身がすませたね」

「よし！」ピストルをしまいこんで、トビーはこたえた。「ピストルは？」

「おれはもってる」サイクスはこたえた。

「肩掛け、鍵《かぎ》、まわし錐《ぎり》、カンテラ——なにも忘れた物はねえか？」小さなかな、てこを上衣のすその内側にある輪穴にむすびつけて、トビーはたずねた。

「大丈夫だ」相手はこたえた。「バーニー、あの棒切れをもってきてくれ。これですっかり仕あがりだ」

こういって、彼はバーニーの手から太い棍棒を受けとり、バーニーは、もう一本それをトビーにわたしてから、せっせとオリバーに肩掛けをつけはじめた。

「さあ、ゆこう！」手を出して、サイクスはいった。

馴《な》れない動き、あたりの空気、むりに飲まされた酒ですっかりポーッとなっていたオリバーは、サイクスが差し出した手に、機械的に自分の手を差しだした。

「トビー、残りの手をとれ」サイクスはいった。「バーニー、外を見てくれ」

バーニーは戸口のところにゆき、もどってきて、あたりは静かだ、と報告した。二人の盗賊は、オリバーをあいだにはさんで、飛びだした。バーニーはしっかりと戸締まりをして、前どおり毛布でからだをくるみ、すぐにふたたび寝こんでしまった。

いまはもう、あたりは真っ暗だった。霧は宵の口よりずっと濃くなり、空気はひどく湿り、雨こそ降っていなかったが、オリバーの髪と眉《まゆ》は、家から出て数分もしないうちに、あたりにただよい流れている半分凍った湿気のために固くなった。一同は橋をわたり、彼が以前に見たことがある光のほうに向けて進んでいった。その光は、そう遠いところにはなく、かなりさっさと歩いていったので、彼らはまもなくチャーツィーに到着した。

「町を突っ切っちまうんだ」サイクスはささやいた。「今晩、道でおれたちの姿を見るやつは、だれもいないだろう」

トビーはだまって、それにしたがい、一同は急いでこの小さな町の大通りをとおっていったが、このおそい時刻では、人っ子一人とおってはいなかった。薄暗い灯《あか》りが、間をおいて、寝室の窓から輝き、しゃがれた犬の吠《ほ》え声が、ときおり、夜の静けさを破った。だが、外を歩いている人はいなかった。教会の鐘が二時を報じたとき、彼らは町をとおりぬけた。

歩調をはやくし、三人は道を左手にまがった。約四分の一マイルほど歩いたあとで、彼らは塀にかこまれた一軒家の前にとまり、トビー・クラキットは、ほとんど一休みもせずに、あっという間に、その塀のてっぺんによじ登っていった。

「つぎは小僧だ」トビーはいった。「やつをもちあげろ。おれがつかむからな」

オリバーがまだあたりを見まわしもしないうちに、サイクスは彼を腕にだきかかえ、三、四秒もすると、彼とトビーは塀の反対側の草の上にころがっていた。サイクスはすぐにこのあとを追い、彼らは用心深く家のほうに忍び足で進んでいった。

さて、このときはじめて、オリバーは悲しみと恐怖で半狂乱になり、家に侵入し、人殺しとまではいかなくとも、盗みを働くのが、この遠征の目的であることをさとった。彼は手を固くにぎりしめ、われ知らず、おし殺した恐怖の叫びを発した。霧が目の前にあらわれ、冷汗が灰色の顔ににじみ出し、手足は動かなくなり、彼はがっくりと膝《ひざ》をついた。

「立てっ！」怒りでからだをふるわし、ポケットからピストルをぬき出してサイクスはささやいた。「立てっ。さもないと、おめえの脳味噌《のうみそ》、草の上にまき散らしてやるぞ」

「おお、おねがいです、ぼくを放してください！」オリバーは叫んだ。「ぼくを逃がし、野原で死なせてください。ぼくはロンドンには決して近づきません。決して、決して！　おお！　どうかぼくをあわれみ、ぼくに盗みをさせないでください。天においでになる輝くすべての天使の愛情にかけ、どうかぼくをあわれんでください！」

この訴えを受けた当の相手の男は、おそろしいののしり声を発し、ピストルの打ち金をひきおこしたが、ちょうどそのとき、トビーはそれを彼の手からひったくり、手を少年の口にあてがって、彼を家のところに引っぱっていった。

「しっ！」この男は叫んだ。「ここじゃ、そんなことをしたってだめだ。もう一言でもしゃべりやがったら、おれがおまえにかわって、やつの頭をたたき割ってやる。音も立たないし、同じように確実で、もっとお上品なやり方だからな。ここだ、ビル、鎧戸《よろいど》をこじあけろ。小僧は、大丈夫、もう元気だ。もっと手馴れたやつでも、寒い夜、一、二分間こんなになったのを、おれは見たことがあるからな」

サイクスは、こんな仕事にオリバーを出したことにたいして、フェイギンをひどくののしり、音はほとんど立てずに、かなてこをグングンと動かした。少したち、トビーの援助も借りて、彼がとりかかっていた鎧戸の蝶番《ちょうつがい》はパッと開いた。

それは家のうしろの小さな格子窓で、地上五フィート半くらいのところにあり、その窓は流し場か醸造場のもので、廊下の端にあった。裂け目はほんのわずかで、家の人は、おそらく、そこをもっと頑丈にする必要はないと考えたのであろう。だが、それはオリバーくらいの大きさの少年なら、優にとおれるものだった。格子の戸締まりをはずすには、サイクス氏の技術をちょっとふるえば十分で、それは、まもなく、ひろく開かれた。

「さあ、よく聞け、このきかん坊主め」暗いランプをポケットから引きだし、その光をまともにオリバーの顔に向けて、サイクスはささやいた。「おめえをここから入れるんだ。この灯りをもってけ、おめえの真ん前の階段をそっとあがり、小さな玄関の間をとおって、表の通り扉のとこにゆけ。その戸をはずして、おれたちを入れるようにするんだ」

「上のところに差し金がある。おめえはそこにとどかないだろう」トビーが口をはさんだ。「玄関の間の椅子に乗っかれ。ビル、そこには椅子が三つあってな、すごく大きな青の一角獣と金の熊手がついてて、それが婆さんの紋章なんだ」

「静かにせんか？」おそろしい顔をしてサイクスはこたえた。「部屋の扉は開いてるんだな？」

「ああ、ひろくね」念のためにのぞきこんで、トビーはこたえた。「おもしれえことに、家の中に寝てる犬が、眠れないときにはいつも廊下を歩きまわれるようにと、留め金で扉はいつも開けてあるんだ。はっ！　はっ！　今晩は、バーニーが犬を連れだしてあるよ。鮮やかなもんさ！」

クラキット氏はほとんど聞こえないほどの低い声で話し、声も立てずに笑ったのだが、サイクスはきびしく沈黙を命じ、仕事にとりかかれ、といった。トビーは、まずカンテラを出し、それを地面において、その命令に応じ、ついで、窓の下で、壁に頭をつけ、手を膝にのせて、自分の背を踏み段にするようにしっかりと身がまえた。この用意がすむとすぐ、サイクスは彼の上に乗り、足を先にしてそっとオリバーを窓越しに中に入れ、襟をしっかりつかんだままで、彼を内側の床の上に無事におろした。

「このカンテラをもってけ」部屋をのぞきこんで、サイクスはいった。「前に階段が見えるだろうな？」

オリバーは、生きているより死んだような気持ちで「はい」とこたえ、サイクスはピストルの銃身で表の扉のほうをさして、そこにゆくまでずっと、おめえは撃ち殺せるのだから用心しろ、グズグズしたら、その瞬間に撃ち倒してやる、と彼に簡単に注意を与えた。「すぐにすんじまうんだ」同じ低いささやき声で、サイクスはいった。「おめえを放してやったらすぐ、仕事にかかれ。いいか！」

「あれはなんだ？」トビーがささやいた。

二人はジッと聞き耳を立てた。

「なんでもねえ」オリバーを放して、サイクスはいった。「さあ、やれ！」

気を落ち着ける短い時間のあいだに、生死はともあれ、なんとか玄関の間から二階にかけあがり、家の人に急いで知らせよう、と彼は固く決心した。こうした考えで頭を一杯にして、彼はすぐに、そっと進んでいった。

「もどれ！」突然大声でサイクスは叫んだ。「早く！　早く！」

その場所の静けさが急に破られ、それにつづいて大きな叫びがあげられたので、オリバーはびっくりして、カンテラを落とし、進むべきか退くべきか、わからなくなった。

その叫びはくりかえされ——灯《あか》りが目にうつり——階段の上で、おびえた二人の男の半裸の姿がオリバーの目の前にゆらぎ——閃光《せんこう》——轟然《ごうぜん》とした銃声——煙——どこかわからないが、ガチャンという物音——そして、彼はよろめいて、もどっていった。

サイクスは、一瞬、姿を消したが、ふたたび窓のところによじ登り、煙のまだ消えぬうちに、オリバーの襟首をつかんだ。彼は男たちに自分のピストルを発射し、相手が逃げてゆくあいだに、少年のからだを引きあげた。

「もっとしっかりとつかまれ」少年を窓から引きあげながら、サイクスはいった。「そこのショールをこっちによこせ。やつは射たれたんだ。早く！　畜生、ひどく血が流れてやがる！」

それから鐘の大きく鳴りひびく音が聞こえ、鉄砲の音、人の叫び声、すごい速さででこぼこした地面を運ばれてゆく感じがつづいた。それから、そうした物音は遠くの混乱したさわぎになり、ひえびえとした、おそろしい感じが少年の心に忍びより、彼は見る力も、聞く力も失ってしまった。

第二十三章

バンブル氏とある婦人とのあいだでかわされた愉快な会話の内容、それに、教区吏員にも弱いところがあることを語る

ひどく寒い夜だった。雪は地面に積もり、凍ってかたく厚い層になり、その結果、外をうなって吹きとおる鋭い風で吹きとばされるのは、小道や街角に吹きよせられた雪だけになっていた。そして、風はその見つけた獲物に激しい勢いをたたきつけるように、雲のようになった雪を荒々しくとらえ、それを無数の濛々《もうもう》としたうずにまきこんで、空中に飛び散らせていた。吹きさらしで、暗く、肌を刺すような寒さで、その夜は、衣食に足りた人は、明るく燃える炉のまわりに集まり、家にいることを神に感謝する夜、家がなく、腹を空かせているあわれな人間は、倒れて死んでゆく夜だった。多くの飢えにやつれた放浪者は、こうしたときに、なにもない通りで目を閉じ、その罪がいかなるものにせよ、これ以上につらい世で目を開くことはまずなかった。

戸外の事態がこうなっていたとき、オリバー・ツイストが生まれた場所として、もう読者には紹介ずみの救貧院の寮母であるコーニー夫人は、自室の小部屋の陽気な暖炉の火の前に座り、小さな、まるいテーブルをいかにも満足げにながめていたが、そのテーブルの

上には、寮母たちが楽しむおいしい食事の材料がしかるべき盆の上に載せられてあった。事実、コーニー夫人は、一杯お茶を飲んで元気をつけようとしているところだった。彼女がテーブルからとても小さなやかんが小さな歌声を立てている炉の火にチラリと目をうつしたとき、彼女の心の中の満足感は、大きくふくらんでゆき――つい微笑をもらしてしまうほどになった。

「そう！」テーブルの上に肘《ひじ》をつき、考えこんで火をながめながら、寮母はいった。「ほんとうに、わたしたちには感謝しなければならないものがたくさんあること！　それとわかったら、感謝しなければならないものがね。ああ！」

それを知らないでいる貧民の心の盲目を嘆くような素振りで、コーニー夫人は悲しげに頭をふった。そして、二オンス入りの茶缶のいちばん奥のところに銀のスプーン（私物の）を突っこんで、お茶の準備をはじめた。

ほんのちょっとしたことでも、われわれのもろい心の平静を乱すものだ！　とても小さくてすぐ一杯になる黒いポットは、コーニー夫人がこうして道徳的な瞑想《めいそう》にふけっているあいだに、ふきこぼれ、コーニー夫人の手をちょっと火傷《やけど》させた。

「まあ、このポットときたら！」急いでそれを暖炉の台に載せて、このりっぱな寮母はいった。「バカなポットだよ、二杯のお茶しかはいらないくせに！　だれが使ったって、役にも立たないくせに！　使ってあげるのは」一息して、コーニー夫人はいった。「貧乏人の、さびしいこのわたしくらいのもんだよ。おお、まあ！」

こういって、寮母は倒れるようにして椅子に座りこみ、またテーブルに肘をついて、自分のわびしい運命を考えだした。小さなポットと一杯の茶が彼女に夫コーニー氏の悲しい追憶を思い浮かばせ（彼が死んでから二十五年以上にはなっていないのだが）、彼女の心をしぼませたのである。

「もう二度とないわ！」コーニー夫人はイライラしていった。「もう二度ともらえないわ――あのようなのはね」

この言葉が夫に関係するものか、ポットに関するものかは、はっきりとしない。それはポットのことかもしれなかった。コーニー夫人はそうしゃべりながら、ポットをながめ、その後それをとりあげたからである。最初の一すすりを味わったとき、部屋の戸をそっとたたく音で、彼女はギクリとした。

「おお、おはいり！」コーニー夫人は鋭い調子でいった。「だれかお婆さんがまた死にかけてるんだわ。わたしがものを食べてるとき、きっと死ぬんだからね。そこに立っていないでちょうだい、冷たい風がはいるじゃないの……。どうしたの、えっ？」

「なんでもありません、なんでもありませんよ」男の声がこたえた。

「まあ！」もっとずっとやさしい声になって、寮母は叫んだ「バンブルさんですの？」

「はあ、わたしです」バンブル氏はこたえた。彼は外で靴をきれいにこすり、上衣から雪をはらい落として、片手に三角帽、残りの手にはつつみをもって、姿をあらわした。「奥さん、戸を閉めましょうかね？」

夫人はそのこたえに、つつましくもとまどいの色を見せた。戸を閉めてバンブル氏と話したりしてはいかがか、と配慮したからである。バンブル氏はそのとまどいをいいことにし、自身とても寒かったので、許可も得ずに戸を閉めてしまった。

「バンブルさん、ひどい天気ですわね」寮母はいった。

「奥さん、まったくひどいもんですな」教区吏員はいった。「教区にもひどい天気ですよ、これは。今日の午後、五ポンドのパン二十人分とチーズを一本半出してやったんですが、あの収容者どもは満足せんのです」

「もちろん、そうでしょうとも。満足したことって、ありますかしら？」茶をすすりながら、寮母はいった。

「あるかですって、奥さん！」バンブル氏は応じた。「いやあ、ある男がいましてな、妻もいる、子供も多くかかえてるんで、四ポンドのパンと一ポンドのチーズをたっぷりやったんです。やつは感謝したでしょうか、奥さん？　感謝したでしょうか？　ぜんぜん感謝してはおらんのです！　やつのしたことといえば、ただ少し石炭を要求しただけ。ハンカチ一杯だけでも、とやつはいってました！　石炭ですって！　やつが石炭になんの用があるんです？　それでチーズを焼き、それから、もっとくれともどってくるだけです。奥さん、これがやつらのやりかたなんです。エプロンに一杯の石炭を今日やれば、あさってには、もう一杯くれともどってくるんです、鉄面皮にもね」

寮母はこのわかりやすい比喩《ひゆ》に全面的な賛意をあらわし、教区吏員は話をつづけた。

「こんなにひどいことになったのは」バンブル氏はいった。「まだ一度も見たことはありませんぞ。おとといも、ある男が——奥さん、あんたは結婚した女性だから、これは申せることですが——ほとんど素っ裸の男が（ここでコーニー夫人は床に目を伏せた）、監督のとこで晩餐《ばんさん》のお客さんがあるときに、姿をあらわし、救済してくれっていってきたんです、奥さん。やつは立ち去ろうとはせず、客たちをひどくびくつかせたんで、監督は一ポンドのジャガイモと半パイントのオートミールをわたしてやったんですが、恩知らずの悪党のこたえは、『いや、これは！　これがわしになんの役に立つんです？　これじゃ、鉄の眼鏡をもらうのと同じこってさ！』なんです。そこで監督は、やったものをとりもどして、いってやったんです、『よし、よし。ここでは、ほかにはなにもやらんよ』とね。この浮浪者は『じゃ、わしは通りで餓死してしまいますぞ！』といい、監督は『いいや、ちがう、餓死するもんか』と応じたわけです」

「はっ！　はっ！　それはおみごと！　いかにもグラネットさんらしいわ、そうでしょう？」寮母は口をはさんだ。「それで、どうなったの、バンブルさん？」

「そう、奥さん」教区吏員は応じた。「彼は出てゆき、通りで餓死しちまいましたよ。まったく強情な貧民ですわ！」

「とても信じられないことだわ」言葉に力をこめて、寮母はいった。「でも、とにかく、バンブルさん、救貧院以外の救済を、とてもいけないこととお思いになりません？　あなたは経験のある紳士、それをご存じのはずですわね。どうでしょう？」

「コーニー夫人」優越感を意識している人がもらす微笑を浮かべて、教区吏員はいった。「戸外での救済は、もし適切におこなわれれば——奥さん、適切におこなわれればですぞ——教区の防衛策となるもんです。戸外での救済の大原則は、貧民が望んでないもんを与えてやることなんです。そうすれば、やつらはやって来ることにあきちまいますからな」

「まあ！」コーニー夫人は叫んだ。「ええ、それはうまい方法ですわね」

「そうなんです。奥さん、ここだけの話ですが」バンブル氏はこたえた、「それが大原則で、それだからこそ、厚かましい新聞の種になっている事件でもおわかりのとおり、病人家族の救済はチーズの切れっ端でおこなわれてるんです。コーニー夫人、これは、いまは、イギリスじゅうできまったやりかたになってます」

「だが、しかし」つつみを開くために、話を切って、教区吏員はいった。「こうしたことは役所の秘密、口外は無用ですぞ。われわれ自身のように、まあ、教区の職員のあいだではべつの話ですがね。これは、奥さん、委員会が病人のために注文したポートワイン、本物で、新しく、まじりもんのないポートワイン、ほんの今朝、箱から出されたもんで、すごく澄んでて、おりがぜんぜんないもんなんです！」

最初のびんを光にかざし、その優れたところを調べるために、びんをよくゆすってから、バンブル氏は二本のびんを抽斗《ひきだし》の箱のてっぺんにおき、それがつつまれていたハンカチをたたみ、注意深くそれをポケットにおさめて、まるで出てゆきそうな態度で、帽子をとりあげた。

「バンブルさん、ここから歩いておいでになると、ずいぶんと寒いでしょうね」寮母はいった。

「風が吹いてますからな、奥さん」上衣の襟を立て、バンブル氏はこたえた。「耳がちぎれそうですよ」

寮母は小さなやかんから戸のほうに歩きかけている教区吏員へと目をうつした。そして、教区吏員が咳払《せきばら》いをし、おやすみをいおうとしたとき、いかにも恥ずかしそうに、お茶を――お茶を一杯飲みませんか？　とたずねた。

バンブル氏はただちに襟をもとにもどし、帽子とステッキを椅子にのせ、べつの椅子をテーブルにひきよせた。ゆっくりと腰をおろしたとき、彼は夫人のほうを見やった。彼女は、視線を小さなポットの上に釘《くぎ》づけにしていた。バンブル氏はふたたび咳払いをし、かすかにニヤリとした。

コーニー夫人は、戸棚からべつのカップとソーサーをとるために、立ちあがった。彼女がふたたび腰をおろしたとき、その視線は、ふたたび、この色男の教区吏員の視線とぶつかった。彼女は顔を赤くし、彼のお茶をいれる準備にとりかかった。ふたたびバンブル氏は——今度はいままでにないほど高く——咳払いをした。

「あまくしましょうか？　バンブルさん？」砂糖入れをとって、寮母はたずねた。

「奥さん、とてもあまくしてください」バンブル氏はこたえた。これをいったとき、彼はコーニー夫人をジッとみつめた。もし教区吏員がやさしくみえるときがあったとしたら、バンブル氏にとってはまさにこの瞬間だった。

茶はいれられ、無言でわたされた。バンブル氏は、パン屑《くず》で美しい半ズボンをよごさぬようにと、膝《ひざ》にハンカチをひろげ、飲んだり食べたりをはじめ、こうした楽しみに、ときどき深い溜《た》め息をついて、変化をつけていたが、そうした溜め息をついても、食欲が衰えるわけではなく、それとは逆に、それは、お茶や焼きパンに対する彼の食を促進しているようだった。

「あなたは猫を飼っておいでですね」一族の真ん中に座って、火の前でからだを温めている猫を見やって、バンブル氏はいった。「いや、それに子猫まで！」

「わたしは猫がとても好きなんです、バンブルさん、あなたには想像もつかないくらいにね」寮母はこたえた。「とても幸福そうで、ふざけまわり、陽気で、わたしのいい相手ですのよ」

「奥さん、とても結構な動物です」いかにも賛成といったふうに、バンブル氏はいった。「とても家庭的ですな」

「ええ、そうですとも」熱をこめて、寮母は応じた。「とても自分の家を大切にし、ほんとうに、見ていても楽しいものですわ」

「コーニー夫人」ゆっくりと、スプーンで調子をとりながら、バンブル氏はいった。「あなたといっしょに住み、その家庭が好きにならない猫や子猫がいたら、それはきっとバカにちがいありませんな、奥さん」

「まあ、バンブルさん！」コーニー夫人は抗議をした。

「奥さん、事実をとりつくろったって、意味のないこってすよ」彼の姿を倍にも印象的にした一種の色っぽい重々しさでスプーンをゆっくりとふりまわしながら、バンブル氏はいった。「そんなやつだったら、わし自身、よろこんでそいつを川にすてちまいますな」

「それじゃあ、あなたは残酷なかたよ」教区吏員のカップを受けとろうと手を出しながら、寮母は陽気にいった。「それに、とても冷酷なかたよ」

「奥さん、冷酷ですって？」バンブル氏はいった。「冷酷ですって？」バンブル氏はそれ以上なにもいわずに、自分のカップをわたし、彼女がそれを受けとったとき、彼女の小指をつねり、それから、手を開いたまま、レースでかざった自分のチョッキを二度たたき、フッと深い溜め息をもらし、暖炉のところからほんの少し椅子をさげた。

テーブルはまるく、コーニー夫人とバンブル氏はあまりはなれず、向き合いになって火に面して座っていたので、暖炉からしりぞき、まだテーブルのそばからははなれずにいるバンブル氏が、自分とコーニー夫人のあいだの距離を大きくしてしまったことは、おわかりになるだろう。そして、このやりかたを、慎重な読者がたは驚嘆し、バンブル氏の例の偉大な英雄的行為とお考えになることだろう。事実、彼は時と場所とチャンスに誘惑され、つまらぬ話のひとつも語りたいところだったが、それは、軽々しい、考えの浅い男の口にいかに似合いのものにせよ、一国の判事、議員、大臣、市長、そのほかのえらい公務にたずさわっている人の権威にはどうみてもつり合わないもの、ましてや、そうしたお偉方の中にあって、(これはよく知られていることだが)もっともきびしく、もっともゆるがないはずの教区吏員の威厳と重々しさにはつり合わないものだった。

しかしながら、バンブル氏の意図がいかなるものにせよ(疑いもなく、それは最高のものだったのだが)、すでに二度申しあげたことだが、そこのテーブルはたまたまるいものであり、したがって、バンブル氏はその椅子を少しずつ動かして、すぐ彼自身と寮母のあいだの距離をちぢめ、円の外をグルリとまわりつづけて、やがて、寮母が座っている椅子の近くに自分の椅子をもってゆくことになった。実際、二つの椅子はふれ合い、そうなったとき、バンブル氏の動きははじめてとまった。

さて、もし寮母が自分の椅子を右に動かしたら、彼女は自分のからだを焦がしてしまったことだろう。もし左に動かしたら、バンブル氏の腕の中に飛びこんでしまったことだろう。そこで（慎重な寮母であり、疑いもなく、一目でこうした結果は予想していたので）、彼女は自分のいたところを動かず、バンブル氏にもう一杯のお茶を手わたした。

「コーニー夫人、冷酷ですって？」茶をかきまわし、寮母の顔を見あげて、バンブル氏はいった。「コーニー夫人、あなたは冷酷ですかね？」

「まあ！」寮母は叫んだ。「これはまた、独身のかたからの質問として、とても変な質問をなさいますことね！　バンブルさん、どうして、それをお知りになりたいんです？」

教区吏員は最後の一滴《ひとしずく》まで茶を飲み、一切れの焼きパンを食べ終え、膝からパン屑をはらいのけ、口をふき、ゆっくりと寮母にキスをした。

「まあ、バンブルさん！」ささやき声でこの慎重な夫人は叫んだ。恐怖心にすっかり圧倒され、彼女の声はぜんぜん出なくなっていたからである――「バンブルさん、わたし、悲鳴をあげますわよ！」バンブル氏はなにも返事をせず、片腕を寮母の腰にまわした。

この夫人はもうすでに悲鳴をあげる意図は宣言ずみなのだから、こうしてさらに図々しい態度をとられて、まさに悲鳴をあげるところだったのだが、その努力は、あわただしく扉がノックされたことによって、無用のものになった。それが耳にはいるや、すごい迅速さでバンブル氏はワインのびんのところに飛んでゆき、激しくそのびんの塵《ほこり》をはらいはじめ、一方、寮母は、きびしい声で、そこにいるのはだれです、と追及した。彼女の声がその役職がらのきびしさをすっかり完全にとりもどした事実は、極端な恐怖心の影響を打ちくだく点で、急激な驚きの情がいかに効果のあるものかを示す奇妙な肉体的一例として、ここで一言申しあげておく価値があるだろう。

「すみませんが、寮母さん」ひどく汚い、しわだらけの老女の収容者が、扉のところから頭を突っこんで、いった。「サリーが死にそうなんですけど……」

「ええ、それがわたしにどうだというの？」腹立たしげに、寮母はたずねた。「わたしは、まさか、あの女を生かすようにはできないしね、どう？」

「ええ、そうですとも、寮母さん」老女はこたえた。「だれだって、そんなことはできませんよ。あの人は、助かりっこはありませんからね。あたしだって、たくさんの人が死んでくのを見てますからね、小さな赤ん坊も、元気な大男もね。だから、死がやってきたときには、あたしにわかるんです、よーくね。だけど、あの女には心に悩みごとがあってね、発作にかかってないとき――とっとと死にかけてるんで、それはめったにないことですけどね――あんたに聞いてもらわにゃならんなにか話したいことが、あの女にはあるんです。寮母さん、あんたが来てくれなかったら、あの女は静かには死んではいけないんです」

　この知らせに接して、りっぱなコーニー夫人は、目上の者をわざと悩まさずには死んでゆけない老女たちにたいするさまざまなののしりをつぶやき、あわただしくとりあげた厚いショールにからだをつつみ、留守中なにか起きないようにと、自分がもどってくるまで部屋にいることを、言葉短かにバンブル氏に依頼した。そして、使いの者に早く歩き、足をひきずって夜じゅう、階段を歩きまわらないように命じて、彼女は、いかにも不機嫌に、道中ずっと文句をいいつづけながら、この老女のあとについていった。

ひとりになったバンブル氏の行動は、ちょっと不可解なものだった。彼は戸棚をあけ、スプーンの数を勘定し、角砂糖ばさみの重さを調べ、銀のミルク入れをこまかに点検して、それが純銀のものであることをたしかめ、こうした点についての彼の好奇心を満足させてから、三角帽を斜めにかぶり、荘重な足どりで、三回、テーブルのまわりを踊りまわった。このじつに異様な演技をすませてから、彼はふたたび三角帽をぬぎ、暖炉に背を向けて、その前に座り、家具の精密な目録作成にとりかかったようだった。

第二十四章

実につまらないものではあるが、短く、この物語に重要な関係をもつかもしれない題目をあつかう

寮母の部屋の静けさを破ったのは、死の使者としてはなかなかふさわしい女だった。彼女のからだは老齢でまがり、その手足は中風でふるえ、口をモグモグさせながら横目をつかうゆがんだその顔は、造作の神につくられたものというより、なにか向こうみずな鉛筆でなぐり書きされたグロテスクな絵のようだった。

ああ、造作の神につくられた顔は、そのまま放りだしておくと、その美しさでわれわれをよろこばせてくれることが、なんと少ないことか！　この世の憂《うれ》い、悲しみ、欲望が、心の中が変わるのといっしょに、顔も変えてしまうのだ。こうした悩みの雲が消え去り、天国の面《おもて》が澄んだものになるのは、ただこうした情熱が眠りにつき、その力を永遠に失ったときだけなのだ。死者の顔が、あの硬直状態にあるときですら、ながく忘れられていた眠っている幼児の表情にもどり、幼いころの顔形をもつようになるのは、よくあることである。その顔は、ふたたび、静かなやすらぎをもったものになり、幸福な子供時代にそれを知っていた人たちは、畏怖《いふ》の念に打たれて、棺《ひつぎ》の横にひざまずき、この地上にも天使の

姿を見るのだ。

例の老女は、自分といっしょに歩いてくる女の文句になにか聞きとれない返事をつぶやきながら、ヨロヨロと廊下をとおり、階段をあがってゆき、とうとう息が切れて、それ以上は歩けなくなり、灯《あか》りを相手の手にわたし、そこに残って、あとでそのあとを追うことになった。この老女より身のこなしの早い寮母は、病気の女がやすんでいる部屋に進んでいった。

それは、向こうの隅に暗い灯りがついている、ガランとした天井裏の部屋だった。寝台のそばで看護をしているもう一人の老女がいた。教区の医者の弟子が炉のそばに立ち、鳥の羽根でつま楊枝《ようじ》をこしらえていた。

「寒い晩ですね、コーニーさん」寮母がはいっていったとき、この若い紳士はいった。

「ほんとに、とても寒いことですね」とても丁寧に、話しながらお辞儀をして、寮母はこたえた。

「あんたんとこの契約人から、もっといい石炭をもらうべきですよ」火のてっぺんにあるかたまりを錆《さび》だらけの火かき棒でくだきながら、医師の代理はいった。「こんなものなんて、寒い夜に役だつもんではありませんからな」

「これは委員会で選んでくださったものです」寮母はやりかえした。「委員会がどんなにしてくれなくったって、少なくとも、ちょっとわたしたちを暖かくしてもらわなければね。

ここはなかなか住みにくいところですからね」

　この話は病気の女のうめき声によって中断された。

「おお！」この患者のことはいままで忘れていたように、顔を寝台に向けて、若い男はいった。「コーニーさん、もう終わりですな」

「そうですか、えっ？」寮母はたずねた。

「二時間もったら、意外というところでしょう」つま楊枝の先を一生けんめいとがらせながら、医者の代理はいった。

「もう、からだがすっかりだめになってますからね。お婆さん、患者は寝てるのかね？」

　老女は、たしかめるために、寝台の上にかがみこみ、そうだとうなずいた。

「じゃ、さわぎたてなかったら、そんな調子でお陀仏《だぶつ》になるな」若い男はいった。「灯りは床におろしなさい。そうしたら、患者に光が当たらなくてすむからね」

　老女は命じたとおりにしたが、そうしながら頭をふり、女はそう簡単には参らないことをほのめかしていた。それを終えると、彼女は、このときまでにもどってきていたもう一人の看護人のわきの自分の席に腰をおろした。寮母は、イライラした表情を浮かべて、からだをショールにつつみ、寝台の足のところに座った。

　医者の代理は、つま楊枝をつくり終わって、暖炉の前に突っ立ち、十分暖まっていたが、そのうちにすっかり退屈になって、コーニー夫人に別れの挨拶《あいさつ》を述べ、忍び足でここから逃げだしていった。

しばらくのあいだだまって座っていてから、二人の老女は寝台から立ちあがり、暖炉にかがみこんで、暖まろうと、そのしわだらけの手を前に突きだした。炎が彼女たちのしわくちゃの顔の上に無気味な光を投げ、この姿勢でボソボソと話をはじめたとき、その醜悪さはおそろしいものになっていた。

「アニー、あたしの留守ちゅう、なにかあの女はしゃべったかい？」使いをした女がたずねた。

「一言もいわなかったよ」相手はこたえた。「ちょっとのあいだ、腕をひっかいてたけどね。だけど、あたしがあの人の手を押さえてやったら、まもなく静かになったよ。もう力はぬけてるんだから、静かにしとくのは楽なもんさ。教区の世話になってるけど、年寄りにしては、あたしゃ弱いほうじゃないんだからね。とんでもない！」

「お医者さんが飲ませろといってた熱いワイン、彼女、飲んだかい？」最初の老女がたずねた。

「飲まそうとしてみたんだけどね」相手はこたえた。「でも、歯を強く喰《く》いしばっててね、コップをあんまり固くにぎりこんでいるんで、とりもどすのに、ほんとうに一苦労しちまったよ。だから、それは、あたしが飲んじゃったけど、おかげで元気になったよ！」

ほかの人には聞かれないようにと、用心深くあたりを見まわして、二人の老女はもっと火の近くに寄り、陽気にクスクスと笑いだした。

「あたしゃ憶《おぼ》えてるよ」最初の老女はいった、「あの女が同じことをやり、それをえらくおもしろがってたときのことをね」

「うん、そうだったね」相手はこたえた。「あれは陽気な女だったよ。うんとたくさんの死体を、あの人は蠟人形《ろうにんぎょう》のようにきれいに飾りたててたっけ。あたしの老いたこの目がそれをながめ――そう、この老いた手がそれにさわったんだからね。あたしは、何十回も、あの人の助手をしてたんだから」

そういいながら、この老女はふるえる指をのばし、それを得意げに顔の前でふり、ポケットをさぐって、時代がかった錫《すず》の嗅《か》ぎタバコ入れを引っぱりだし、それをふって、わずかのタバコの粉を相手のひろげた手のひらに、それより少し多くを自分の手のひらに落とした。二人がこうしたことをしているとき、死にかけた女が昏睡状態からさめるのをイライラしながら待っていた寮母は、火のそばの老女たちといっしょに、どのくらい自分が待たなければならないか？　と、つっけんどんにたずねた。

「寮母さん、ながくはかかりませんよ」第二の老女が、彼女の顔を見あげながら、こたえた。「ながいこと、死神さまを待つことはありませんとも。もうしばらく、もうしばらく！　あたしたちのために、死神さまはすぐここにおいでになりますよ」

「おだまり、この老いぼれの阿呆《あほう》め！」きびしく寮母はいった。「マーサ、おまえが話してちょうだい。この女は前にもこうだったのかい？」

「ええ、ときどきね」第一の女がこたえた。

「だけど、もう二度とそうなることはないね」第二の女がいいそえた。「一回だけで、そのあとは、もう目をさましはしないんだからね、その一回も短いもんだろうけど！」

「ながかろうと、短かろうと」寮母はきびきびといってのけた。「この女が目をさましたときには、わたしはここにいないよ。二人とも、今度なんの用事もなくわたしを使うときには、用心しなさいよ。この家の婆さんたちが死んでくとき、その見送りをするのなんて、わたしの役目じゃないんだからね――それに――わたしはそんなこと、いやなんだよ。この厚かましい鬼ババどもめ、そのことは忘れちゃいけないよ。今度わたしをバカにしたら、すぐにこらしめてやるから、ほんとうだよ」

彼女がとっとと出てゆこうとしたとき、寝台のほうに向いていた二人の老女の叫びが、彼女をふりかえらせた。患者がしっかりと身を起こし、両腕を彼女たちのほうにさしのばしていた。

「あれはだれ？」うつろな声で、彼女は叫んだ。

「しっ、しっ！」彼女の上にかがんで、老女の一人がいった。「横になるのよ、横になるのよ！」

「生きて二度と横にはなれないんだよ！」もがきながら、女はいった。「あたしはあの人にいうつもりだよ！　ここに来て！　もっと近くに！　あんたの耳に小声でいいたいことがあるんだからね」

彼女は寮母の腕をとらえ、相手を寝台のわきの椅子にむりやり座らせ、話をはじめようとしたが、あたりを見まわし、二人の老女が聞き耳を立て、身をのりだしているのに気がついた。

「あの二人を追い出して！」眠そうに女はいった。「早く、早く！」

二人の老女は、調子を合わせて、このあわれな女がもうだめになり、いちばんの仲よしがわからなくなってしまった、と悲痛な嘆きを何回かあげ、その枕もとを去りはするものか、といろいろかきくどいていたが、寮母は彼女たちを部屋から追い出し、扉を閉め、寝台のわきにもどってきた。追い出されると、老女たちはその調子を変え、サリーは酔っぱらってるのだ、と鍵穴《かぎあな》から叫んだが、これは十分にあり得ることだった。医師によって与えられたわずかな阿片《あへん》以外に、そっと老女たちから気前よく飲まされた最後の水割りジンの影響が、彼女にあらわれていたからである。

「さあ、あたしのいうことを聞いとくれ」からだに残った最後の力をふりしぼるようにして、この臨終の女は声を大きくしていった。「ちょうどこの部屋で――ちょうどこの部屋で――あたしはかわいい若い女の子の看護をしたんだよ。その女は、歩いて旅行したんで、足は切り傷、打ち傷だらけ、からだは塵《ほこり》と血で汚れきってたっけ。その女は、男の子を生み、死んじまったよ。ええと――あの年は何年だったっけ！」

「年はどうでもいいじゃないか」イライラして、寮母はいった。「その女がどうだというんだい？」

「うん」もとの眠そうな状態にもどって、病気の女はつぶやいた。「その女がどうだったっけ？――どうだったっけ――ああ、わかった！」顔を赤くし、目をむき、激しい勢いで飛び起きて、彼女は叫んだ――「あたしはその女から盗んだんだ、そうだよ！　盗んだときに、女のからだはまだ冷えきってはいなかった――そう、冷えきってはいなかったよ！」

「盗んだって、なにを？　早く教えておくれ！」まるで助けを呼ぶような仕種《しぐさ》をして、寮母は叫んだ。

「あれをさ！」手で相手の口を押さえて、女はこたえた。「あの女のもってたただひとつのもんだよ。あの女には、着るもん、食うもん、なにもなかった。だけど、それを大切にしまってってね、胸にもってたんだよ。それは金《きん》だったよ、ほんとうに！　自分の命も救えた純金だったんだよ！」

「金だって！」倒れかかった女の上にむきになってかがみこみながら、寮母はくりかえした。「さあ、さあ、話して――うん――それをどうしたんだい？　その母親はだれだったんだい？　それはいつのこと？」

「あたしはね、それを大切にしまっとけといわれたよ」うめきながら、女はこたえた。「そして、そばにほかに女はいなかったんで、あたしにたのんだのさ。首にさがってるそれを最初に見せられたとき、あたし、心の中で、もうそれを盗んでたんだ。そのうえ、たぶん、子供は死ぬもんと思ってたんだ！　そのことがわかってたら、あの子のあつかいも、もっとよかっただろうにね！」

「わかってたって、なにが？」相手はたずねた。「さあ、お話し！」

「坊やは大きくなると、母親そっくりになったよ」質問にはおかまいなしに、話をわき道にそらして、女は語りつづけた。「だから、あの坊やの顔を見ると、あたし、あのことを思い出しちまうんだ。かわいそうに！　かわいそうに！　あの女はまだとても若い身だったよ！　とてもおとなしい女でね！　ちょっと待って。もっと話したいことがあるんだから。まだぜんぶ話しはしなかったね、どうだい？」

「そうよ、まだよ」弱々しい言葉がこの臨終の女の口からもれてくるとき、それをとらえようと頭を横にかたむけながら、寮母はいった。「さあ、急いで。さもなけりゃ、手遅れになっちまうよ！」

「母親は」前よりもっと激しくからだの力をふりしぼって、女はいった――「母親は、死の苦しみがはじめて襲ってきたとき、あたしの耳にささやいたよ、もし赤ん坊がりっぱに大きくなったら、この若いあわれな母親の名を口にするのをそう恥ずかしくは思わない時がやってくるかもしれないとね。『それに、おお、恵み深い神さま！』その痩《や》せた手を組み合わせて、女はいってたよ、『生まれる子供が男であろうと女であろうと、この悩みの多い世の中で、その子のためになる友をおつくりになり、神さまのご慈悲にゆだねられたさびしい、孤独なその子供に、どうかあわれみをおかけください！』ってね」

「その坊やの名は？」寮母はたずねた。

「オリバーと呼んでたよ」声が弱くなって、女はこたえた。「あたしが盗んだ金は――」

「うん、うん――どうしたの？」相手は叫んだ。

返事を聞こうと、彼女はむきになって女の上にかがみこんだ。相手は、もう一度ゆっくりとからだをこわばらせて起きあがり、座った姿勢になって、両方の手でしっかりと毛布をつかみ、喉《のど》からなにかわけのわからない音を出しながら息絶えて床の上に倒れた。寮母は本能的にさっと身をひいた。

＊

「すっかりいかれちまったね！」扉が開かれるとすぐ飛びこんできて、老女の一人がいった。

「で、結局、いい残すことは、なにもなかったのさ」無造作にそこから歩み去って、寮母はいった。

二人の老女はおそろしい仕事の準備にすっかり心をうばわれたためか、なんの返事もせず、とり残されたまま、死体のまわりを歩きまわっていた。

第二十五章

話はフェイギン氏とその仲間にもどる

こうしたことがいなかの救貧院で起こっているとき、フェイギン氏は、鈍い、煙の出る暖炉の火をジッと見つめながら、その古い住まい――オリバーが若い女によって連れだされたあの家――で座っていた。彼は膝《ひざ》にふいごを載せていたが、これで、暖炉の火をもっと活発なものにしようとしていたのだった。だが、彼は深い物思いにふけり、ふいごの上に腕を組み、顎《あご》をおや指の上に乗せて、ぼーっと、錆《さ》びついた炉格子を見つめていた。

彼の背後のテーブルでは、ぺてん師、チャールズ・ベイツ、それにチトリングが座っていて、ホイストのゲームに熱中し、ぺてん師は空席（ホイストは四人でする遊び）とぐるになり、ベイツとチトリング氏を敵にまわして、がんばっていた。ぺてん師の顔はいつも特別利口そうに見えるものだったが、彼がゲームの進行を注意深く見守り、チトリング氏の手をよく読んでいるところから、その魅力はいっそう増大していた。彼は、ときおり、機会あるごとに、チトリング氏の手を真剣になってチラリとのぞきこみ、その隣人の札を見た結果に合わせて、自分の手を調整していた。その夜は寒かったので、ぺてん師は、いつもの習慣どおり、室内でも帽子をかぶっていた。彼はまた、陶製のパイプを口にくわえ、テーブルの上におかれたお楽しみの水割りジンが入っている一クォートの壺《つぼ》から一杯やるとき以外には、そのパイプを口からはなさなかった。

ベイツもこのゲームに身を入れていたが、腕達者な友人よりもっと興奮しやすい人物だったので、水割りジンに手を出す回数も多く、科学的な三番勝負にひどくふさわしくない冗談やら筋ちがいの言葉をはきちらしていた。実際、ぺてん師は、親しい間柄であるだけに、何回となく、こうしたふさわしくない態度について、ベイツに強く注意し、こうした抗議を、ベイツは少しも悪意をいだくことなく受けとり、ただその友人に、畜生！　とか、袋に頭を突っこんでいやがれ！　とか、その他あざやかで絶妙な返事で応じていたが、その巧妙な言葉ぶりは、チトリング氏の心にひどく感動を呼び起こすのだった。ベイツとその仲間がいつも負けているのは、注目すべき事実であり、それはベイツを怒らせるどころか、彼に最高の楽しみを与えているらしかった。勝負の終わるごとに、彼はわっと笑いだし、生まれてこのかた、こんなにおもしろい勝負はしたことがない、などといっていた。

「これでダブル（ホイストで相手が三点とる前に五点をとってしまうこと）二回と今度の三番勝負だ」チョッキのポケットから半クラウン金貨を引っぱりだしながら、浮かない顔をして、チトリング氏はいった。「ジャック、おまえみてえにすげえやつは、見たこともねえぞ。なんでも勝っちまうんだからな。こっちでいい札をそろえてるときでも、チャーリーとおれは、そいつをむだにしちまうんだ」

　いかにも残念そうにいったこの言葉の内容と、そのいいかたがチャーリー・ベイツをとてもよろこばせ、その結果叫んだ彼の笑い声が、ユダヤ人を物思いからさまさせ、どうしたんだ、と彼にたずねさせた。

「どうしたんだって、フェイギン！」チャーリーは叫んだ。「この対戦《ゲーム》を見てたらよかったのに！　トミー・チトリングは一点もとれず、おれは、ぺてん師と空席を相手にして、彼と組んでいるんだよ」

「そうかい、そうかい！」その理由はちゃんとわかっていることを思わせるニヤリとした笑いを浮かべて、ユダヤ人はいった。「トム、もう一度やってみな、もう一度やってみな」

「いや、悪いけど、もう真っ平だ、フェイギン」チトリング氏はこたえた。「もうたくさんだ。このぺてん師のやつ、えらく運がついていて、どうしてもかなわねえんだ」

「はっ！　はっ！」ユダヤ人はこたえた。「ぺてん師に勝つにはね、朝早起きをしなけりゃだめなんだ」

「朝だよ！」チャーリー・ベイツはいった。「彼に勝とうというんなら、前の晩から靴をはき、それぞれの目に望遠鏡をつけ、肩にはオペラグラスをかけてなくちゃ、だめなんだよ」

　ドーキンズ氏は落ち着きはらってこのしゃれたお世辞を受け、一回一シリングで、最初の絵札当てをしようといいだした。だれもこの挑戦を受けて立たなかった。このときまでに彼のパイプは吸いきって消えていたので、彼は、独特の甲高い音をひびかせる口笛を吹きながら、得点を書くのに使ったチョークの端で、テーブルの上にニューゲイト監獄の見取り図を描いて楽しみはじめた。

「トミー、おまえはじつに鈍感だなあ！」ながい沈黙がつづいたあとで、絵を描く手をとめ、チトリング氏に話しかけて、ぺてん師はいった。「フェイギン、やつはなにを考えてると思う？」

「おれにわかるもんかね」ふいごを動かしながら、あたりを見まわして、ユダヤ人はこたえた。「たぶん、自分の損害か、さもなけりゃ、出てきたばかしの自分のいなかの小さな家のことだろうよ。はっ！　はっ！　そうかね、おまえ？」

「とんでもない」チトリング氏がこたえようとしたとき、その話を抑えて、ぺてん師はいった。「チャーリー、おまえはどう思う？」

「おれはね」ニヤリとして、ベイツがこたえた。「やつはベッツィーにぞっこんだと思うな。ほら、やつは顔を赤くしてるぞ！　いやぁ、こいつは驚いた！　こりゃおもしれえや！　トミー・チトリングがぞっこんだって！　おお、フェイギン！　フェイギン！　なんておもしれえんだ！」

チトリング氏が恋のとりこになっているという考えにすっかり圧倒され、すごい勢いで身を投げだしたので、ベイツはバランスを失い、床の上に放りだされそのまま（投げだされたことで、いささかも愉快さを失わずに）笑いがとまるまで、身をながながと横たえていた。それから彼は自分の場所にもどり、また笑いだした。

「やつのことは気にするなよ」ドーキンズ氏には目くばせをし、ベイツを叱るようにふいごの先でたたきながら、ユダヤ人はいった。「ベッツィーはいい娘だよ。トム、あの娘《こ》にはくっついとけ。くっついとけよ」

「おれのいいてえことは、フェイギン」顔を真っ赤にして、チトリング氏はこたえた。「そいつは、ここのだれにも関係のねえこったということさ」

「そうともさ」ユダヤ人はこたえた。「チャーリーはしゃべりたてるだろうが、そいつは、気にすることはない。ベッツィーはいい娘だな。あの娘のいうとおりにしていな、トム。そうすりゃ、ひともうけできるからな」

「だから、あの娘のいってるとおり、やってるよ。彼女の忠告がなかったら（忠告があったらのつもりでチトリングはいっている）、あんな踏み車の刑はくわなかったことだろうよ。だが、あれはおまえには得な仕事になったな、そうじゃないかね、フェイギン？　だが、六週間くらいくらったって、どうだというんだい？　いずれそいつはくらうもんだし、たいして出歩きたくねえ冬のあいだにくらったって、悪かあねえもんな。どうだい、フェイギン？」

「うん、たしかにそのとおりだな」ユダヤ人はこたえた。

「トム、ベッツィーが賛成だったら」チャーリーとユダヤ人に目くばせして、ぺてん師はたずねた。「おまえは二度くらっても、平気だろうな？」

「うん、そうだとも」怒ってトムはこたえた。「さあ、みんな、だれがそれだけのことをいえるか、ひとつ知りてえもんだ、なあ、フェイギン？」

「だれもいえんよ」ユダヤ人はこたえた。「だれ一人だってな。おまえ以外にそれをする人間は、いるもんかね。一人だっていやしないよ」

「あの女のことを密告したら、おれは出所もできたんだ、なあ、フェイギン？」知能の足りないこのあわれなうすのろは、憤慨しながら、語りつづけた。「おれが一言でももらしゃ、そうなったんだぜ。そうだろう、フェイギン？」

「たしかに、そうさ」ユダヤ人はこたえた。

「だが、おれはしゃべらなかったぜ。しゃべったかい、フェイギン？」ベラベラとつぎからつぎへと矢つぎ早に質問を浴びせて、トムはたずねた。

「いや、いや、しゃべりはするもんか」ユダヤ人はこたえた。「おまえは根性がしっかりしてるから、そんなことはするもんかね。まったくしっかりしてるんだからな！」

「たぶん、そうだったんだ」あたりを見まわして、トムは応じた。「そうだったとしたら、なんの笑うことがあるんだい、えっ、フェイギン？」

　ユダヤ人は、チトリング氏がそうとう憤慨しているのをさとって、急いでだれも笑っていないことを彼に保証し、みなの真剣さを証明するために、主犯であるベイッに同意を求めた。だが、不幸なことに、チャーリーが、いままでこんなに真剣な気分になったことはないと断言しようとして、口を開くと、笑いが抑えられなくなり、ひどい目にあったチトリング氏は、いきなり、部屋をふっ飛んでいって、この違反者に一撃を加えようとし、相手は追跡を逃れる名人のこと、それを避けようと身を沈め、それがいかにもいい機会をとらえたので、その一撃は陽気な老紳士の胸の上に加えられ、老紳士はヨロヨロッと壁のところまでいって、息をゼイゼイさせながら、そこに立ちつくし、一方、チトリング氏は、ひどくあわてて、その状況を見守っていた。

「おい！」このときに、ぺてん師は叫んだ。「ベルの音がするぞ」灯《あか》りをとりあげて、彼はそっと階上にあがっていった。

みんなが暗闇の中にいたとき、ベルは、いかにもあせっているように、ふたたび鳴らされた。少し間をおいてから、ぺてん師がふたたび姿をあらわし、なにかわけのわからぬふうに、フェイギンにささやいた。

「えっ！」ユダヤ人は叫んだ。「一人で？」

ぺてん師はそうだとうなずき、手でろうそくの炎をおおい、無言の仕種《しぐさ》で、いまはふざけないほうがいいぞ、とそっとベイッに知らせた。この好意的な任務を果たしてから、彼はユダヤ人の顔をジッとみつめ、彼の指示を待っていた。

老人は黄色の指を嚙《か》み、数秒間考えこんでいたが、まるでなにかをおそれ、最悪の事態を心配しているように、その顔は興奮でピクピクしていた。とうとう、彼は頭をあげた。

「彼はどこにいる？」彼はたずねた。

ぺてん師は階上をさし、部屋を出てゆく身ぶりをした。

「うん、そうだ」この無言の質問にこたえて、ユダヤ人はいった。「彼をここに連れおろしてこい。しっ！　静かにしろ、チャーリー！　おとなしくしろ、トム！　じっとしてるんだ、じっとな」

チャーリー・ベイツとついいましがたまで敵だった男は、すぐ、おだやかにその命令にしたがった。ぺてん師が手にろうそくをもって階段をくだってきて、そのあとに粗末な上っ張りを着た男がついてきたとき、彼らはどこにいるのかわからないほど静かになっていた。はいってきた男は、セカセカと部屋を見まわしてから、彼の顔の下半分をかくしていた大きなショールをぬぎすて、やつれ果て、顔も洗わず、ひげもそっていないあのトビー・クラキットの顔をあらわした。

「やあ、フェイギン」ユダヤ人にうなずいて、このお偉方の人物はいった。「おい、ぺてん師、このショールをおれの帽子ん中に突っこんどいてくれ。こっから出るとき、それがどこにあるかが、わかるからな。うまい！　おめえはあの老スリよりもっと凄腕《すごうで》の強盗になれるぞ」

こういいながら上着を引きあげ、それを腹のまわりにまきつけて、彼は椅子を火のところに引きよせ、炉棚の上に足を載せた。

「フェイギン、そこを見ろ」気が滅入ったふうに自分の長靴をさして、彼はいった。「あのとき以来、ディ・アンド・マーチン（靴墨のメーカーの名）は一滴《ひとしずく》もつけてねえよ。まったく、靴墨のこれっぽっちもな！　だが、そうジロジロとおれを見るな。いずれ話してやるからな。食い物《もん》と酒にありつくまでは、おれは話もできねえんだ。だから、腹のたしになるものを出して、この三日間ではじめての静かなめしにありつかせてくれ！」

ユダヤ人は、身ぶりで、食べられるものはすべてテーブルの上におくようにと、ぺてん師に命じ、自分はこの夜盗の向かい側に座って、相手が話しだすのを待っていた。

外見から察するところ、トビーには急いで話をはじめようとする気配はなかった。最初、ユダヤ人はジッと相手の顔をみつめ、その表情から彼がもたらす情報の鍵《かぎ》となるものを見つけだせばよいと考えていたが、それはむだに終わった。トビーには疲れ果てた様子はあったが、彼の顔はいつもの満足げな落ち着きは失わず、泥と顎《あご》ひげと頬ひげによってもまだ損われずに、あの達者なトビー・クラキットがもつ自己満足のニヤニヤ笑いが輝いていた。それからユダヤ人は、ジッとしていられなくなり、抑えきれない興奮につつまれて、部屋をゆききしながら、相手が食べる一口一口をジッと見ていた。だが、それはなんの役にもたたなかった。トビーは、もう食べられなくなるまで、見たところじつにケロリとして食べつづけ、それからぺてん師を外に出し、戸を閉め、コップに水割り酒をつくりながら、おもむろに話にとりかかった。

「まず第一に、フェイギン――」トビーはいった。

「うん、うん！」椅子を近づけて、ユダヤ人は口をはさんだ。

クラキット氏は話を切って、水割りの酒を飲み、ジンはすばらしいといい、ついで、両足を低い炉かざりの上に載せて、自分の靴を目の高さまでもちあげてから、静かに話をつづけた――

「まず第一に、フェイギン」夜盗はいった。「ビルはどうなったね？」

「えっ！」自分の椅子から飛びあがって、ユダヤ人は金切り声をあげた。

「まさか、おめえ――」顔を青くして、トビーはいいかけた。

「まさかだって！」激しく床を踏みつけながら、ユダヤ人は叫んだ。「二人はどこにいるんだ？　サイクスとあのガキは！　二人はどこにいるんだ？　どこにいたんだ？　どこにかくれてるんだ？　どうしてここにやってこないんだ？」

「あの仕事は、失敗したんだ」力なくトビーはいった。

「知ってるとも」ポケットからさっと新聞を引っぱりだし、その箇所をさして、ユダヤ人はこたえた。「それ以上、どんな知らせがある？」

「家のものが鉄砲を撃ち、あのガキがやられたんだ。やつをあいだにかかえて、おれたちは、まっすぐカラスが飛ぶように、裏の原っぱを突っ切った——生垣や溝を突きぬけてな。やつらは追っかけてきたんだ。畜生！　そこいらじゅうのやつがみんな目をさまし、犬まで、おれたちのあとを追ってきやがった」

「少年は？」ユダヤ人はあえいだ。

「ビルはやつを背に負い、風のように突っ走った。おれたちは立ちどまって、やつをあいだにはさんだんだ。やつの頭はがっくりとし、からだは冷えきってたよ。やつらはすぐあとから追いかけてきてな、みんなバラバラ、絞首台はクワバラクワバラというわけさ！　おれたちはわかれわかれになり、あの小僧は溝に倒れたまんまだ。生きていようと死んでいようと、あの小僧については、それしか知らんね」

ユダヤ人はこれ以上ジッと話を聞いてはおらず、大声で一声わめき、両手で髪をかきむしり、部屋から、ついで家から、飛びだしていった。

第二十六章

神秘的な人物が登場。この物語には絶対必要な多くのことが実行される

街角についてから、老人はようやくトビー・クラキットの知らせで受けたショックから立ち直りはじめた。彼はふだんとちがった早い歩調をぜんぜんゆるめず、いまだ無鉄砲でとり乱した態度でぐんぐんと歩いていたが、ちょうどそのとき、いきなり馬車がわきをとおりぬけ、その危険をさとった通行人からの大きな叫び声が彼を歩道にひきもどした。できるだけ大通りはさけ、小道や裏道だけをコソコソとおりぬけて、彼はとうとうスノー・ヒルにその姿をあらわした。ここで彼の歩調は前より早くなり、ふたたびある小路にはいるまで、その歩調はゆるむことなく、そこにゆきついてから、やっと自分の領域にはいったのを意識したように、彼はいつもの足をひきずる歩きかたにもどり、ふっと気が楽になったようだった。

スノー・ヒルとホーバーンが合流するあたり、ロンドンから出て右手に、サフラン・ヒルに通じるせまくて陰気な小路がある。そこの汚い店には、中古の絹ハンカチの大きな束が売りに出されている。ここにはスリからそうした盗品のハンカチを買う商売人が住んで

いるからである。何百ものこうしたハンカチが窓の外の釘《くぎ》からさがり、扉の柱の上にひるがえり、店の中の棚には、それがうずたかく積まれている。フィールド小路はせまいものだったが、そこには理髪店、コーヒー店、ビールの売店、魚フライの店が開かれていた。そこは、それ自体の集団部落——朝早く、あるいは、夕闇がせまると、暗い裏部屋で取り引きをし、来たときと同じようにコソコソと消えてゆく無言の商人たちがおとずれるコソ泥の商店街である。ここで、古着屋、靴直し、ボロ屋がコソ泥への看板としてその商品を示し、ここで、古い鉄や古い骨、うずたかくつまれたかびだらけの毛織物や亜麻布の切れ端が汚い地下室で錆《さ》びてくさってゆく。

ユダヤ人がはいっていったのは、こうした地区だった。彼はこの小路の血色の悪い住人とは顔なじみだった。売買の見張りをしている連中は、彼がとおると、親しげに頭をうなずかせていた。彼はこうした挨拶《あいさつ》に同じように挨拶を返していたが、この小路の奥の端にゆくまで、それ以上の親しげな態度はあらわさなかった。そこで彼は足をとめ、子供の椅子にできるだけからだをおしこみ、倉庫の戸口のところでパイプをくゆらせている小柄な店員に話しかけた。

「いやあ、フェイギンさん、あんたにお目にかかると、目の保養になるね」ユダヤ人が元気かと挨拶したのにこたえて、このりっぱな商人はいった。

「ライブリー、この辺はちょっと危《やば》いようだな」眉《まゆ》をあげ、肩に手を十字に当てて、フェイギンはいった。

「そう、そんな文句は、前に一度か二度、聞いたことがあるね」商人はこたえた。「だが、そいつはすぐおさまるよ。いつもそうだろうが……」

フェイギンはそうだとうなずき、サフラン・ヒルのほうをさして、そこに今夜だれかがあらわれたか、とたずねた。

「『ちんば』にかね?」男は聞きかえした。

ユダヤ人はうなずいた。

「さあてと」考えこんで、商人はつづけた。「そう、おれが知ってる五、六人の者がはいってったぜ。おまえさんの知り合いは、いなかったようだけどね」

「サイクスはいなかっただろうな?」がっかりした顔つきで、ユダヤ人はたずねた。

「弁護士の言葉じゃないが、『本人所在不明』というやつだね」頭をふり、驚くべき狡猾《こうかつ》さで、この小男はこたえた。「今晩は、なにかおれの商売のほうの品物でももっているのかね?」

「今晩はないな」向きを変えて、ユダヤ人はいった。

「フェイギン、おまえさん、『ちんば』にゆくんかね?」立ち去る彼に呼びかけて、小男は叫んだ。「ちょっと待っとくれ! おまえとそこでいっしょに一杯やってもいいんだからな!」

だが、ユダヤ人はふりかえって手をふり、一人でいたいのだということを示し、そのうえ、この男は容易に椅子からからだをぬけなかったので、『ちんば』の看板は、ここしばらく、ライブリー氏の顔を拝めぬことになった。彼が立ちあがったときには、もうユダヤ人の姿は消えていた。そこでライブリー氏は、ユダヤ人の姿が見つかるかと、むだに爪先立ちをしていたあとで、ふたたびからだを小さな椅子におしこみ、疑惑と不信をはっきりとまぜた頭のひとふりを向こう側の店の婦人とかわしあって、いかにも深刻げな態度で、パイプをまたふかしはじめた。

客によく知られている看板が『三人ちんば』、いやむしろ『ちんば』としてとおっているこの店は、サイクス氏とその犬が以前姿をあらわしたことがある居酒屋だった。売り場の男にちょっと合図をしただけで、フェイギンはまっすぐ二階にあがってゆき、ある部屋の扉を開け、そこへそっとはいりこんで、だれか特定の人をさがしているように、手を目にかざしながら、心配そうにあたりを見まわした。

その部屋には二つのガス灯がつけられていたが、そのギラギラとした光は、鎧戸《よろいど》をしっかりとおろし、色あせた赤のカーテンをすっかり張りめぐらせて、外にもれないようにしてあった。天井は黒くぬられていたが、それはランプの炎に当たっても色が変わらないようにで、部屋にはもうもうとしたタバコの煙がたちこめ、そこにはいってすぐには、なにも見わけられないほどだった。しかし、開いた扉のところから煙が一部流れだしたとき、しだいに人の頭の集まり――これは耳を襲う騒音と同じに入りみだれたものだったが――がはっきりと見えるようになり、さらに、目がもっとその光景に馴れてくると、ながいテーブルのまわりに群らがった多くの男女の存在がだんだんと見えてきた。そして、テーブルの上座には、手に職務用の木槌《きづち》をもった司会者が座り、奥の隅では、青みがかった鼻をし、歯痛のために顔に包帯をまきつけた音楽家がガンガンと鳴るピアノを担当していた。

フェイギンがそっと中にはいったとき、音楽家は前奏曲として鍵盤いっぱいにピアノをかき鳴らし、その結果、歌をせかす声がひろく客のあいだにわき起こった。それが静まったとき、一人の若い婦人が進み出て、バラードを歌って客の要求に応じたが、その小節の終わりごとに、伴奏者ができるだけ音を高くして、メロディーを演奏した。それが終わると、司会者が感想をのべ、その後、彼の左右にひかえた音楽家たちが自発的に二重奏を歌おうといいだし、大喝采《かっさい》を受けて歌った。

このグループの中に、特に目立つ幾人かの顔があったことは、奇妙な事実だった。そうした中に司会者自身（これはこの店のおやじだった）がいたが、彼は粗野な、がさつな、がっちりとした男で、歌が進行中、あちらこちらに目をぎょろつかせ、一見この楽しみに夢中になっているようだったが、店でのどんな出来事も見逃さない目をもち、どんな話し声も聞きつける耳をそなえていた。そして、それは、いずれもなかなか機敏なものだった。彼のそばには歌い手たちがいて、いかにも歌手らしい無関心ぶりで、みなからの讃辞《さんじ》を受け、さわがしい客たちからさしだされた十杯あまりの水割りの酒を、つぎからつぎへと飲んでいた。この客たちの顔ときたら、ほとんどありとあらゆるたぐいの悪事をあらわしていて、そのいまわしさで、否応なく人の注意をひきつけてしまうものだった。狡猾さ、狂暴さ、あらゆる段階の泥酔ぶりが、じつにはっきりとそこに示されていた。いまや消滅しかけている若さの名残りをほんの少しあらわしている女、女性らしさがすっかり消し去られ、ただ身のもちくずしと犯罪のいまわしさを示している女、一部はほんの小娘、他はまだ若い女、いずれも人生の盛りはすぎていない女たちが、この陰惨な光景のいちばん暗く、物悲しい部分になっていた。

フェイギンは、こうしたことが進行している最中、そうした深刻な感情には動かされずに、つぎからつぎへと顔を熱心に見まわしていたが、さがしている顔がそこになかったことは明白だった。とうとう、例の椅子に座っている男の目をとらえると、彼はこの男を軽い手招きで呼び、はいってきたのと同じようにそっと、部屋を出ていった。

「フェイギンさん、なんかご用ですか？」踊り場まであとをついていったとき、男はたずねた。「参加なさらんのですかね？　みんな、きっとよろこぶこってしょうがね」

ユダヤ人はイライラしながら頭をふり、声を低くしていった。「やつはここに来てるかね？」

「いいや」男はこたえた。

「それに、バーニーの知らせは、なんにもないのか？」フェイギンはたずねた。

「ありませんな」『ちんば』の男はこたえた。というのも、この男はこの酒場の亭主だったからである。「心配の種がすっかりなくなるまで、やつは動きませんぜ。まったく、やつらは嗅《か》ぎまわってるんですからな。そして、やつが動いたら、すぐ万事が暴《ば》れちまいますよ。バーニーは心配ありませんとも、大丈夫でさ。そうじゃなかったら、なにかやつの情報は、この耳にはいってるはずですからな。まちがいなし、バーニーはうまくやってますよ。その点は、やつにまかしときなさい」

「あの男は今晩ここに来るだろうか？」あの男に前のと同じ力をこめて、ユダヤ人はたずねた。

「モンクスのことですかい？」主人はもじもじしてたずねた。

「しっ！」ユダヤ人は命じた。「そうだ」

「きっと来ますすね」時計入れのポケットから金の懐中時計を引っぱりだして、男はこたえた。「もう来てもいいと思ってたんですがねえ。十分待ってくださったら、彼は――」

「いや、いや、だめだ」ユダヤ人は急いでいった。そのようすは、まるで、自分がどんなに問題の男と会いたくとも、いなくてかえってほっとしている、といったふうだった。「わしがやつに会いにここにやってきた、と伝えてくれ。それに、今晩わしのとこにこなけりゃいかんともな。いや、明日にしよう。いまやつがここにいないんだから、明日なら十分間にあうだろう」

「わかりましたよ！」男はいった。「ほかになにか用は？」

「いまは一言もいうなよ」階段をおりながら、ユダヤ人は命じた。

「ねえ」手すり越しに見おろし、しゃがれたささやき声で、相手はいった。「売りこみにはまったくいいチャンスだったのにねえ！　ここには、えらく酔っ払ったフィル・バーカーがいますよ。あんなていたらくなら、子供だってとっつかまえちまうんですがね」

「へえ！　だが、いまはフィル・バーカーの出る幕じゃない」見上げて、ユダヤ人がいった。「フィルとわかれるまでには、まだして欲しいことがちっとあるんだからな。だから、みんなのとこにもどってって、陽気にやってくれと伝えてくれ——命があるあいだはな。はっ！　はっ！　はっ！」

亭主は老人の笑いに声を合わせ、客のところへもどっていった。ユダヤ人は、一人になるとすぐ、もとの不安と物思いの表情にもどっていった。少しのあいだ考えこんでいたあとで、彼は貸し馬車を呼び、御者にベスナル・グリーンにゆけと命じた。彼はサイクスの家から四分の一マイルもはなれていないところでこの馬車をすて、残りの短い距離は、歩いていった。

「さて」そこの戸をノックしたとき、ユダヤ人はつぶやいた。「もしここになにか深いたくらみがあったら、女め、おまえがどんなにうまく立ちまわろうとも、おまえから聞きだしてやるぞ」

取り次ぎの女は、彼女が部屋にいることを伝えた。フェイギンはそっと二階にはいあがり、なんの挨拶《あいさつ》もなく、いきなりその部屋にはいっていった。彼女はひとりっきりで、テーブルに頭をのせ、髪をふりみだして、横になっていた。

「飲んでたんだな」冷やかにユダヤ人は推量した。「それとも、ただもさびしくなってるんかもしれんぞ」

こう考えながら、老人はうしろ向きのままで扉を閉め、その物音で娘は起きた。彼女はなにか知らせがあるかとたずね、トビー・クラキットの話をユダヤ人が話すのを聞いているあいだ、彼の陰険な顔をジッと見守っていた。話が終わると、彼女はぐったりとまたもとの姿勢にかえったが、一言も口をきかなかった。彼女はイライラしながら、ろうそくをおしのけ、一度か二度、熱にうなされたように、その姿勢を変え、足で床をこすったが、彼女の動きはそれだけだった。

この沈黙のあいだ、ユダヤ人は、まるでサイクスがそっともどってきた形跡がないことをたしかめるように、部屋を落ち着かないふうにながめまわしていた。そして、どうやらそれに納得したらしく、彼は二度か三度咳《せき》をし、話をなんとかはじめようと、これも二度か三度、努力してみたが、女は、相手がまるで石であるかのように、彼にはぜんぜん注意をはらっていなかった。とうとう、彼はもう一度勇気をふるいおこし、揉《も》み手をしながら、いかにも相手の機嫌をとろうとするような態度で、話しだした。

「なあ、ビルはいま、どこにいると思うね？」

女はほとんど聞きとれない言葉で、わからない、とうめき、口からもれるおし殺した声から、どうやら彼女は泣いているようだった。

「それに、あの少年もな」彼女の顔をちょっとでも見ようと、目を大きく見開いて、ユダヤ人はいった。「かわいそうな子供だ！　ナンシー、考えてもごらん、溝にすてられたんだとさ！」

「あの子は」急に目をあげて、女はいった。「あたしたちん中にいるより、そのほうがいいのよ。それでビルが危害をこうむらなけりゃ、あの坊やは溝で死んじまい、あの若い骨はそこで朽《く》ち果てたらいいのよ」

「えっ！」びっくりして、ユダヤ人は叫んだ。

「ええ、そうよ」彼と視線をまじえて、女はいった。「あの子があたしの目の前から消え、最悪のことがもう終わったと知ったほうが楽なの。あの子が近くにいるのは、たまらないのよ。あの子を見てると、あたし、自分やあんたたちみんなのためにならないことをしそうになるの」

「ちぇっ！」あざけるようにユダヤ人はいった。「おまえは酔ってるんだな」

「あたしが？」辛辣《しんらつ》に娘はいった。「酔ってなくたって、あんたのせいじゃないわよ！

いまはべつだけど、あんたはいつでも、自分の思ったとおりにしようとすると、あたしを酔っぱらわせるんだからね——こんなことをいっちゃ悪いかしら？」

「ああ！」猛《たけ》り狂った調子でユダヤ人はそれに応じた。「悪いとも」

「じゃ、その気分を変えてちょうだい！」高笑いをして、女はこたえた。

「変えろだって！」相手の思いがけない強情さとこの夜の不安な思いで耐えられないほどムカムカし、ユダヤ人は叫んだ。「わしが気分を変えるだって！　いいか、この自堕落女め。わしのいうことを聞け。わしは、ほんの六つの言葉で、あのサイクスの息の根をとめられるんだぞ、あの牛のような喉笛《のどぶえ》をこのわしの指の中ににぎってるようにな。もしやつが帰ってきて、あの少年をすててきたら、もしやつがうまく逃れて、生きているにせよ死んでるにせよ、あの少年をわしに返さなかったら、おまえがやつを殺しちまえ、やつが縛《しば》り首の役人の手を逃れたらな。そして、やつがこの部屋に足を入れたら、すぐそれをやるんだ。いいか、それをぬかったら、時すでにおそし、なんだからな！」

「このさわぎは、いったい、どういうことなの！」女は、思わずたずねた。

「どうしたことだって？」怒りで狂乱状態になって、フェイギンは語りつづけた。「あの小僧がおれに何百ポンドもの値打ちがあるとき、運が向いてそれが心配なくおれの手にはいるとき、おれの口笛ひとつで命が飛ぶようなつまらん飲んだくれどものために、そいつを失ってしまってたまるもんか？　しかも、おれが、力はあってもその意志がない生まれながらの悪魔にしばりつけられ――」

息をつまらせ、老人はつぎの一言を言おうとして口ごもってしまったが、その瞬間に、彼はその怒りの波をおしとどめ、態度をすっかり変えてしまった。一瞬前には彼の両手は虚空をつかみ、目をかっと見開き、その顔は激怒で青ざめていたが、いま彼はコソコソと小さくなって椅子に座り、すっかりおびえて、なにかあるかくしていた悪事を自分であばいたという心配で、身をふるわせていた。しばらくだまっていたあとで、彼は思いきってあたりを見まわし、相手をながめた。彼によってひき起こされた以前の無関心な態度に娘がもどっているのを見て、彼はいくらか安心したようだった。

「ナンシー！」ユダヤ人はいつもの声でブツブツといった。「おれのことを気にしてるんかい？」

「フェイギン、あたしのことは心配しないでちょうだい！」けだるそうに頭をもちあげ、女はこたえた。「ビルが今度それをしくじったって、いつかはやるわ。彼はあんたのためにりっぱな仕事をたくさんやってきたし、これからも、できるだけのことをするわよ。それができなくなったら、それまで。だから、その話はやめましょう」

「あの小僧については、どうだろう？」神経質に手のひらをこすり合わせながら、ユダヤ人はいった。

「あの子は、ほかの人と同じに、自分の運まかせね」ナンシーは急いで相手の言葉をさえぎった。「もう一度いっとくけど、あの子は死んじまい、不幸にも、あんたの手にかからなくなってしまったほうがいいのよ——もしビルが危害に見舞われなければのこったけど……。そして、トビーがうまくずらかったとすれば、ビルが安全なことも、まず確実よ。ビルはいつだって、トビーの倍もしっかりしてるんだから」

「そして、いまおれがいってたことは、どうなんだい？」ユダヤ人は、そのギラリと輝く目をしっかりと彼女の上にすえて、たずねた。

「もしあたしになにかしてほしかったら、もう一度それをいってちょうだい」ナンシーはやりかえした。「そして、もしそんな用事があるんなら、明日まで待ったほうがいいわね。あんたはちょっとあたしの頭をはっきりさせてくれたけど、あたしはまたもとのバカに逆もどりなんだから」

フェイギンはいくつか質問をかさねて浴びせたが、それは、彼がうっかりしてもらした言葉を女がさとったかどうかたしかめるためのものだった。だが、女はスラスラとこたえ、そのうえ、彼のさぐる顔つきにもすっかりケロリとしたふうだったので、女がそうとう酔っているという彼のもともとの印象が裏づけされた。ナンシーは、実際、このユダヤ人の弟子たちの娘に共通の飲酒癖からまぬがれてはおらず、まだ歳もゆかないのに、それを抑えられるどころか、すすめられていたのだった。彼女のとり乱した態度と部屋にたちこめているオランダ・ジンのにおいは、ユダヤ人の想像がくるっていないことを、しっかりと証明した。そして、前に示した狂乱状態に一時おちいったあとで、彼女の興奮はおさまり、やがてボンヤリとした状態になり、ついで、さまざまの感情が入りまじったものになっていった。その影響を受けて、彼女は一瞬涙を流していたかと思うと、つぎの瞬間には、『死ぬなんていっちゃだめよ！』とか、紳士淑女が幸福であるかぎり、それだけでいいんじゃないかとか、あれこれと叫び声を立てていた。そこで、かつてはこうしたことにそうとうの経験をつんだことのあるフェイギン氏は、すっかり満悦して、彼女がすっかり酔っぱらっていることをさとったのだった。

この発見で安心し、その夜自分が耳にしたことを娘に伝え、自身の目でサイクスがもどっていないことをたしかめるという二重の目的を果たして、フェイギン氏はふたたび家に足を向けたが、彼の友人である若い女は、頭をテーブルに載せて、ぐっすりと眠っていた。

時刻はもうすぐ真夜中になるところだった。空は暗く、身をつんざく寒さのために、彼はブラブラと歩きまわる気にもなれなかった。街路を吹きとおる疾風は、塵《ほこり》と泥ばかりでなく、通行人をも街路から追いはらった感じだった。外を歩いている人はほとんどおらず、彼らは家路を急いでいるふうだった。しかし、風はまうしろからユダヤ人に吹きつけ、彼は、それに乗せられ、突風が荒々しく彼を突き動かすたびにガタガタと身をふるわせながら、進んでいった。

彼が自分の街の角に着き、もう戸の鍵《かぎ》を出そうとポケットをさぐっているとき、暗い物陰にある突きだした入口から、黒い人影が飛びだし、街路を突っ切って、気づかないうちに彼のところに忍びよっていた。

「フェイギン！」彼の耳の近くで、声がささやいた。

「ああ！」さっとふりむいて、ユダヤ人はいった。「その声は――」

「そうだよ！」見知らぬ男は口をはさんだ。「ここに二時間もジッとしてたんだ。おまえは、いったい、どこにいってたんだい？」

「おまえの用事でな」相手を不安そうにチラリチラリとながめ、話しながら歩調をゆるめて、ユダヤ人はこたえた。「おまえの用で一晩中な」

「うん、むろん、そうだろうともさ！」冷笑を浮かべて、見知らぬ男はいった。「うん、それでどうなった？」

「いいことは、ちっともない」ユダヤ人はいった。

「悪いことも、なかったんじゃないかね？」途中で足をとめ、相手にびっくりした顔を向けて、見知らぬ男はいった。

ユダヤ人が頭をふり、それにこたえようとしたとき、見知らぬ男は、相手をさえぎって、もうその前に着いている家のほうに身ぶりをして見せ、風の吹きつけない場所で話をしたほうがいいだろう、といった。ながいこと立っていたので、彼の血は凍え、風がからだを吹きぬけていたからだった。

フェイギンは、こんな時でなかったら客を家に連れこむのは避けたいといったようすで、暖炉に火のはいっていないことをなにかブツブツいっていたが、相手が高飛車な態度でその要求をくりかえして述べたので、彼は戸の錠をはずし、灯《あか》りを彼がつけているあいだに、戸をそっと閉めるように、相手に要求した。

「墓のように暗えな」手さぐりで数歩歩いてから、男はいった。「急げ!」

「戸を閉めるんだ」廊下の端からフェイギンがささやいた。彼がこういったとき、戸はバタンと大きな音を立てて閉められた。

「おれのせいじゃねえぜ」道をさぐりさぐり進みながら、相手はいった。「風がそれを閉めちまったか、それが自分で閉まっちまったか、どっちかだ。灯りをしっかりたのむぜ。さもないと、このすげえ穴蔵で、おれは頭をなにかにぶちあててしまうからな」

フェイギンはそっと台所の階段をおりていった。ちょっと間をおいてから、彼は灯りをつけたろうそくをもってもどり、トビー・クラキットが下の裏部屋で、少年たちが表部屋で寝ていることを知らせた。自分のあとについてくるように男に手招きして、彼は二階へ先に立って歩いていった。

「ここでちょっとなら用件は話せるぞ」二階の戸をパッと開いて、ユダヤ人はいった。「鎧戸《よろいど》には穴がうんとあいてるし、近所には絶対に灯りを見せないことになってるんだから、灯りは階段の上におくよ。さあ!」

こういって、ユダヤ人はかがみこみ、部屋の戸の真向かいの階段の上のところに、ろうそくをおいた。それから、彼は先に立ってその部屋にはいっていったが、そこには、こわれた肘《ひじ》かけ椅子と戸のうしろにある覆《おお》いのない古い長椅子かソファー以外には、なにも家具はおかれてなかった。この椅子に、この見知らぬ男はいかにも疲れたようすで腰をおろし、ユダヤ人は、向かい側の肘かけ椅子を引きよせ、彼と向かい合って座った。そこは真っ暗というわけではなかった。戸が少し開き、外のろうそくは向かい側の壁に弱い反射光を投げていたからである。

二人は、しばらくのあいだ、ひそひそ声で話をしていた。ときどき耳にはいるつながりのない言葉以上に、この会話はなにも聞こえてこなかったが、聞いている者は容易に、フェイギンが見知らぬ男の言葉にたいして弁解し、後者がそうとうジリジリしているのをさとったことだろう。十五分かそこら、二人はこうして話していたのかもしれないが、そのときモンクスは——二人の会話中、ユダヤ人はこの名で見知らぬ男を何回か呼んでいた——声を少し高くしていった——

「も一度いっとくけどな、あの計画はうまくなかったたな。どうして、やつをほかのやつらといっしょにここにおき、やつをすぐにちんぴらスリに仕立ててしまわなかったんだい？」

「あの小僧の話しっぷりを聞いたら、わかるさ！」肩をすくめて、ユダヤ人は叫んだ。

「こいつは驚いた！　おまえがやろうとして、できなかったたっていうのかね？」きびしくモンクスはたずねた。「ほかのガキには、おまえは何回だってやってきてるじゃねえか。せいぜい一年我慢してたら、やつに犯罪の判決を受けさせせ、無事に、たぶん生涯のあいだ、お国払いにすることだってできただろうにな」

「それをしたって、だれの役にたつというんだい？」へいこらした態度になって、ユダヤ人はたずねた。

「おれの役にたつな」モンクスはこたえた。

「だが、わしの役にはたたんね」素直にユダヤ人はいった。「あの小僧はわしの役に立ったかもしれんのだ。取り引きに二人の人間がかかわりあった場合、両方の利益をうまく考えるのが、当然のこったろう、どうだい、おまえ？」

「だから、どうだというんだ？」モンクスはたずねた。

「やつを仕込んで仕事につかせるのは容易なこっちゃねえと、わしはにらんだんだ」ユダヤ人はこたえた。「やつは同じ事情のほかのやつらとはちがうんだ」

「くそっ！　そうなんだ！」男はつぶやいた。「さもなけりゃ、やつは、とっくのむかしに、一人前の泥棒になってるわけだからな」

「わしには、あのガキをこれ以上性悪《しょうわる》にする力はない」相手の顔を心配そうに見守りながら、ユダヤ人はつづけた。

「やつの手は、うまくできてない。わしには、やつをふるえあがらせるものはなんにもないんだ。これは、最初にはいつも必要なことさ。それがなけりゃ、わしたちの苦労もむだになっちまうんだからな。わしになにができたろう？　やつをぺてん師とチャーリーといっしょに外に出すのかね？　それは、最初の計画でもうこりごりだ。みんなのことが心配になって、わしのからだのふるえがとまらなかったよ」

「それは、おれのせいじゃねえよ」モンクスがいった。

「そう、そうじゃないよ！」ユダヤ人はあらためていった。「そのことで、いまさら、わしは喧嘩《けんか》したりはしないよ。それが起きなかったら、おまえさんがあのガキに気がつき、おまえのさがしてるのがあいつだ、ということもわからなかったろうからな。うん！　わしは、あの若い女を使って、あいつをおまえのためにとりもどしてやった。すると、あの娘があいつをひいきしはじめたんだ」

「あんな女なんて、絞め殺しちまえ！」イライラしてモンクスはいった。

「とんでもない。さしあたっていま、そんなことはしてられないよ」ニヤリとしてユダヤ人はこたえた。「それに、そんなこと、おれたちはしねえことにしてるんだ。さもなけりゃ、近くいつか、あの娘を殺しちまうとこなんだがね。ああした女がどんなもんか、モンクス、わしはよく知ってるつもりだ。あの小僧がこすっからくなりはじめりゃ、あの女もあの小僧に、棒切れ同様、関心をもたなくなるさ。おまえはやつを泥棒に仕立てたいんだな。もしやつが生きてたら、いまからでも、わしはやつをそうしたもんにすることができるよ。それに、もし——もし——」相手にだんだん近づいていって、ユダヤ人はいった——「それは起こりそうもないことだがな——もし最悪事態っていうことになり、やつが死んでたら——」

「やつが死んでたって、おれのせいじゃねえぞ！」恐怖の表情を浮かべ、ふるえる手でユダヤ人の腕をつかんで、相手は口をはさんだ。「そいつは忘れるなよ、フェイギン！　おれはなんにもしてねえんだからな。殺すことだけはするなって、おれは最初からおまえにいってたんだぞ。おれは血を流すのがきらいなんだ。そいつはいつか暴《ば》れるし、心にまといつきやがるもんだからな。もしやつらがあいつを撃ち殺しても、そいつは、おれのせいじゃないんだぜ。わかったか？　こんないやな古巣なんて燃えちまえだ！　あれはなんだ？」

「なんだって？」この臆病《おくびよう》者がパッと立ちあがったとき、両腕でそのからだを押さえて、ユダヤ人は叫んだ。「どこに？」

「向こうだ！」向かい側の壁をにらみつけて、男はこたえた。「影だ！　外套《がいとう》と縁なし帽をかぶった女の影が、すーっと風のように、羽目板のとこをとおってくのを見たんだ！」

ユダヤ人は押さえていた手をはなし、二人はドカドカッと部屋から飛びだした。風で細くなったろうそくは、おかれたところに立っていた。ただ、人気のない階段と青ざめた彼ら自身の顔を示しただけだった。彼らはジッと聞き耳を立てたが、深い静けさが家中を支配しているだけだった。

「おまえの気のせいだよ」灯りをとりあげ、仲間のほうを向いて、ユダヤ人はいった。

「誓ってもいい、たしかに見たんだ！」身をふるわせながら、モンクスはこたえた。「最初見たとき、そいつは前にかがみ、おれが話をしたとき、さっと消えちまったんだ」

ユダヤ人は軽蔑《けいべつ》したように相手の青ざめた顔をチラリとながめ、よかったらあとについてこい、といって、階段を上っていった。二人は部屋という部屋をのぞきこんでみたが、それは寒々とし、ガランとして、人気がなかった。彼らは廊下におりてゆき、そこから下の地下蔵にはいっていった。緑色の湿気が低い壁にこびりつき、かたつむりとなめくじのとおった跡が、ろうそくの光の中でギラリと輝いていたが、あたりには、死のような静けさがおりていた。

「さあ、おまえはどう思う？」廊下にもどったとき、ユダヤ人はいった。「わしたち以外には、トビーと少年たちはべつにして、この家にはだれもいないんだ。それに、トビーたちは心配はない。ここを見てごらん！」

この事実の証拠として、ユダヤ人はポケットから二つの鍵《かぎ》をとりだし、彼が最初階下におりていったとき、話し合いに邪魔がはいらぬようにと、その二つの鍵をかけたのだ、と説明した。

こうしたいくつかの証拠を示されて、モンクス氏は明らかにたじろいだ。なんの発見もせずに彼らの調査が進むにつれ、モンクス氏の主張の叫びは、しだいにその激しさを失い、いまはもう、何度かじつに無気味な笑い声を立てて、想像力が刺激されて、そんなことになったんだろう、と認めるようになっていた。しかしながら、彼は、その夜、これ以上話をつづけることは断わり、急に、もう一時をまわっていることを思い出した。そこで、この二人の親友は別れを告げた。

第二十七章

婦人を失礼にも放りだした前の章の非礼のつぐないをする

身分卑しき著者風情が教区吏員といった高官に、暖炉に背を向け、上衣のすそを両腕にたくしあげたままにして、彼を救出することが適当と思うときまで待たせておくなんて、じつに不都合なこと、この教区吏員がやさしさと愛情をこめた目でながめ、それがこうした高官から出たものだけに、どのような乙女や主婦の胸をもときめかさずにはおかない艶なる言葉を彼がその耳にささやきかけたご婦人を教区吏員と同様に放りだしておくことは、著者の地位、婦人にたいする礼儀にさからうことである。したがって、こうした言葉を書いている物語作者は——自分は己の地位を知っているものと考え、高く重要なる権威がゆだねられている地上の高官にたいする当然の尊敬の念をいだいているものとして——急いで彼らの地位が求めている敬意をあらわし、彼らの高い地位、（したがって）その偉大なる徳が絶対的に著者に要求する慇懃《いんぎん》なる礼儀をはらうしだいである。この目的にふさわしいように、実際、著者はここに教区吏員が過《あやま》ちを絶対的におかさないとする教区吏員の神権、その地位の説明を紹介しようとし、それは、かならずや、心根正しき読者に楽しきものであると同時に有益なものとなったのであろうが、時間と余白がないため、残念ながら、もっと好都合な、しかるべき機会に、それをゆずることにする。そうした機会が到来した暁には、著者はよろこんで、正統に任命された教区官吏——というのは、教区救貧院付属で、その職権上、教区教会に出席する教区吏員のことだが——は、その職業柄の権利と資格上、人間のすべての優秀さと最善の質を具《そな》え、こうした優秀性にたいしては、団体の下級官吏、法廷の下級官吏、分教会の下級官吏（最後のものはそれはじつに低い劣った程度のもので、べつではあるが）はほんのわずかなりともその権利を要求する資格はないことを証《あか》すつもりである。

バンブル氏はティースプーンの数をふたたび勘定し、角砂糖ばさみの重さをふたたびはかり、ミルク入れをさらにもっと精密にしらべ、椅子の馬の毛をつめた座席まで、家具の正確な状態を微に入り細をうがってたしかめ、コーニー夫人がもどってくる時がきたと彼が思いはじめるまで、この過程を数回くりかえしおこなった。考えは考えを生むものであり、コーニー夫人が近づいてくるなんの物音もしなかったので、コーニー夫人のたんすの内部をちょっと拝見して自分の好奇心を静めても、それは無邪気な、徳をけがすことのない時間つぶしにすぎないだろう、ということがバンブル氏の胸に思い浮かんだ。

鍵穴のところで耳を澄ませ、だれも部屋には近づいてこないことを確信して、バンブル氏は、下の引きだしからはじめて、三つの引きだしの中におさめてあるものを、十分に点検しはじめた。それは、古新聞の二つの層のあいだに注意深くはさまれ、干したラベンダーをまきちらされた仕立ても生地も上等なさまざまな衣服で満たされていて、彼をひどく満足させたようだった。やがて、右手の隅の引きだし（そこに鍵がはいっていたが）に到達し、そこに、ふると貨幣の音のような快適なひびきを発する小さな南京錠のかかった小箱を見て、バンブル氏は悠然たる足どりで暖炉のところに帰り、以前の姿勢にもどって、重々しく決然たる態度で、「わしはするぞ！」といい放った。彼は、この注目すべき宣言のあとで、いかにもふざけたふうに、十分間も頭をふりつづけていたが、それは、彼がこうした愉快な犬であることにたいして、われとわが心に抗議をしているといった感じだった。ついで、彼は横からながめた自分の足の姿をいかにも楽しそうに、興味深げに見やっていた。

彼がまだ冷静な態度でこの足の検分をしているとき、コーニー夫人があわただしく部屋にはいり、はあはあしながら、暖炉のそばの椅子に身を投げ、一方の手で目をおおい、残りの手で心臓を押さえながら、息をつこうとあえぎはじめた。

「コーニー夫人」寮母の上にかがみこんで、バンブル氏はいった。「これはどうしたこってす？　なにか起きたんですか？　どうかこたえてください。わしはもう――」うろたえたバンブル氏は『張りわくの釘《テンターフック》』（気をもむ、気がかりの意がある）という言葉をとっさに思い出すことができず、その結果、『割ったびん』に乗った感じ、といってしまった。

「おお、バンブルさん！」夫人は叫んだ。「もうほんとうに、とまどってしまいましたわ！」

「とまどったですって、奥さん」バンブル氏は叫んだ。「だれがおこがましくも――。わかりましたぞ！」生まれながらの威厳ある態度で自制して、バンブル氏はいった。「これは、あの兇悪《きょうあく》なる収容員どもですな！」

「考えても、ぞっとするわ！」身ぶるいして、夫人はこたえた。

「じゃ、奥さん、それを考えんこってす」バンブル氏が応じた。

「考えずにはいられませんのよ」夫人は泣き声でいった。

「では、奥さん、なにかをお飲みなさい」なだめるようにバンブル氏はいった。「少しワインは？」

「とんでもない！」コーニー夫人はこたえた。「そんなこと、できませんわ――おお！　右手の隅の上の棚に――おお！」こうした言葉を発して、この善良な婦人は半狂乱で戸棚をさし、からだの内部から起こってくる痙攣《けいれん》で身ぶるいした。バンブル氏は戸棚に飛んでゆき、このようにとりみだして示された棚から緑のガラスびんをさっととり、それをカップにそそぎ、夫人の唇にそのカップをあてがった。

「もう気分がよくなりましたわ」それを半分飲み、ぐったりと椅子によりかかって、コーニー夫人はいった。

バンブル氏は敬虔《けいけん》な感謝のまなざしを天井にあげ、目をふたたびカップのへりにおろして、それを自分の鼻先にもっていった。

「ペパーミントですの」話しながらやさしく教区吏員にほほえみかけて、かすかな声でコーニー夫人は教えた。「飲んでごらんなさい！　少しだけど——ほんの少し、ほかのものもまじっているのよ」

バンブル氏は、けげんそうなようすで、その薬を味わい、舌打ちをし、もう一度味わい、ついにそのカップを空にして、下においた。

「とても元気がつきますわ」コーニー夫人はいった。

「まったくそうですな、奥さん」教区吏員はあいづちを打った。こういいながら、彼は椅子を寮母のわきによせ、彼女の心を乱すどんなことが起きたのか、とやさしくたずねた。

「いえ、べつに」コーニー夫人はこたえた。「わたしはバカな、興奮しやすい、弱い女です」

「奥さん、弱くはありませんよ」椅子をもう少し近づけて、バンブル氏は反駁《はんばく》した。「あんたは弱い女ですかね？」

「わたしたちはみんな、弱い女です」一般的な原則を決定して、コーニー夫人はいった。

「われわれ男だって、そうですとも」教区吏員はいった。

その後一、二分間、いずれもだまったままでいた。その時間がすぎると、バンブル氏は左腕をそれがいままであったコーニー夫人の椅子の背からコーニー夫人のエプロンのひもにうつし、そこからだんだんと、それを夫人のからだにまきつけることによって、事態の説明にとりかかった。

「われわれはみんな、弱い人間ですよ」バンブル氏はいった。

コーニー夫人は溜《た》め息をもらした。

「コーニー夫人、溜め息をつかないでください」バンブル氏は要求した。

「溜め息をつかずにはいられませんわ」コーニー夫人はいった。そして、また溜め息をもらした。

「奥さん、この部屋はなかなか快適ですな」あたりを見まわして、バンブル氏はいった。

「奥さん、この部屋にもう一部屋あれば、もう文句のつけようはありませんな」

「一人ではひろすぎますわ」夫人はつぶやいた。

「だが、奥さん、二人ではひろすぎませんぞ」やさしい語調になって、バンブル氏はこたえた。「えっ、そうでしょう、コーニー夫人？」

教区吏員がこういったとき、コーニー夫人は頭をうなだれた。教区吏員も頭をうなだれたが、これはコーニー夫人の顔をのぞきこむためだった。コーニー夫人は、いかにもつつましく、頭をそむけ、ハンカチをとるために手をふりほどいたものの、それと知らぬ間に、それは、バンブル氏の手の中にふたたびおさめられていた。

「委員会はあんたに石炭を支給してくれているんでしょう、どうです、コーニー夫人？」

やさしく彼女の手をにぎりしめて、教区吏員はたずねた。

「それに、ろうそくもね」そっと手をにぎりかえして、コーニー夫人はこたえた。

「石炭に、ろうそくに、ただの家賃」バンブル氏はいった。「ああ、コーニー夫人、あんたはなんという天使だ!」

夫人はこの感情の激発に抵抗し得なかった。彼女はバンブル氏の両腕の中にしなだれかかり、かの紳士は、興奮して、彼女の清純な鼻に熱烈なキスをした。

「これは教区の絶品だ!」恍惚《こうこつ》として、バンブル氏は絶叫した。「わが心を魅了する人よ、スラウト氏が今晩だいぶ具合が悪くなってるのをご存じですな?」

「ええ」はにかみながら、コーニー夫人はこたえた。

「医者の話では、一週間はもたんそうですよ」バンブル氏は語りつづけた。「あの人はこの施設の長です。彼が死ねば、それは空席になるわけです。そしてその空席には、人を充《あ》てねばならんのです。おお、コーニー夫人、これはなんという前途を開いてくれることでしょう! 心を合わせ、家庭をひとつにするのに、なんといういいチャンスでしょう!」

コーニー夫人はすすり泣きをはじめた。

「ほんの一言?」はにかむ美女の上にかがみこんで、バンブル氏はいった。「かわいいコーニー、ほんの、ほんの、ほんの一言だけでも?」

「え——ええ、いいです!」寮母は溜め息をつくようにしていった。

「もうひとつだけたずねたいが」教区吏員はつづけた、「心を落ち着けて、もうひとつの質問にこたえてください。結婚式はいつにしましょう？」

コーニー夫人は二度返事をしようとして、二度ともそれができなかった。とうとう、勇気をふるいおこして、彼女は両腕をバンブル氏の首にまきつけ、それはあなたの都合しだい、いつでもいい、あなたは『すごい魅力の持ち主』よ、と告白した。

事態はこうして円満、満足のゆくように進行したので、もう一杯カップにペパーミントのまぜ酒を入れて、この契約は批准された。こうした酒は、夫人の心がときめき、興奮したことによって、なおいっそう必要なものになったのだった。それを飲んでいるあいだに、彼女は例の老女の死をバンブル氏に伝えた。

「よくわかりましたよ」ペパーミントをチビチビやりながら、この紳士はいった。「家に帰る途中、サワベリーのところに寄り、明日の朝、棺《ひつぎ》を送るようにいっときましょう。あんたがおびえてたのは、そのためだったんですかね？」

「べつに、とりたててどうということではありませんわ」話をまぎらわせて、夫人はいった。

「なにかがあったにちがいない」バンブル氏はねばってきいた。「あんた自身のバンブルにも、それはいってくれんのですか？」

「いまはいけません」夫人はこたえた。「いずれ近いうちにね。結婚してから、お伝えしますわ」

「結婚してからだって！」バンブル氏は叫んだ。「男の収容員がなにか厚かましいことをして――」

「いいえ、いいえ、ちがいます！」夫人は急いで口をはさんだ。

「もしそうだとしたら」バンブル氏はつづけた、「このかわいい顔に、やつらのだれかが厚かましくもその下劣な目をあげ――」

「あの人たちには、そんなことはできませんよ」夫人は応じた。

「そんなことは、せんほうがいい！」拳《こぶし》をかたくつかんで、バンブル氏はいった。「おこがましくも、そういうことをするやつは、教区の者《もん》であろうとなかろうと、わしの目の前にあらわれてくるがいい。二度とそんなことをせんよう、わしがはっきりといってやるから！」

激しい身ぶりに飾りたてられていなかったら、この言葉は夫人の魅力にたいするたいした讃辞《さんじ》とは見えなかったかもしれないのだが、この脅迫の言葉にバンブル氏は戦闘的な身ぶりをもそえたので、彼女は彼の献身のこの証《あか》しにすっかり打たれ、ひどく感動して、あなたはかわいいかたよ、といったのだった。

このかわいいかたは、ついで、上衣の襟をたくしあげ、三角帽をかぶり、自分の将来の伴侶《はんりょ》とながいこと熱烈な抱擁をかわしてから、もう一度勇気をふるいおこして、夜の冷たい風に立ち向かっていった。彼が途中で足をとめたのは、ただ数分間、男の収容所のところでだけで、それは、自分が救貧院長の地位を維持できることを自分に納得させるための必要なむごさで、少しばかりそこの収容員をののしるためだった。自分がその資格を備えていることを確信すると、彼は足どりも軽く、自分の将来の明るい昇進を夢みて、そこを出ていったが、この明るい夢は、彼が葬儀屋の店にゆくまでつづいていた。

さて、サワベリー夫妻はお茶と晩餐《ばんさん》のために外出し、ノア・クレイポールは、飲み食いという二つの機能の遂行に必要な運動以外にからだを動かすことはいつもあまり好んでいなかったので、いつもの閉店時間がすぎたいまでも、店はまだ閉じられてはいなかった。バンブル氏は勘定台をステッキで何回かたたいたが、なんの返事もなく、店の裏の客間のガラス窓越しに灯《あか》りが輝いているのを見て、彼は大胆にもそこをのぞきこみ、そこでおこなわれていることをさとってしまった。そして、それをさとったとき、彼は少なからずびっくりした。

テーブルでは夕食の準備ができていた。テーブルの上には、バターつきパン、皿、コップ、黒ビールの壺《つぼ》、ワインのびんがならべられてあった。テーブルの上座には、ノア・クレイポール氏が肘《ひじ》かけ椅子にだらしない恰好《かっこう》で座り、両脚は椅子の肘にかけ、片手に開いた折りたたみナイフをもち、残りの手にはバターをぬったパン切れをもっていた。彼のすぐわきにシャーロットが立ち、樽《たる》から引きだした牡蠣《かき》を開き、それをクレイポール氏が、すごい食欲で、どんどんさらいこんでいた。この若い紳士の鼻の周辺がふだんより赤味をおびていること、彼の右目がほとんどずっとウィンクをしていることは、彼がいささか酩《めい》酊《てい》状態にあることを物語っていた。こうした徴候は、彼がいかにもおいしそうに牡蠣を食べているようすで、裏書きされていた。体内が熱病でおかされているとき、牡蠣の冷却性はじつに高く評価されるものだからである。

「これは、ノア、おいしそうな大きな牡蠣よ！」シャーロットはいった。「食べてごらん。これだけはね」

「牡蠣って、ほんとにおいしいもんだなあ！」クレイポール氏は、それを飲みこんでからいった。「それを食べすぎて気分が悪くなってるなんて、おまえもほんとうに気の毒なもんだ。そうだろう、シャーロット？」

「まったく、つらいことよ」シャーロットはいった。

「そうだね」クレイポール氏はそれを承認した。「おまえさん、牡蠣は好きじゃないんかい？」

「たいしてね」シャーロットは答えた。「ノア、あたしは、それを自分で食べるより、あんたが食べてるのを見るのが好きなの」

「驚いた！」考えこんで、ノアはいった。「妙なこったなあ！」

「もうひとつ食べなさいよ」シャーロットはすすめた。「これには美しい、細いひげが生えてるわよ！」

「もう腹いっぱいで、だめだ」ノアはいった。「悪いけどね。シャーロット、ここにきな、キスしてやろう」

「なんだって！」部屋に飛びこんで、バンブル氏はどなった。「もう一度、いまのせりふをいってみろ」

シャーロットは悲鳴をあげ、エプロンに顔をかくした。クレイポール氏は、脚を地面にうつしただけで、それ以上姿勢は変えず、酩酊の恐怖状態におちいって、教区吏員をジッとみつめていた。

「この性悪《しょうわる》な、厚かましい男め、もう一度いってみろ！」バンブル氏はいった。「どうして、そんなおこがましいことをいうんだ？　それに、この図々しいあばずれ女め、どうしてあいつをそそのかすんだ？　キスするだって！」激怒にかられて、バンブル氏は叫んだ。「胸《むな》くそ悪い！」

「そんなこと、するつもりはなかったんです！」泣きながら、ノアはいった。「こっちが好こうと好くまいと、女のほうで、いつもぼくにキスをしてるんです」

「まあ、ノア」ひどいといったふうに、シャーロットは叫んだ。

「そうじゃないか。おまえだって知ってるはずだぞ！」ノアはやりかえした。「彼女はいつも、そうしてるんです。バンブルさん、彼女はぼくの顎《あご》を突っつくんです。いろいろいやらしいことをするんです！」

「だまれ！」バンブル氏はきびしく叫んだ。「シャーロット、おまえは下におりてゆけ。ノア、おまえは店を閉めろ。おまえの主人が帰るまで、一言でもいってみろ、ひどい目にあわせてやるからな。主人が帰ってきたら、明日の朝、朝食後に老女の棺を送るように、バンブルさんがいってたといえ。わかったか？　キスだって！」両手をあげて、バンブル氏はいった。「この教区の下層民の罪と腹黒さはじつにおそろしいことだ！　このいまわしい風習が議会の論議の的にならなかったら、この国はほろび、農民の気質は永遠に消えちまうだろう！」こういって、教区吏員は、高潔で陰気そうな物腰で、葬儀屋の店から大《おお》股《また》で出ていった。

さて、われわれは彼が家路につくこの点まで彼に同行し、老女の葬式の用意万端はととのえたのであるから、ここで幼いオリバー・ツイストについてちょっと探索をおこない、彼がトビー・クラキットに投げだされた溝にそのまま倒れているかどうかを、調べてみよう。

第二十八章

オリバーの動きを調べ、彼の冒険を語る

「狼がてめえたちの喉《のど》をくいちぎればいいんだ！」歯がみをしながら、サイクスはつぶやいた。「おれがてめえたちの中にいたら、てめえたちのわめき声をもっとひでえもんにしてやるんだがな」

サイクスの無茶な性格としてできるかぎりの無茶なすごさでこののしり声を発したとき、彼は傷ついた少年のからだを自分のまげた膝《ひざ》の上に乗せ、自分の追跡者のほうを見るために、一瞬、うしろをふりかえった。

霧と暗闇の中で、ほとんどなにも見分けられなかったが、人々の大きな叫び声が大気の中に鳴りひびき、非常警報で起こされた近くの犬の吠《ほ》え声は、四方八方にこだましていた。「この臆病《おくびょう》犬め、とまれっ！」ながい脚を有利に生かして、もう先のほうを走っていたトビー・クラキットに呼びかけて、この盗賊は叫んだ。「とまれっ！」

こう叫びを二度くりかえされて、トビーはピタリと足をとめた。というのも、彼は自分がサイクスの射程距離外に出たとは確信できず、しかも、サイクスの気分は、いい加減にあつかうわけにもいかなかったからである。

「このガキに手を貸せ」激しい勢いで仲間を手招きして、サイクスは叫んだ。「もどれっ！」

トビーはもどるようすは一応したものの、ゆっくり歩きながら、息切れのためにとぎれとぎれになった低い声で、あまりもどりたくない自分の意向を思いきってもらした。

「もっと早く！」水が干あがっている足もとの溝に少年をおき、ポケットからピストルを引きだして、サイクスは叫んだ。「そうやって、おれを裏切るつもりか？」

この瞬間、さわぎは大きくなった。サイクスは、ふたたびあたりを見まわし、追跡してきた男たちが、彼が立っている野原の門にもうよじ登りかけ、二匹の犬が彼らの数歩前を進んでいることを、見分けることができた。

「ビル、もう万事休すだ！」トビーは叫んだ。「そのガキはすてて、逃げだすんだ」この別れの忠告を叫んで、クラキットは、確実に敵にとらわれるより、味方に撃たれるかもしれない見込みのほうをえらんで、くるりと向きなおり、一目散に飛んでいってしまった。サイクスは歯をかみならし、あたりを見まわしてから、倒れているオリバーの上に彼をあわただしくくるんできたケープを投げかけ、追ってきた連中の注意を少年が倒れている場所からそらそうとするように、生垣の正面ぞいに走り、その生垣と直角になっているべつの生垣の前に一瞬立ちどまり、それから、空中に高くピストルを投げあげて、生垣を一跳びで飛び越え、姿をくらましてしまった。 「おい、おい、そこだ！」うしろでふるえ声が叫んだ。「ピンチャー！ ネプチューン！

ここに来い、ここに来い！」

犬は、主人たちと同じく、いま彼らがかり出されているスポーツに特別興味をもってはいないらしかったが、すぐにこの命令にしたがった。このときまでに野原のほうにもうそうとう進んでいっていた三人の男は、足をとめて、打ち合わせをはじめた。

「わしの意見は、いや、命令と言えなくもないんだが」一行のうちでいちばん太った男がいった。「われわれはただちに帰宅することですな」

「ジャイルズさんのお気に召すなら、わたしはなんでも賛成ですな」背の低い男はいった。この男は、ほっそりとした姿といったものではいささかもなく、いかにもおびえたふうにとても顔を青ざめさせ、じつに慇懃《いんぎん》な態度を示していた。

「わたしとしては、諸君、失礼な態度はとりたくないと思っとりますな」犬を呼びもどした第三の男がいった。「ジャイルズさんが万事、事情は心得ておいでなんですから」

「そうですとも」背の低い男はいった。「ジャイルズさんがなんといわれようと、それに反対するなんて、とんでもないこと。そうですとも、そうですとも、わたしは自分の立場はちゃんと心得てますぞ！ ありがたいことに、心得てるんです」じつをいうと、小柄の男は、実際、彼の立場を心得ているらしく、それが決して好ましいものでないことを百も承知のようだった。これを話しながら、彼の歯はガタガタ鳴っていたからである。

「ブリトルズ、きみはこわいんだな？」ジャイルズ氏はいった。

「いや、ちがいます」ブリトルズ氏はやりかえした。

「そうだとも」ジャイルズ氏はいった。

「ジャイルズさん、それは嘘だ」ブリトルズはいった。

「ブリトルズ、きみこそ嘘をいってるぞ」ジャイルズ氏はいった。

さて、この四回もつづいた言葉のやりとりは、ジャイルズ氏がののしったことから起き、ジャイルズ氏ののしりは、家に帰る責任が、表面は讃辞《さんじ》をよそおいながら、ぜんぶ自分にかぶせられたことにたいする憤慨から起きているものだった。第三の男はこの紛争をじつに道理にかなったふうに終結させた。

「みなさん、本当のところを申しましょう」彼はいった。「われわれは、みんなこわいんです」

「自分のことだけいえばいいんだ」一行のうちで顔色をいちばん青くしているジャイルズ氏がいった。

「そうしてますよ」その男はこたえた。「こうした事情のもとで、こわがるのは自然で当然のこと。わたしはこわいんです」

「わたしも、そうですな」ブリトルズはいった。「ただ、ふんぞりかえって、自分はこわいぞ、という必要はありませんからな」

こうした率直な告白はジャイルズ氏の気持ちをやわらげ、彼自身もすぐに、自分もこわいのだ、と認めた。そこで三人はグルリと向きを変え、一糸乱れず呼吸を合わせて逃げだしはじめたが、とうとうジャイルズ氏が（彼は仲間のうちでいちばん息が切れやすく、熊手で行動をさまたげられていた）いとも男らしく足をとめることを主張し、自分の言葉が性急にすぎたことのいいわけをしはじめた。

「だが、かっとして頭に血がのぼったとき」いいわけが終わってから、ジャイルズ氏はいった。「人間がどんなことをするかは、じつに驚嘆に値することですな。わしだって、人殺しくらいやったかもしれませんぞ――そうですとも――あの悪党のうちの一人をとっつかまえたらね」

ほかの二人も同感であり、彼らの血は、ジャイルズ氏の血と同様、いまはふたたび落ち着いてきていたので、この気質の急激な変化の原因について、推測がおこなわれはじめた。

「わしにはわかってる」ジャイルズはいった。「それは門だったのだ」

「そうであっても、ふしぎはありませんな」その考えに飛びついて、ブリトルズは叫んだ。

「まちがいなし」ジャイルズはいった。「あの門が興奮の血の流れをとめちまったんだ。あの門をよじ登っていったとき、わしは自分の血が急に消えてゆくのを感じた」

驚くべき偶然の一致によって、他の二人もちょうどその瞬間に、同じ不愉快な感じに襲われていた。特に、その変化が起きた時刻に関しては、もうまちがいはなかった。それが起きたとき、三人そろって、自分たちが盗賊の姿を見かけたのを憶《おぼ》えていたからである。

この話は、夜盗の不意を襲った二人の男と、それとはちがった家で眠っていて、二匹の雑種の犬といっしょに、追跡のために起こされた旅の鋳《い》かけ屋のあいだでかわされていた。ジャイルズ氏は、屋敷で老夫人のために家令と召使い頭として働き、ブリトルズはなんでも屋の若者で、子供のときから老夫人に仕えていたので、三十は少し越していながらも、将来有望な青年としてまだあつかわれていた。

こうした話のやりとりでたがいに元気をつけあったが、まだそれでも、ピタリとからだを寄せ合い、板のあいだを新しい風が音を立てて吹きとおるときは、いつも不安そうにあたりを見まわして、三人の男は、カンテラをおいていった木のところへ急ぎ足で戻っていった。カンテラをそこにおいたのは、カンテラが盗賊たちの射撃の目標になってはという配慮があったからである。その灯《あか》りをとりあげて、彼らはそうとうの早足で家路をとっとたどっていった。そして、彼らの黒い姿がもう見えなくなってからもずっと、灯りは、とおってゆく湿った陰気な大気から発する鬼火のように、遠くでチラチラと踊っているのが見かけられた。

明け方がゆっくり近づいてきたとき、寒気は、いっそうきびしくなり、霧は、濃い煙の雲のように、地面にはって動いていた。草はしめり、小道と低い場所はぬかるみと水ばかり、健康によくない風の湿った息吹《いぶ》きは、うつろなうめき声を立てて、ものうげにとおりすぎていった。それでもまだ、オリバーはサイクスが放りだした場所に身じろぎもせずに、気を失って倒れていた。

朝がドンドンと近づいてきた。その鈍い最初の色――それは、昼の誕生というより、夜の死といったものだったが――がかすかに空を染めたとき、空気はもっと鋭く、もっと肌をつんざくものになった。闇の中でぼんやりと、おそろしく見えていたものは、しだいに形をととのえ、目に馴《な》れた形をとるようになった。雨は濃く、激しく降り、葉の落ちた木のやぶのあいだで音を立てていた。が、雨がからだに打ちつけても、オリバーはそれを感じてはいなかった。彼はまだ土の床の上に、力なく、意識を失って、倒れていたからである。

とうとう、苦痛の低いうめきがあたりの静けさを破り、その声で、少年ははっとわれにかえった。ショールで荒らっぽく結びつけられた右腕は、わきにダラリと重くさがり、その包帯は血だらけになっていた。彼の力はすっかり弱っていて、座る姿勢もとれないほどだったが、ようやく起きあがったとき、彼は、助けを求めようと、弱々しくあたりを見まわし、苦痛のうめきを発した。寒さと疲労で関節という関節をガタガタとふるわせて、彼はまっすぐに立ちあがろうとしたが、からだ全体にふるえがきて、地面の上に倒れてしまった。

ながいこと落ちこんでいた放心状態にふたたびちょっともどったあとで、このままでいれば確実に死んでしまうということを知らせるような胸のむかつきにつき動かされて、オリバーは立ちあがり、歩こうとした。頭はフラフラして、彼は、泥酔した人のように、ヨロヨロとあちらこちらによろめいた。だが、彼はがんばり、頭を前にぐったりと垂らし、どこともわからず、つまずきながら、進んでいった。

このとき、無数のとてつもない、混乱した考えが、彼の心に群らがり起こってきた。彼はまだ、怒っていい争っているサイクスとクラキットのあいだにはさまれて歩いているように感じた。彼らがいった言葉そのままが、彼の耳にひびいていたからである。そして、倒れまいと猛然とがんばってハッとわれにかえったとき、彼は、自分が彼らに話しかけているのに気がついた。ついで、サイクスと二人だけになり、前日と同様に、トボトボと歩き、影のような人物がわきをとおりすぎていったとき、彼はあの盗賊が自分の腕首をにぎったのを感じた。突然、銃声を耳にして、ハッとした。空中に大きな叫び、物音がわき起こり、光がいくつか目の前にきらめき、すべてが騒音と騒動、目に見えない手があわただしく彼を連れ去っていった。こうしたクルクルとめぐるすべての幻想をとおして、何ともいえない不安な苦痛の感じが走り、それは、絶え間なく、彼を疲れさせ、悩ませていた。

こうして彼はヨロヨロとはうようにして、ほとんど機械のように、木戸の横木やゆきあたった生垣のすき間をとおりぬけ、とうとう道路に出た。ここで雨がひどく降りはじめ、それが彼の気持ちをしゃんとさせた。

彼はあたりを見まわし、ほど遠くないところに一軒の家があるのに気づき、たぶんそこへはたどりつけるだろう、と思った。彼の状態をあわれんで、家の人は彼に同情してくれるだろう。また、たとえ同情してくれなくとも、わびしい、開けた野原で死ぬより、人のいるところの近くで死んだほうがまだよい、と考えた。彼は、最後の一努力のために、渾《こん》身《しん》の力をふりしぼり、よろめく足を家のほうに向けた。

この家にだんだんと近づいていったとき、その家を以前見たことがあるといった感じが、彼に強くなってきた。こまかなことはなにも思い出せなかったが、その家の形、ようすがなにか彼になじみのあるもののように思えた。

あの庭の壁！　昨夜、彼は中側の草の上に膝《ひざ》をついて倒れこみ、二人の男に慈悲をねがったのだった。それは、彼らが押しいろうとした、まさにその家だった。

彼がこの場所をそうと気づいたとき、ひどい恐怖心がオリバーを襲い、一瞬、彼は傷の痛みを忘れ、逃げだすことだけを考えていた。逃げだす！　彼はほとんど立つこともできず、また、たとえそのほっそりとした若々しいからだのありったけの力をもっていたとしても、どこへ逃げられただろう？　彼は庭の門をおし、それは、錠がかかっていなかったので、蝶番《ちようつがい》の上でさっと開いた。彼はヨロヨロとした足どりで芝生を横切り、入口の階段を上り、力なく戸をノックしたが、彼のからだの力はもうぜんぶ使い果たされ、ぐったりと小さな玄関の柱によりかかって、倒れてしまった。

ちょうどこのとき、ジャイルズ氏、ブリトルズ、鋳かけ屋が、台所で、前夜の疲労と恐怖のあとで、お茶をのみ、いろいろなものを食べながら、体力の回復をはかっていた。下々《しもじも》の召使いたちとなれなれしくすることは、ジャイルズ氏の習慣ではなく、彼らにたいして、彼はいつもお高くとまった感じの愛想のよさを示し、これは相手をよろこばすと同時に、かならず、彼が社会的に優越していることを、彼らに知らせていた。だが、死、銃火、盗賊はすべての人間を平等にするものである。そこで、ジャイルズ氏は、台所の炉格子の前に脚をのばして座り、左腕をテーブルに載せ、右腕で押しこみ強盗についての微に入り細をうがった説明をし、それに聞き手は（特に料理女と下女、彼らはこの一座に加わっていた）息をこらして聞き入っていた。

「二時半ごろだったかな」ジャイルズ氏はいった。「三時近くだったかもしれん。わしは目をさまし、こんなふうに床で寝がえりを打ったとき（ここでジャイルズ氏は椅子で向きを変え、敷布がわりに、テーブルかけの隅を引っぱった）、なにか物音を聞いたような気がしたんだ」

話がそこまで進むと、料理女は真っ青になり、下女に戸を閉めるようにとたのんだが、下女はそれをブリトルズにたのみ、ブリトルズはそれを鋳かけ屋にたのみ、鋳かけ屋は聞かないふりをしていた。

「物音を聞いたんだ」ジャイルズ氏はつづけた。「わしは最初『これは気のせいだ』と考え、また寝こもうとしたんだが、そのとき、また、はっきりとその音を聞いたんだ」

「どんな音だったんです？」料理女はたずねた。

「ちょっとはじけるような音だったな」あたりを見まわして、ジャイルズ氏はこたえた。

「それより、ナツメグのおろし金で、鉄の棒をこすったような音だったな」ブリトルズは意見を述べた。

「おまえが聞いたときは、そうだったんだ」ジャイルズ氏は応じた。「だが、そのときには、はじけるような音だった。わしは、かけ布団をはねのけ」テーブルかけの布をもとにまきもどして、ジャイルズ氏はつづけた、「寝台に起きあがり、耳を澄ませた」

料理女と下女は同時に「まあ！」と叫び、その椅子を前よりもっと近づけあった。

「わしには、それがもうじつにはっきりと聞こえたんだ」ジャイルズ氏はなおも語りつづけた。「『だれかが戸か窓をこじ開けようとしてるな。どうしたらいいだろう？　かわいそうなあの青年ブリトルズを起こし、床の中でむざむざと殺されるのを助けてやろう』わしは考えたんだ、『さもないと、やつの喉《のど》は、それと気がつかんうちに、ばっくりと切られてしまうかもしれん』とな」

ここで、一同の目はブリトルズのほうに向けられたが、ブリトルズのほうは、口を大きくあけ、顔にはまぎれもない恐怖の情をあらわして、語り手の上に目をすえ、そこをにらみつけていた。

「わしは掛け布団をパッとはねのけ」テーブルかけをさっと向こうに押しやり、ジッと料理女と下女を見すえて、ジャイルズ氏はいった。「床からそっと忍び出し、ズボ――」

「ジャイルズさん、淑女がいるんですぞ」鋳かけ屋がつぶやいた。

「靴をはき」鋳かけ屋に向きなおり、靴という言葉に力を入れて、ジャイルズ氏はいった。

「皿かごといっしょにいつも二階にもってく弾《たま》をこめたピストルをとりだし、忍び足で彼の部屋に歩いていった。『ブリトルズ』彼を起こしたときに、わしはいったんだ、『おびえては絶対にいかんぞ！』」

「たしかに、そういったね」低い声でブリトルズが口をはさんだ。

「『わしたちは殺されるかもしれん、ブリトルズ』わしはいったんだ」ジャイルズはつづけた。「『だがこわがってはいかんぞ』」

「ブリトルズはこわがったこと？」料理女がたずねた。

「いや、ぜんぜん」ジャイルズ氏はこたえた。「彼はわしと同様――ああ！　わしとだいたい同じくらい――しっかりしてたよ」

「あたしだったら、きっと、その場で死んじまったわね」下女がいった。

「おまえは女だからな」ちょっと勇気をふるい起こして、ブリトルズはこたえた。

「ブリトルズのいうとおりだ」賛成というふうに頭をうなずかせて、ジャイルズ氏はいった。「女なら、そうなるのも、むりはないな。われわれは、男だから、ブリトルズの炉の中の台に立てかけてあった黒いカンテラをとりあげ、真っ暗闇の中を手さぐりで下におりていった——まあ、こんな具合にといったところか」

ジャイルズ氏はその席から立ち、しかるべき動作づきで自分の話を進めるために、目を閉じて、二歩歩み出したとき、彼は一座の人たちといっしょに、すごい勢いでぎょっとし、あわただしく、座席にもどっていった。料理女と下女とは、悲鳴をあげた。

「あれはノックの音だったな」ケロリとした態度をうまくよそおって、ジャイルズ氏はいった。「だれか、戸を開けろ」

だれも動こうとはしなかった。

「朝っぱら、こんな時刻にノックの音がするなんて、どうも妙なことらしいな」自分のまわりの青ざめた顔を見わたし、自身もとても元気のないようすで、ジャイルズ氏はいった。「だが、戸は開けねばならん。聞こえるのか、だれか戸を開けろ！」

こういいながら、ジャイルズ氏はブリトルズをながめたが、この若者は、生まれながら、遠慮深い人間だったので、たぶん自分をとるに足りぬ者と考えたのだろう、その質問が自分にかかるはずはないと思いこんで、返事をしなかった。ジャイルズ氏は信頼の一瞥《いちべつ》を鋳かけ屋に投げたが、彼は急に寝こんでしまった。女たちは問題外だった。

「もしブリトルズが証人の前で戸を開けたいと思うなら」短い沈黙のあとで、ジャイルズ氏はいった、「わしはその証人になってやってもいいんだがな」

「おれだって証人になりますぜ」眠りこんだときと同じふうに、突然目をさまして、鋳かけ屋がいった。

ブリトルズはこの条件で降伏した。そこで一同は、いまはもう真昼間だということを発見し（鎧戸《よろいど》を開いて気づいたことだったが）、それで多少勇気をふるい立たせて、犬を先頭に立て、下にいるのがおそろしいと言いだした二人の女性をうしろに従え、階段を上っていった。ジャイルズ氏の意見により、一同は大声で話したが、これは、外の不逞《ふてい》のやからに、こちらの軍勢は多いのだぞ、ということを知らせるためだった。同じ明敏な頭脳の持ち主である紳士の発想になる傑作的策略によって、犬をすごく吠《ほ》えさせるために、その尻尾《しっぽ》は玄関の間でしっかりとつねられた。

こうした策略を講じてから、ジャイルズ氏は鋳かけ屋の腕をしっかりとつかみ（彼がふざけていったのだが、これは鋳かけ屋が逃げだすのを防止するため）、戸を開けと命令をくだした。ブリトルズはその命にしたがい、この一団の人々がおずおずとおたがいの肩越しにのぞきこんでながめたものは、疲労困憊《こんぱい》その極に達し、口もきけなくなっているあわれな少年オリバー・ツイストにすぎなかった。彼は生気の失せた目をあげ、だまったまま、みなの同情を求めていた。

「子供だ！」勇敢にも鋳かけ屋をうしろに押しのけて、ジャイルズ氏は叫んだ。「どうしたんだ――えっ？――どうして――ブリトルズ――これを見ろ――おまえはわからんのか？」

戸を開けようとその背後にからだをおしやられていたブリトルズは、オリバーを見るや、大きな叫び声をあげた。ジャイルズ氏は少年の片脚片腕をとらえて（幸いにも傷を受けていないほうだった）、すぐ彼を玄関の間に引きずってゆき、そこの床の上に彼を投げだした。

「さあ、つかまえたぞ！」すごい興奮状態になって、ジャイルズは二階に向かってわめいた。「奥さま、泥棒の片割れをつかまえました！　お嬢さま、泥棒をつかまえました！お嬢さま、負傷してます！　お嬢さま、わたしが撃ったんです。そして、ブリトルズが灯《あか》りをもっていたんです」

「お嬢さま、カンテラの灯りをね」声がよくひびくようにと、片手を口にあてがって、ブリトルズは叫んだ。

二人の下女は、ジャイルズ氏が賊をとらえたことを報告するために、二階にかけあがり、鋳かけ屋は、絞首刑になる前にオリバーを死なせまいと、彼の意識をひきもどしにかかった。この物音とさわぎの中で、それをすぐ静めてしまったやさしい女性の声が聞こえてきた。

「ジャイルズ！」階段の上のところから、声がささやいた。

「お嬢さま、わたしはここにおります」ジャイルズ氏はこたえた。「お嬢さま、こわがる必要はございません。わたくしが傷を負ったのではございませんから。お嬢さま、彼はたいしてひどい抵抗はしませんでした！　賊はすぐ、わたくしに参ってしまったんです」

「しっ、静かに！」若い婦人はこたえた。「賊が叔母《おば》さまをおびえさせたように、おまえも叔母さまをおびえさせてしまいますよ。かわいそうな子供は大きな怪我をしているの？」

「お嬢さま、ひどい傷です」得もいわれぬ満足げなようすで、ジャイルズはこたえた。

「お嬢さま、もう死にそうです」前と同じように、口に手を当てて、ブリトルズはわめいた。「お嬢さま、こちらにおりておいでになって、死ぬ前に一目ご覧になりませんか？」

「しっ、静かに！　おねがいよ」婦人はこたえた。「叔母さまにお話ししてくるから、ちょっと静かにして、待っていてちょうだい」

声と同じようにやさしく、静かな足音を立てて、婦人は歩いていった。彼女はすぐにもどってきて、負傷者を丁寧《ていねい》に階上のジャイルズ氏の部屋に運びあげるように命じ、さらにブリトルズは小馬に鞍《くら》をつけ、チャーツィーにおもむき、大急ぎで巡査と医者を呼ぶように、といいつけた。

「でも、お嬢さま、それより先に、一目、賊をご覧になりませんか？」オリバーが巧みに撃ち落とした名鳥でもあるかのように、得意満面なおももちで、ジャイルズはたずねた。

「いいえ、いまはやめます」若い婦人はこたえた。「かわいそうに！　ああ！　ジャイルズ、たのむから、親切にしてあげてね！」

年老いた召使いは、この語り手が自分自身の娘であるかのように誇らかに、感に打たれたようすで、彼女を見あげた。それから、彼はオリバーの上に身をかがませ、女性のような配慮と懸念をはらって、彼を二階に連れてゆく手伝いをした。

第二十九章

オリバーが世話になった家の住人の紹介

近代的な優雅さより古めかしい快適さにあふれた家具が並ぶ美しい部屋で、十分に料理がならべられた朝食を前に、二人の婦人が座っていた。綿密な注意をはらって黒服を着こんだジャイルズ氏が、このご婦人がたの給仕役をつとめていた。彼は食器棚と朝食のテーブルのあいだのほぼ真ん中に陣どり、グッと背をのばし、頭はそらせて、ちょっと横にかしげ、左足を前に踏みだし、右手をチョッキに突っこみ、盆をにぎった左手をダラリとさげた彼の姿は、自分の能力と重要性をじつにこころよく意識している人物のようだった。

二人の婦人のうちの一人は、そうとうの年配だった。しかし、彼女のしゃんとした姿は、彼女の座っているよりかかりの高い樫《かし》の椅子にも劣らないほどだった。すぎ去ったむかしの衣裳《いしょう》に現在の流行をちょっとあしらって、古い衣裳の効果を損ねるより、そのよさをいっそう引きたてるといった新旧混合の美しい服をじつにうまく、きちんと着こなして、彼女は組んだ両手をテーブルに載せ、いかにも威厳のある物腰で、椅子に腰をおろしていた。彼女の目（年齢はその輝きをほとんどくもらせてはいなかった）は、注意深くその若い相手に注がれていた。

若い婦人は美しい花ざかり、女性としての春を歌い、神のよきご意志のために天使が人間のからだに宿るとしたら、彼女くらいの年齢に宿るものと、冒瀆《ぼうとく》の罪をおかさずに考えられる年頃だった。

彼女はまだ十七をすぎてはおらず、じつにほっそりとした美しい姿、おだやかでやさしく、清らかで美しく、その本質はこの世のものとは思われず、粗暴な人間は彼女にはふさわしくないと思われる風情《ふぜい》だった。彼女の濃い青い目に輝き、その気高い頭にはっきりと示されている知性は、とても十七歳のもの、この俗世のものとは思われなかった。しかし、美しさと上機嫌を物語るうつりゆく表情、彼女の顔に輝き、そこに陰を残さない無数の光、とりわけ微笑、陽気で幸福げな微笑は、家庭のため、やすらぎと幸福のためにつくられたものだった。

彼女はせっせとテーブルのこまかな仕事をしていた。老婦人が彼女をみつめていたとき、彼女は、たまたま目をあげて、ふざけたようになにげなく額の上の編んだ髪をうしろに押しあげ、その輝く顔に愛情とあどけないかわいらしさをこめた表情を浮かべたが、それは、天使が彼女をながめても、ほほえまれるだろうと思われるほどのものだった。

「ブリトルズが出かけてから、もう一時間以上になるわね、どう？」少し間をおいて、老婦人がたずねた。

「一時間と十二分でございます。奥さま」黒いリボンをひっぱって出した銀の懐中時計を見て、ジャイルズ氏はこたえた。

「あの人はいつものろいのね」老婦人はいった。

「ブリトルズはいつも、のろい子供でございました、奥さま」従者はこたえた。ところで、ついでながら、ブリトルズが三十年以上ものあいだのろい子供であったことを考えると、彼が素早い子供になる大きな可能性はまずないにちがいないかった。

「あの人はよくなるより、悪くなった感じね」老婦人はいった。

「道草してほかの子供と遊んでいるとしたら、これは許せぬことですわね」ほほえみながら、若い婦人はいった。

ジャイルズ氏が、自分も敬意をこめた微笑を浮かべたほうがよいかな、と考えていたとき、一頭引きの二輪馬車が庭の門のところに走りより、そこから太った紳士が飛びだし、戸口へまっすぐ駈けあがり、なにか神秘的な方法で素早く家にはいったかと思うと、いきなりこの部屋に突入し、ジャイルズ氏と朝食のテーブルをあうやくひっくりかえしそうになった。

「こんな話って、聞いたこともありませんぞ！」太った紳士は叫んだ。「メイリー夫人――いや、驚いた――しかも、静まりかえった真夜中に――こんな話って、聞いたこともありませんぞ！」

こうした悔みの言葉を述べると、太った紳士は二人の婦人と握手し、椅子を引きよせ、具合はいかが？　とたずねた。

「あなたは死ぬとこでしたぞ、ほんとうに、恐怖心で死ぬとこでしたぞ」太った紳士はいった。「どうして使いをよこさなかったんです？　まったく、わしの召使いはすぐにきたのに……。わしもきましたぞ。それに、わしの助手だって、よろこんできましたぞ。ああした事情では、だれだって、きっと、きたでしょう。いや、まったく！　じつに思いがけないことでしたな！　しかも、静まりかえった真夜中に！」

この医者がとくに苦にしていることは、この押しこみ強盗が思いがけないものであった事実、そしてそれが夜間におこなわれようとした事実にあるようだった。それは、まるで、強盗商売を昼間におこない、一日か二日前に郵便でその契約を結ぶことが、押しこみ強盗をするさいの紳士のしっかりとした掟《おきて》でもあるかのような話ぶりだった。

「そして、きみ、ローズさん」若い婦人のほうを向いて、医師はいった。「わしは――」

「まあ！　ほんとうに驚きましたわ」医師の話を切って、ローズはいった。「でも、叔母があなたに見ていただきたがっている、かわいそうな少年が二階にいますの」

「ああ！　そう」医師はこたえた。「そうでしたな。ジャイルズ、それはおまえのしわざだという話だな」

ひどく興奮してカップを片づけていたジャイルズ氏は、顔をとても赤らめ、名誉なことにそのとおりです、とこたえた。

「名誉だって、えっ？」医師はいった。「うん、そいつはどうかな。たぶん、裏の台所で泥棒を撃つのは名誉なことだろうな、十二歩はなれて敵を撃つようにな。相手が空に向けて鉄砲を放っても、おまえは決闘をしたことになるんだからな、ジャイルズ」

ジャイルズ氏は、この問題をこうして軽くあしらうことは、自分の名誉を損ねるものと考え、そうしたことを判断するのは、自分のような者のすべきことではないが、敵にとっても、それは冗談ごとではなかったものと確信する、とうやうやしくこたえた。

「なるほど、そのとおりだ！」医師はいった。「その盗賊はどこにいる？　わしをそこに案内してくれ。メイリー夫人、二階からおりてきたとき、またお会いしましょう。あの小さな窓が、彼のはいりこんだ口なのかね？　うん、まったく信じられん小さな穴だな」

ずっと話しながら、医師はジャイルズ氏に案内されて、二階にあがっていった。そして彼が二階にあがっていった暇を利用して、この近くの十マイル四方の地方では「先生」として知られている医師ロスバーン氏は、美食よりむしろ上機嫌で太ってしまった人物、その五倍のひろさの地区をさがしてもちょっと見当たらぬほどの親切で陽気な独身男、しかも風変わりな男であったことを、読者にご報告しておこう。

彼は、当人とご婦人がたが予期していたほどすぐには、二階からおりてこなかった。大きな平たい箱が一頭立て二輪馬車から運びだされ、寝室の鐘がときどき鳴らされ、召使いたちがたえず階段を上りおりし、なにか重要なことが進行中であることを思わせた。とうとう医師はもどってきた。患者の容態はどうかという心配そうな質問にたいして、彼はなにかつかめぬ態度をとり、用心深く扉を閉めた。

「これは、じつにとてつもないことですな、メイリー夫人」扉を閉めておこうといったように背をそこにおしつけたまま、医師はいった。

「危篤だというのではないのでしょうね?」老婦人はたずねた。

「いやあ、そんなことになっても、こうした事情のもとでは、意外とはいえませんな」医師はこたえた。「もちろん、彼は危篤とは思いませんけどね。この泥棒をご覧になりましたか?」

「いいえ」老婦人はこたえた。

「彼については、なにもお聞きになっていないんですね?」

「ええ」

「失礼でございますが、奥さま」ジャイルズ氏が口をはさんだ、「彼についてわたくしがお話申しあげようとしましたとき、ちょうどロスバーン先生がおいでになりまして……」

ジャイルズ氏が、最初自分が撃ったのは少年にすぎなかった、と白状しかねていたというのが、事実のところだった。自分の勇気をひどくほめあげられてしまったので、彼は説明を数分間延期せざるを得ない立場に追いこまれ、そのあいだに、不屈の豪勇で得たはかなき名声の絶頂にあって、彼は大いにいいところを見せてしまったのである。

「ローズはその泥棒と会いたがっていました」メイリー夫人はいった。「でも、わたしがそれを承知しなかったのです」

「ふふん！」医師は応じた。「彼のようすには、べつにおそろしいものはありませんぞ。わしといっしょにお会いになっては、いかがです？」

「それが必要なら」老婦人はこたえた。「もちろん、かまいませんわ」

「じゃ、わしは必要だと考えますな」医師はいった。「とにかく、彼と会うのをのばしていたら、あなたはきっと、それを深く後悔なさいますぞ。彼はいま、すっかり静かで、気分がよくなっています。ご案内しましょう――ローズお嬢さん――おいでになりませんか？　約束してもかまいませんよ。こわがることは、ぜんぜんないんです！」

第三十章

新しい見舞い人、オリバー観を語る

ご婦人たちがこの泥棒の形相を見たら、きっと愉快な驚きの念に襲われるだろうと何回も念をおして、医師は若い婦人の腕を自分の腕にとおし、もう一方の空いた手をメイリー夫人のほうに差しだして、いかにも威儀を正し、もったいぶった態度で、先に立って進んでいった。

「さあ」寝室の取手をそっとまわしながら、声をひそめて、医師はいった。「あなたがたのご意見をうかがわせていただきましょう。泥棒はひげをそってはいませんぞ。しかし、兇悪《きょうあく》な形相はしていません。だが、ここで待っててください！　彼が人と会えるようにきちんとした身なりをしてるかどうか、わしが先にたしかめてきましょう」

彼女たちの先に立って、彼は部屋をのぞきこんだ。はいれと身ぶりで知らせ、彼女たちが部屋にはいったとき、彼は扉を閉め、そっと寝台のカーテンを引いた。ベッドの上には、見なければならないと覚悟していた頑強な、黒い顔をした悪党の代わりに、苦痛と疲労でやつれ、ぐっすりと深い眠りに落ちている一人の子が横たわっていた。包帯をし副木《そえぎ》を当てられた負傷した腕は、胸の上におかれ、もう一方の腕に頭が載せられていたが、その顔は、枕の上にかかっているながい髪の毛でなかばかくされていた。

正直者の紳士は、だまって一、二分のあいだ、手にカーテンをつかんだまま、それをながめていた。彼がこうして患者を見守っていたとき、若い婦人はすっと彼のわきをとおりぬけ、寝台のそばにあった椅子に腰をおろして、オリバーの髪をのけてやった。彼女が少年の上にかがみこんだとき、彼女の流した涙が彼の額にかかった。

少年はからだを動かし、眠りながらほほえんだが、それは、まるでこうしたあわれみと同情のしるしが、彼の味わったこともない愛情と親愛のこころよい夢をひき起こしたような感じだった。このようにして、おだやかな音楽の曲、静かな場所での水の波紋、親しみのこもった言葉の語らいが、突如としてときどき、この世で起こったこともない情景の漠然とした記憶を呼びさまし、一息の息吹きのように、さっと消えてゆく。それは、とうのむかしに消滅したはかない幸福な暮らしの思い出が目ざめさせてくれるもので、頭ではどうあがこうとも、絶対に思い出せないものである。

「これは、どうしたことなのでしょう？」年配の婦人は叫んだ。「このかわいそうな子供が、盗人の手先であったはずはありませんわ」

「悪事というものは」カーテンをもとにもどして、医者は溜《た》め息とともにいった。「さまざまな額に宿るものです。美しい外見がそれを中に宿していないとは、だれが断言できましょう？」

「でも、こんなにいたいけな歳で！」ローズが強くいった。

「お嬢さん」悲しげに頭をふって、医者はこたえた。「犯罪は、死と同じく、歳をとったしわだらけの者だけにかぎられているわけではないんです。いちばん若く、いちばん美しい者でも、じつにしばしば、その犠牲になりますからな」

「でも、まさか――ああ！　このほっそりとした子供が、自分からすすんで、性悪《しょうわる》の無法者の仲間になることなんて、あるでしょうか？」ローズはいった。

医者は頭をふったが、その態度は、そうしたこともあり得ると考えているふうだった。そして彼は、患者の眠りをさまたげてはいけないからといって、先に立ってとなりの部屋にはいっていった。

「でも、たとえ性悪だったとしても」ローズは話しつづけた。「あの子がどんなに歳ゆかぬかを考えてごらんなさい。母親の愛情、家庭の楽しさを一度も味わったことがないのかもしれませんよ。虐待と打擲《ちょうちゃく》、食べ物のないことがこの子をつき動かし、彼にいけないことをさせた者の仲間入りをするようにしたのかもしれませんよ。叔母《おば》さま、おねがいです、この病気の子を牢獄《ろうごく》に投げこませる前に、どうかこのことを考えてください。そんなことをしたら、それは、あの子が心を改める機会を葬るお墓になってしまいます。ああ！　叔母さまはわたしを愛してくださり、あなたのご親切と愛情で、わたしは両親のいないさびしさを感じたことは一度もありません。でも、このあわれな子と同じように、わたしもそうしたさびしさを感じ、よるべのなさを考え、わびしい思いをする立場になっていたのかもしれないのです。どうか、手おくれにならないうちに、この子をあわれんでやってください！」

「おまえ」老婦人は、泣いている娘を胸にだきしめて、いった。「わたしがあの子の髪の毛一本でも傷つけると思うこと？」

「おお、そうは思いませんわ！」ローズはむきになっていった。

「たしかに、そうよ」老婦人はいった。「わたしの生涯は終わりに近づいています。わたしが他人に示したような慈悲がわたしにも授けられますように！　あの子を助けるために、どうしたらいいのかしら？」

「それは、わしに考えさせてください」医師はいった。「わしに考えさせてください」

ロスバーン氏は両手をポケットに突っこみ、何回か部屋を往き来し、そのあいだに、ときどき足をとめ、爪先立ちになってからだのバランスをとり、ひどく顔をしかめていた。「わかった」、「いや、わからん」とかいったさまざまな叫びを発し、同じようにしばしば歩きだしたり顔をしかめたりしたあと、彼はとうとうピタリと足をとめ、つぎのようにいった――。

「もしジャイルズとあのチビ公ブリトルズをおどしつける完全、無条件な権限をわたしに与えてくださったら、なんとかやれるでしょう。ジャイルズは忠実な男で、ここでながいこと勤めた召使いです。だが、あなたはさまざまなやりかたで彼に穴埋めをし、ああした名射手であったことにたいして、報いはできるはずです。それにご異議はありませんな?」

「あの子を助けてやるのに、なにかほかの方法がなければ……」メイリー夫人はこたえた。

「ほかにはありませんな」医者はいった。「ほんとうです。ほかにはありませんとも」

「では、叔母さまは先生にその全権をおゆだねです」泣きながらも、にっこりとほほえんで、ローズはいった。「でも、どうか、どうしてもやむを得ない場合以外には、あの人たちをいじめないでください」

「ローズお嬢さん」医者はやりかえした。「あなたは、自分以外の人間はみんな人をいじめたがってる、とお考えのようですな。わしは若い世代の男性のために望むだけですよ、あなたの愛を求める最初の好青年が、今度の場合と同じようにあなたが傷つきやすく、やさしい心根の持ち主であることを知るようにとね。青年になりたいもんですな、そうしたら、いまのチャンスに乗じて、その目的を果たすこともできるでしょうからね」

「先生は、ブリトルズと同じように、大きな坊やですことね」顔を赤らめながら、ローズはこたえた。

「そう」ほがらかに笑いながら、医者はいった。「子供になるのは、そんなにむずかしいことではありませんぞ。だが、あの子供のことに話をもどしましょう。われわれの協定の重大な点は、これから先の話にあるのです。少年は、たぶん、一時間かそこいらすれば、目をさますでしょう。そして、下にいるあの頭の鈍い巡査には、少年は動かすことも話しかけることもならん、さもないと命が危い、といってありますが、彼となら、心配なく、われわれは話すことができます。さて、わしはつぎの協定を提案します——わしがあなたがたの目の前で彼を調べ、彼の言葉から、これは十分にあり得ることですが、彼がほんとうに真の徹底した悪人だと判断したら——それは、あなたがたの冷静な理性が十分に納得されるまで、わしが説明しますが——彼のことは彼の運命にゆだね、とにかくわしは、それ以上、いっさい口を出さんということです」

「おお、それはいけません！」ローズがたのみこんだ。

「おお、それでいいです、叔母さま！　ですな」医者はいった。「さあ、そういうことにしてくださいますかね？」

「あの子が悪事で心を固くしているわけがありません」ローズはいった。「そんなこと、あり得ないことです」

「よくわかりましたよ」医者はやりかえした。「それなら、わしの提案になお賛成してもいいわけでしょう」

ついに条約が結ばれ、協定者は、多少イライラしながら、腰をおろして、オリバーが目をさますのを待っていた。

二人の婦人の忍耐力は、ロスバーン氏がいっていたよりもっと長期の苦しみを味わうように運命づけられていた。というのも、時間はどんどんたっていったが、オリバーはまだぐっすりと眠りつづけていたからである。実際、やさしい医者が、オリバーはもう十分に元気を回復して、話すこともできるようになった、と彼らに伝えたのは、もう夕方になってからだった。少年の具合は、まだとてもよくない、そして血を流したために弱っている、だが、彼の心はなにかを語りたがって悩んでいる、翌朝まで彼を静かにしておこうと思えば、それもできるが、それより彼に話す機会を与えてやったほうがよいだろう、と彼は意見を述べた。

会議はながくつづいた。オリバーは、苦痛と疲労で話をとぎらせながら、自分の簡単な身の上を語った。暗い部屋で、病気の子供の弱々しい声が、冷酷な人々が彼に与えた不幸と災害の話をボソボソと語るのを聞くことは、厳粛な雰囲気をひき起こすものだった。ああ、仲間の人間をおしつぶし苦しめるとき、われわれの頭上に死後の復讐《ふくしゅう》を求める人間の罪悪の黒々とした証拠が、濃くたれこめた雲のように、ゆっくりではあるが確実に、神のみもとに立ちのぼっている事実を少しでも考えたら、もしわれわれが想像をめぐらせて、どんな権力もおしつぶすことができず、どんな傲慢《ごうまん》も消滅させることができない死者の声の深い証言をちょっとでも耳にしたら、日々の生活のもたらす不正、苦悩、みじめさ、残忍、非行はたちまち消え去ってしまうことだろう！

その夜、オリバーの枕はやさしい手で形をなおされ、彼が眠っているとき、やさしさと徳が彼の姿を見守っていた。彼は心が静まり、幸福になって、不平もいわずに死んでゆけそうな気持ちになっていた。

この重大な会見が終わり、オリバーがふたたびトロトロしはじめたとき、医者は目をぬぐい、突然自分の目の弱さを非難してから、階下におりていって、ジャイルズに攻撃を開始した。客間にはだれもいなかったので、この戦闘を台所で開始したほうがいっそう効果をあげるという考えが、ふっと彼の頭にひらめいた。そこで、彼は台所に乗りこんでいった。

家庭議会の下院には、女の召使いたち、ブリトルズ氏、ジャイルズ氏、鋳《い》かけ屋（その功績を讃えて、彼はその日一日ご馳走《ちそう》にあずかるべく招待されていた）、それに巡査が参集していた。この最後の紳士は大きな棒、大きな頭、大きな顔、大きな半長靴を備えた人物で、そうとうビールを召しあがっているふう——じっさい、たしかにそうだったのだが——だった。

前夜の冒険がまだ論議の的になっていた。というのも、医者がとびこんできたとき、ジャイルズ氏は自分の沈着についてながながと述べたて、ブリトルズ氏は、手にビールの壺《つぼ》をもって、自分の目上のジャイルズ氏がなにかものをいう前にもう、そうだ、そうだといっていた。

「そのまま座ったままで！」手をふって、医者はいった。

「ありがとうございます」ジャイルズ氏はいった。「奥さまがビールをふるまってくださるとのことで、わたし自身の小さな部屋ではそれをやる気になれず、仲間を欲しく思いましたので、みなさんといっしょに、ここでそのビールをちょうだいしているわけでございます」

ブリトルズが先陣をうけたまわって、なにかブッブツとつぶやき、それで、紳士淑女がジャイルズ氏の好意にたいしてもっている感謝の情が表明されたものと解釈された。ジャイルズ氏は鷹揚《おうよう》にあたりをながめまわし、彼らが礼儀をわきまえているかぎり、自分は彼らを見すてはせぬといわんばかりのようすだった。

「患者の具合は、今晩、どうでございます？」ジャイルズはたずねた。

「あまりパッとせんな」医者はこたえた。「おまえはその点で、大変なことになったぞ、ジャイルズ君」

「まさか」ガタガタ身をふるわせながら、ジャイルズ氏はいった、「彼が死ぬのではございませんでしょうね？　そうだとすると、もう二度と幸福にはなれません。国中の貴重な皿ぜんぶをいただいたって、子供を殺してしまうことなんて、わたしはしたいと思いませんからね——そう、ここのブリトルズでさえ、そんなことは思いませんとも」

「問題はそんなことじゃないんだ」謎めいて医者はいった。「ジャイルズ君、きみは新教徒かね？」

「はあ、そうだと思います」真っ青になったジャイルズ氏はどもりながらこたえた。

「おい、坊主、おまえはどうだ？」さっとブリトルズのほうに向きなおって、医者はいった。

「いや、これは！」ひどくギクリとして、ブリトルズ氏はこたえた。「わたしは――ジャイルズさんと同じでございます」

「じゃ、次のことにこたえてくれ」医者はいった。「二人とも――二人ともな。おまえたちは誓言にかけて、二階の少年が、昨日の晩、小窓から入れられた少年だというのかね？　さあ、返事してくれ！　さあ！　わしたちはその返事を待ってるのだぞ！」

この地上でもっとも機嫌のいい人物とひろく世間で知られているこの医者は、ひどく怒りをこめた調子でこの質問をしたので、ビールと興奮でかなり酩酊《めいてい》していたジャイルズとブリトルズは、茫然《ぼうぜん》自失の状態で、たがいに顔を見合わせていた。

「巡査君、このこたえには、よく注意をはらってくださいよ」いかにも威厳をこめた態度で人さし指をふり、このお偉方の最大の注意を喚起するために、その指で鼻の横をコッツとたたきながら、医者はいった。「このこたえから、まもなく、ある重大なことが生じるかもしれんのですからな」

巡査はいかにも利口ぶった悟り顔をし、煙突の隅のところに放りだされてあった職務をあらわす棒をとりあげた。

「おわかりだろうが、これは同一人物か否かという簡単な問題です」医者はいった。

「まさにそのとおりですな」ひどく咳《せき》こみながら、巡査はこたえた。それというのも、彼は急いで自分のビールを飲みほし、その一部が喉《のど》をとおらず、ほかのところへはいってしまったからである。

「ここに賊の侵入を受けた家がある」医者はいった。「そして、二人の男が銃火の煙の中で、恐怖と暗黒の狂乱状態で、一瞬、少年の姿を垣間《かいま》見る。ここに翌朝、まさに同じ家にやってきた少年がいて、たまたま腕を包帯されていたという理由で、この二人の人物は荒々しく彼を逮捕し——それをして、二人は、少年を生命の危機に追いこんだわけだが——少年が盗賊だと誓言する。さて、ここで問題は、この二人が事実をちゃんとにぎっているかどうかだ。もし事実をつかんでいなかったら、彼らはどのような立場に立つことになるだろうか?」

巡査は心得顔にうなずいた。彼は、おっしゃるとおり、それが法律というもんだ、もしそうでなかったら、法律とはどんなもんか知りたいもんだ、と述べた。

「ふたたびおまえたちにたずねるが」医者は大声をはりあげた、「おまえたちは、厳粛なる誓いの言葉にかけ、あの少年が例の少年と同一人物だと述べることができるのか?」

ブリトルズは自信なさそうにジャイルズ氏をながめ、ジャイルズ氏も自信なさそうにブリトルズをながめた。巡査は、応答をしっかりつかもうと、手を耳のうしろにあてがった。二人の女と鋳かけ屋は身をのりだして、耳を澄ませ、医者はあたりを鋭く見まわしていた。そのとき、門のところで鐘の音がひびき、それと同時に、車のガラガラッという音が聞こえてきた。

「刑事さんだ！」見たところいかにもほっとしたふうに、ブリトルズは叫んだ。

「なんだって？」今度は医者のほうがびっくり仰天して叫んだ。

「刑事さんです」ろうそくをとりあげて、ブリトルズはこたえた。「わたしとジャイルズさんが、今朝刑事さんを呼んだんです」

「なにをだって！」医者は大声をはりあげた。

「ええ、そうです」ブリトルズはこたえた。「わたしが駅馬車の御者をとおして伝言を送ってあり、ここにあらわれないのを不思議に思ってたんです」

「おまえが伝言を、そんなことをしたのか？　畜生、この――いや、ここでは駅馬車がのろいのだな。それだけだ」そこを出てゆきながら、医者はいった。

（下巻へつづく）

この作品は一九七一年十一月、日本メール・オーダー社より刊行されました。

本作品中では差別表現として好ましくないとされている用語も使用しておりますが、歴史的背景を考慮の上ですのでご了承ください。

オリバー・ツイスト（上）

チャールズ・ディケンズ

北《きた》川《がわ》悌《てい》二《じ》＝訳

角川文庫 14099

平成十八年一月二十五日　初版発行

発行者——田口惠司

発行所——株式会社角川書店

東京都千代田区富士見二—十三—三

電話　編集(〇三)三二三八—八五五五

営業(〇三)三二三八—八五二一

〒一〇二—八一七七

振替〇〇一三〇—九—一九五二〇八

印刷所——暁印刷　製本所——BBC

装幀者——杉浦康平

テ 7-1　ISBN4-04-211016-9　C0197

角川文庫発刊に際して

角川源義

第二次世界大戦の敗北は、軍事力の敗北であった以上に、私たちの若い文化力の敗退であった。私たちの文化が戦争に対して如何に無力であり、単なるあだ花に過ぎなかったかを、私たちは身を以て体験し痛感した。西洋近代文化の摂取にとって、明治以後八十年の歳月は決して短かすぎたとは言えない。にもかかわらず、近代文化の伝統を確立し、自由な批判と柔軟な良識に富む文化層として自らを形成することに私たちは失敗して来た。そしてこれは、各層への文化の普及滲透を任務とする出版人の責任でもあった。

一九四五年以来、私たちは再び振出しに戻り、第一歩から踏み出すことを余儀なくされた。これは大きな不幸ではあるが、反面、これまでの混沌・未熟・歪曲の中にあった我が国の文化に秩序と確たる基礎を齎らすためには絶好の機会でもある。角川書店は、このような祖国の文化的危機にあたり、微力をも顧みず再建の礎石たるべき抱負と決意とをもって出発したが、ここに創立以来の念願を果すべく角川文庫を発刊する。これまで刊行されたあらゆる全集叢書文庫類の長所と短所とを検討し、古今東西の不朽の典籍を、良心的編集のもとに、廉価に、そして書架にふさわしい美本として、多くのひとびとに提供しようとする。しかし私たちは徒らに百科全書的な知識のジレッタントを作ることを目的とせず、あくまで祖国の文化に秩序と再建への道を示し、この文庫を角川書店の栄ある事業として、今後永久に継続発展せしめ、学芸と教養との殿堂として大成せんことを期したい。多くの読書子の愛情ある忠言と支持とによって、この希望と抱負とを完遂せしめられんことを願う。

一九四九年五月三日